MACINTOSH EFFICACE

MACINTOSH PLUS, SE
ET MACINTOSH II

D1310768

Connaissez-vous la collection Logiguide Macintosh aux Editions P.S.I. ?

© *Éditions P.S.I. est une filiale de Nathan Éditeur*

GROUPE DE LA CITÉ

6-10, boulevard Jourdan
75014 PARIS
1988

ISBN : 2-86595-528-1

MATÉRIELS

MACINTOSH EFFICACE

MACINTOSH PLUS, SE ET MACINTOSH II

PIERRE BRANDEIS
MICHEL GUÉRIN

ÉDITIONS P.S.I.
1988

Pierre Brandeis est musicien professionnel. Il est venu à l'informatique au début de l'année 1983. Sa signature est bien connue du "public" Macintosh puisqu'elle apparait déja sur le premier "Mac Efficace" paru en 1985 et que sa production est depuis régulière sur différents sujets. Il est également le co-auteur du livre d'Hypercard en 1987.

Michel Guérin est ingénieur conseil en informatique chez Arthur Andersen & Cie. Après avoir travaillé sur les PC-IBM et les Apple II et III pour diverses sociétés, il achète un Macintosh courant 1984. Son service national lui permet de se plonger dans l'univers Macintosh. Sa profession actuelle lui permet un contact fréquents avec tous les utilisateurs de la micro-informatique.

A VOTRE SERVICE

DISQUETTE D'ACCOMPAGNEMENT

Certains ouvrages font l'objet d'une disquette d'accompagnement reprenant les programmes contenus dans le livre ou les applications associés. Pour les obtenir, reportez-vous à la page "disquette d'accompagnement" insérée au début de chaque ouvrage possédant une disquette.

EN COMPOSANT LE 3615 CODE OI ✳ LIV
NOTRE SERVICE MINITEL VOUS PROPOSE

- de vous renseigner sur notre catalogue et toutes nos nouveautés
- de vous indiquer le plus proche point de vente
- de répondre à vos questions techniques concernant nos ouvrages grâce à la messagerie P.S.I.

CATALOGUES ET "LIVRES MICRO"

Vous pouvez recevoir chez-vous les catalogues complets de nos ouvrages et être abonné gratuitement à la revue "Livres Micro". Pour ce faire, envoyez le coupon ci-dessous à :

Editions P.S.I. 6-10 boulevard Jourdan - 75014 PARIS

VOTRE AVIS NOUS INTERESSE

Je désire recevoir gratuitement :　❏ vos catalogues　　❏ la revue "Livres Micro"

Pour nous permettre de faire de meilleurs livres, adressez-nous vos critiques et vos suggestions sur le présent ouvrage.

Titre de l'ouvrage : _____

- Ce livre vous donne t-il toute satisfaction ?
_____

- Y a t-il un aspect du problème que vous auriez aimé voir aborder ?
_____
_____
_____
_____
_____

Nom _____ Prénom _____ Age _____

Adresse _____

Profession _____ Centre d'intérêt :　❏ PC

　　　　　　　　　　　　　　　　　　　　　　　❏ Macintosh

　　　　　　　　　　　　　　　　　　　　　　　❏ Autre

Remerciements

Nos remerciements pour l'écriture de ce livre vont tout particulièrement à MM. Jean-Noël Gorge, Roland-Marc Touïtou, Pierre Auchatraire et bien sûr aux deux Véronique qui nous ont supportés, avec le sourire...

Les Auteurs

Sommaire

Introduction

Pourquoi un tel ouvrage? Le Mac est pourtant une machine réputée facile d'accès...

C'est vrai. Même tellement vrai, que nous nous sommes aperçus, au fil de nos rencontres avec vous, les utilisateurs, que vous n'en connaissiez pas vraiment toutes les possibilités, et que vous ne l'utilisiez souvent qu'à une fraction de sa puissance.

Nous avons donc décidé de regrouper en un seul volume, tout le maniement STANDARD du Mac et son environnement complet tant matériel que logiciel.

Ce livre a donc l'intention de guider votre souris, au fil de vos clics. Nous ne rentrerons pas dans le détail des applications, à l'exception de quelques accessoires de bureau et utilitaires particulièrement pratiques.

Cet ouvrage s'adresse aussi bien au débutant complet qui trouvera la description complète de la fameuse "interface utilisateur" , qui a fait le succès du Mac, qu'à l'utilisateur plus confirmé qui souhaite monter un réseau à base de serveur ou faire communiquer le Mac avec d'autres types d'ordinateurs.

Les astuces d'utilisation sont indiquées par une main et un filet gris épais. Cela permettra de les répérer plus facilement.

Les points délicats, pour leur part, sont mis en relief par un double filet .

En fin d'ouvrage, se trouvent un lexique Anglais-Français des termes Mac, qui pourra servir à comprendre une application non traduite, un glossaire des principaux termes, ainsi qu'un index.

Chapitre 1

Histoire de pomme

LA GENESE

L'histoire -ou la Saga- d'Apple donne largement aux amateurs de légendes l'occasion de se régaler, tant il est vrai que depuis la création de l'Apple I (oui oui, il a existé...) les événements se sont succédés pour la société californienne à un train qui va en s'accélérant. La légende d'Apple se mélange bien souvent avec l'histoire de l'explosion de la micro-informatique.

Il est dit que Steve Wozniak (dit "Woz") et Steve Jobs, jeunes étudiants fraîchement sortis de l'université, montèrent le premier ordinateur nommé Apple dans un vieux garage en l'an de grâce 1976 (c'est déjà loin). Presque immédiatement, il sortirent un micro-ordinateur qu'il nommèrent de façon tout à fait logique Apple II. Les années 76 à 83 furent principalement les années de l'Apple II, appareil qui a connu un succès conséquent et qui fut le premier micro-ordinateur à grande diffusion.

Pour ceux qui ne l'ont pas connu , il comprenait une unité centrale, un écran et comme support de masse un lecteur de cassettes. Par la suite, d'autres composants de plus en plus performants firent leur apparition.

Ce furent tout d'abord les "Floppy disk" ou lecteurs de disquettes, en 1978. Ces premiers lecteurs pouvaient stocker à l'époque 120 K au total sur des disquettes de format 5"1/4. Parallèlement à une évolution matérielle se produisait une évolution logicielle : début 80, pour l'Apple II, fut commercialisé Visicalc qui, à cette époque était révolutionnaire : il allait être le premier d'une longue suite de logiciels appelés "tableurs" qui, en fait, ont conservé le même principe de fonctionnement et d'utilisation. A l'été 1982, Apple sortait sa première imprimante matricielle, ancêtre de l'actuelle Imagewriter.

L'année 1983 est très importante puisque l'on peut considérer que le premier pas vers Macintosh fut franchi avec la sortie du Lisa. Le Lisa était le premier appareil à développer des concepts -dont l'origine, au fond, importe peu-largement utilisés dans le futur Macintosh : icônes, menus déroulants, souris et en conséquence, une grande facilité d'utilisation. Il intégrait un grand écran, l'unité centrale, un disque dur, un ou deux lecteurs de disquettes, dans un seul bloc.

Cet appareil n'a pas eu le succès qu'il méritait, probablement à cause de son prix élevé et aussi peut-être parce qu'il était trop en avance sur un marché plus occupé à s'émerveiller des micro-ordinateurs qui fleurissaient un peu partout, et dont le prix ne cessait de baisser. L'attention du public se portait alors sur l'épanouissement des "compatibles PC".

En même temps que le Lisa, Apple sortait l'Apple IIe, digne successeur de l'ancêtre Apple II.

ET VINT MACINTOSH...

1984, année zéro de l'ère Macintosh : au début de l'année, la première usine de fabrication de Macintosh ouvre à Fremont en Californie. Entièrement automatisée, l'usine produit un Mac toutes les 27 secondes...

Par rapport aux actuels Mac (excepté le Mac II), le modèle de l'époque n'a pas un look très différent : même allure, petit écran, unité centrale intégrée, lecteur interne 3"1/2. Les possibilités sont certes limitées en regard des machines actuelles , mais tous les bons principes y sont déjà : icônes, menus déroulants, fenêtres, écran bitmap (tout est traité point par point), ROM contenant la plupart des programmes nécessaires pour gérer l'appareil et créer de nouvelles applications avec un certain niveau de standardisation, souris bien sûr, et la convivialité poussée au maximum...Il y a également la possibilité de gérer les sons, les images, la parole et même déjà, quelques fonctions de gestion de la couleur.

Tout est déjà dans le Mac d'origine : ses capacités de mémoire et de traitement ne lui donnent pas vraiment la faculté de faire tout ce qui est prévu par ses concepteurs, mais l'élan est donné. Le Mac de l'époque existait en deux modèles : 128K et 512K de RAM. On pouvait lui adjoindre un lecteur externe et l'imprimante matricielle Imagewriter I. Il n'y avait pas ou peu de disques durs. A l'heure actuelle, cet appareil n'est plus commercialisé.

Autant aux Etats Unis la percée du Mac existe réellement, autant en France le phénomène Mac reste marginal et le fait d'un petit nombre d'initiés. A l'époque glorieuse des débuts du Mac coexistent deux catégories : ceux qui ne connaissent pas et ceux qui connaissent en devenant instantanément "mordus" et ne veulent plus voir autre chose. Pour ceux-là, il y a bien l'avant et l'après Mac. Pendant bien longtemps, la situation du Mac reste identique. Les raisons en sont multiples : le prix déjà le rend inaccessible aux particuliers ; vis-à-vis des entreprises, la crédibilité du Mac n'est pas établie, à cause d'un attachement profond des sociétés au "traditionnel" -ce qui est bien compréhensible- à l'époque matérialisé par l'IBM PC. Apple, par ailleurs, vise plutôt les étudiants que les sociétés, car c'est encore le meilleur milieu pour rôder un matériel .

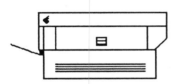

L'ERE LASER

1985 est l'année de la crédibilité, puisqu'Apple est le premier à sortir, couplée au Macintosh, une imprimante Laser de grande diffusion : la LaserWriter. La LaserWriter, outre ses possibilités remarquables d'impression, est un "coup" génial pour établir définitivement la crédibilité du Macintosh. Par ses possibilités d'impression, 8 pages à la minute avec une qualité jamais atteinte de 300 points par pouce, elle donne à l'utilisateur non spécialiste la possibilité d'imprimer "comme dans les livres". En outre, avantage définitif, elle peut être partagée entre plusieurs Mac grâce au réseau Appletalk. La révolution du "Desktop Publishing" ou PAO est lancée et, partant, le décollage de "Mac". Par ailleurs, le gestionnaire de réseau Appletalk développé par Apple (utilisé par tous les Macintosh), jusque là resté dans l'ombre, va par ses possibilités de partage des périphériques et par la simplicité de sa connectique hâter l'utilisation de Mac dans les bureaux.

Début 86, c'est le tournant : maintenant Mac est grand : la gamme Macintosh s'enrichit puisqu'en Janvier et Février 86, Apple sort successivement le

Macintosh Plus et la LaserWriter Plus. Le Macintosh Plus marque une première cassure dans la gamme Mac puisqu'il est à la fois beaucoup plus puissant et différent des "anciens" Mac 128 et 512. Différent, le Macintosh Plus l'est surtout par son architecture interne : davantage de mémoire (1 Mégaoctet en standard), davantage de ROM (128 Ko au lieu de 64 Ko), des possibilités de stockage plus grandes sur les disquettes (800 Ko au lieu de 400 Ko) et plusieurs modifications dans la gestion des disques : apparition d'un port plus performant dit "SCSI", un système d'exploitation remanié, etc.

Apple essaie, en vain, d'établir un pont entre le Mac Plus et les "anciens" Mac par la sortie du Mac 512/800, Mac hybride du 512 et du Mac Plus : imaginez un Mac 512 avec les lecteurs de disquettes et le système du Mac Plus. Cet appareil, surtout vendu dans l'éducation, n'a pas un très grand succès. Son grand frère commence de toutes manières sa carrière très honorablement.

Apple en profite pour sortir l'Imagewriter II, nouvelle imprimante matricielle venant remplacer l'Imagewriter I.

1986 : on pourrait dire que c'est l'explosion de la Galaxie Apple, puisque des changements importants aussi bien de personnes -Jobs et Wozniack ne font plus partie de la société Apple- que de politique commerciale ont lieu.

La cible privilégiée d'Apple devient alors les entreprises, avec comme principal vecteur de diffusion la PAO (Desktop publishing). L'association Mac Plus et LaserWriter commence à être connue au sein des entreprises grosses productrices de documents bien présentés, de ratios, d'aide à la décision. Les produits tels Excel, Word, Mac Project, Mac Write, Mac Draw, 4ème Dimension deviennent alors des "musts" pour bon nombre de sociétés. La percée est très nette et le "cas Macintosh" n'est alors plus seulement un amusant spécimen de micro-ordinateur cité par quelques journaux spécialisés, mais devient un véritable phénomène.

L'OUVERTURE

Le reproche qui est encore souvent fait au Mac est son environnement fermé "par rapport à qui vous savez". Qu'à cela ne tienne ! 1987 sera l'année de l'ouverture. En Mars 87 Apple annonce le Macintosh SE. Il a pour principale particularité d'être ouvert aux autres mondes puisqu'il propose un unique slot, port libre pour recevoir une carte d'extension de toute nature, y compris de nature IBM PC...

Outre cette ouverture, le Mac SE est différent par quelques autres points : la ROM est améliorée et passe à 256Ko, le clavier est entièrement revu, de même que le "look" de la souris. Si son environnement Hard est ouvert, sa présentation elle, est fermée, puiqu'il ne comporte plus comme le Mac Plus d'opercules pour un refroidissement par convection. Il contient un petit ventilateur chargé de refroidir toute la "'quincaillerie", hélas aux dépens du silence de fonctionnement tant apprécié jusque là....

C'est au début du Mac SE qu'Apple a fait la seule grosse erreur qui se soit produite sur ses matériels. A la suite d'une mauvaise conception du ventilateur, il se trouve que celui-ci a le même nombre de pales que de points de fixation de son capot : cela entraîne de fâcheux effets de résonnance, dont la manifestation immédiate est un bruit élevé. Le Mac SE s'avérait donc bruyant à ses débuts ; mais l'erreur a été bien vite corrigée, avec une nouvelle version dans laquelle, pour la circonstance, quelques programmes de la ROM sont légèrement modifiés.

Pour bien marquer le changement entre les "nouveaux" Macintosh et les "anciens", Apple change leur couleur qui devient "Platinium", couleur proche de l'ivoire clair.

BIG BANG

Mai 1987 sort le Macintosh II qui est à lui tout seul une véritable révolution. C'est le premier micro-ordinateur commercialisé contenant un Microprocesseur 68020, ce qui le rend au moins trois fois plus rapide que tous ses petits frères.

Ce n'est pas la seule différence : le Mac II, même s'il reprend tous les concepts des précédents, est physiquement complètement différent : l'unité centrale et l'écran sont séparés. Il ouvre royalement la voie de la couleur. L'unité centrale peut s'ouvrir pour révéler 6 "slots" d'extension prévus pour recevoir tout type de carte. Apple revient en quelque sorte aux sources puisque l'Apple II des origines procédait de la même philosophie : l'ouverture à tout prix.

Afin de satisfaire aux applications les plus gourmandes de calculs, le Mac II contient en standard un co-processeur arithmétique 68881. Il intègre aussi ce que de nombreux utilisateurs réclamaient à cor et à cri : la couleur (avec une carte vidéo standard, on peut afficher jusqu'à 16 couleurs parmi une palette de plusieurs millions : qui dit mieux ?). La plupart des logiciels du Mac Plus et du Mac SE fonctionnent sur Mac II.

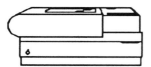

En même temps que le Mac II, Apple sort les trois soeurs, trois imprimantes laser respectivement nommées SC, NT et NTX. Elles ont des puissances, des qualités, des vitesses d'impression et des prix échelonnés, et s'adaptent ainsi aux différents besoins.

La fin de l'année 1987 et l'année 88 sont la consécration, l'explosion des logiciels et des extensions. Les annonces se multiplient et c'est la sortie du Multifinder qui permet de faire tourner plusieurs applications dans différentes fenêtres du bureau. Le logiciel Hypercard, à la fois navigation dans l'information et outil de programmation abordable par tout le monde voit le jour en Septembre 87. Il continue à faire couler beaucoup d'encre et les commentaires sur ses étonnantes possibilités ne tarissent pas.

Parmi les sorties les plus importantes, citons pêle-mêle le nouveau réseau Ethertalk, le serveur Appleshare, la nouvelle Imagewriter LQ, la carte Mac 386. Quelques imprimantes laser couleur commencent à faire leur apparition.

COMMUNIQUEZ !

L'année 88 sera aussi pour Apple l'année de la communication, dans tous les sens du mot. Unix pour le Mac II (A/UX) met le monde Unix à portée de la souris. L'avenir du Mac II -qui d'ailleurs n'avait pas vraiment besoin de cela- est assuré. Les possibilités de communiquer avec les autres mondes se multiplient : Mac Workstation, Mac APPC sont des produits promis à un bel avenir (Ce sera le "Desktop Communication").

La communication, c'est aussi la gestion de l'information sous toutes ses formes (sons, images, textes, etc..). Avec la sortie du CD-ROM, lecteur de disques Laser, Apple a déjà provoqué outre-Atlantique de nombreuses réalisations. Ce CD-ROM peut être piloté directement par Hypercard et il est certain que sa commercialisation en France en Octobre 1988 crée, une fois de plus, l'événement.

Des logiciels et matériels apparaissent qui s'adaptent au Macintosh pour exploiter ses facultés de bien présenter : logiciels de présentation comme Cricket Presents et Powerpoint, projecteurs électroniques, appareils de reproduction d'images écran en couleurs, scanner à plat de résolution 300 points par pouce. Le "Destop presentation" est né.

NO FUTURE ?

Apple, c'est déjà une douzaine d'années d'existence. A l'heure actuelle, les annonces et les sorties se multiplient. Le trio des environnements de bureau Desktop publishing -déjà bien implanté-, Desktop communication et Desktop presentation sont les locomotives de l'avenir d'Apple. C'est la preuve d'une santé éclatante : les esprits chagrins qui périodiquement annoncent d'un air contrit "ça y est, cette fois, ils sont cuits ! " devront probablement attendre un peu plus longtemps...

Apple, donc, une histoire à suivre...

Chapitre 2

La Philosophie Macintosh

UNE INTERFACE GRAPHIQUE UNIQUE

Entrer des ordres dans un ordinateur "normal" est d'ordinaire la tâche la plus ardue pour le néophyte : il faut se souvenir de nombreuses combinaisons de touches, toutes plus ésotériques ou barbares les unes que les autres. Sans compter qu'une touche qui aura une certaine action dans un logiciel pourra très bien avoir l'effet inverse (ou un but complètement différent) dans un autre. Avec le Macintosh, rien de tout cela !

La principale caractéristique du Mac réside dans l'extraordinaire convivialité qu'il offre à son utilisateur. Tout a été pensé et conçu, lors de son élaboration par Apple, dans l'esprit de simplifier l'accès à la machine. Pour la première fois, n'importe qui, même sans la moindre notion d'informatique, peut utiliser pleinement un ordinateur puissant. Comment cela est-il possible ?

Tout d'abord grâce à l'emploi intensif de l'écran graphique et de la souris (technologie graphique-souris). Mais cela ne suffit pas : d'autres machines relèvent également de cette technologie, sans pour autant parvenir à la souplesse et à la facilité du Mac.

Avec celui-ci en effet, on a presque toujours un sentiment de déjà vu, qui rend sa conduite intuitive. Cela tient à une notion très chère à Apple : la standardisation de l'Interface utilisateur : d'une application à l'autre, les fenêtres, contrôles, commandes sont présentés de manière identique. Sans entrer dans les détails de programmation qui ne sont pas du ressort de ce livre, il faut tout de même savoir que cette uniformité, qui rend l'apprentissage d'un nouveau programme tellement plus simple, est contenue dans la ROM (mémoire morte) du Mac; c'est la fameuse Toolbox, concept unique à ce jour en micro-informatique, qui fait dire aux développeurs qu'on ne programme pas LE Macintosh, mais qu'on programme EN Macintosh. La Toolbox contient tous les éléments qui permettent de créer l'environnement typique du Mac (voir Chapitre 14).

L'ENVIRONNEMENT MAC

De quoi se compose cet environnement ? de toutes ces choses que vous connaissez bien si vous avez un Mac : la souris et son pointeur, les icônes, les contrôles, les fenêtres, les menus déroulants, le Presse-Papiers, et quelques principes de base. Mais au fait, les connaissez-vous si bien que cela, tous ces concepts si familiers ?

La souris

Peu de choses à dire sur elle : elle fait tellement partie intégrante du Mac que celui-ci est inconcevable (et d'ailleurs pratiquement inutilisable) sans elle. Juste une remarque toutefois : elle s'encrasse assez vite, surtout si vous travaillez dans un lieu poussiéreux. Pensez donc à la nettoyer régulièrement (l'opération n'est pas si facile que ça : il faut gratter le dépôt de crasse qui s'accumule sur les deux petits rouleaux que la bille doit faire tourner ; certains revendeurs ont des "kits" spéciaux à cet effet, mais pour notre part, nous préférons une simple allumette, ou tout simplement l'ongle...). Les surfaces dures (stratifié, verre, bois poli) sont celles qui donnent la meilleure "glisse" à votre souris.

Sachez de plus qu'il existe des tapis spéciaux pour souris, qui donnent un confort sans pareil. Un petit investissement bien rentable...

Toutefois, le Mac est un des seuls ordinateurs à avoir pensé aux personnes handicapées : il existe un certain nombre d'accessoires et de logiciels qui le rendent pilotable même par des tétraplégiques. Nous y reviendrons.

Les pointeurs

Directement lié à la souris, le pointeur. Il se déplace à l'écran en suivant fidèlement les mouvements que vous donnez à la souris. Suivant les applications, il peut prendre diverses formes. Cependant, quatre d'entre elles, recommandées par Apple, ont des significations particulières :

Curseur le plus courant, pour pointer un objet graphique (icône, fenêtre, bouton, etc.).

Curseur indiquant qu'un texte est attendu dans cette zone de l'écran. En cliquant, on positionne le point d'insertion dans le texte, ce qui indique où le prochain caractère frappé au clavier sera inséré.

Curseur utilisé dans les tableurs, pour pointer les cases ou leurs intersections.

Curseur indiquant que le Mac travaille. Lorsqu'il apparaît, vous devez attendre que le Mac vous rende la "main". Notez que, si les aiguilles tournent parfois, elle n'indiquent tout de même pas l'heure !

Vous pourrez parfois rencontrer d'autres curseurs, dans le courant des applications, comme par exemple :

   La main

+   La croix, utilisée souvent dans les logiciels de dessin

Ils sont en général équivalents à la flèche.

   Enfin, la boule tournante est équivalente à la montre.

Attention ! Certaines applications rendent le curseur invisible lorsque celui-ci n'est pas utile. Ne le cherchez pas en vain sur l'écran, il réapparaîtra dès le premier mouvement de la souris.

Les clics

Comme vous le savez sans doute, le Mac fait une différence entre un simple et un double appui sur le bouton de la souris : ce sont les clics et double-clics.

D'une manière générale, un simple clic sur une icône ou dans une liste de choix sélectionne cette icône ou ce choix. Un double-clic par contre ouvre cet élément sans autre commande.

☛ Certaines applications ne s'arrêtent pas là, et se servent de triple, voire de quadruple clic ; c'est souvent le cas des traitements de texte : double-clic sélectionne le mot, triple la ligne, et quadruple le paragraphe.

Les icônes

Nous ne ferons pas non plus l'injure au lecteur de lui présenter les icônes ! Ces petits dessins si évocateurs parlent d'eux-mêmes, et c'est d'ailleurs précisément dans ce but qu'ils ont été créés...

Peut-être faut-il cependant rappeler qu'il existe deux sortes d'icônes : d'une part les icônes actives, comme celles du bureau qui représentent des fichiers, et que l'on peut manipuler, déplacer, sélectionner à loisir ; elles se retrouvent parfois dans les applications : dans Mac Paint, par exemple, on peut les sélectionner pour obtenir un outil, mais pas les déplacer.

Les icônes inactives, par opposition, sont juste des dessins statiques, qui apportent un décor ou une aide visuelle ; cliquer dessus ne provoque aucun effet particulier : c'est le cas des icônes qui figurent dans les alertes (voir plus bas) ou parfois dans les menus. Les éléments présents à l'intérieur d'un disque peuvent être de plusieurs natures différentes :

MacPaint   Dossier   Nouveau chapitre

La première est l'icône d'une application, la deuxième celle d'un dossier et la troisième celle d'un document rattaché à une application.

Les contrôles

Il y a quatre sortes de contrôles standard dans les applications :

Les boutons simples

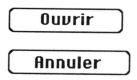

Ce sont des rectangles aux coins arrondis portant le titre de l'action qu'ils provoquent :

Les boutons ne peuvent pas être déplacés ; un simple clic à l'intérieur suffit à déclencher leur action.

> Attention ! Certains boutons sont dessinés avec un bordure plus accentuée que les autres :
>
>
>
> Cela signifie d'une part que c'est le bouton conseillé (dans l'optique de la sécurité et de la progression du travail), et d'autre part qu'un appui sur la touche **Retour** ou sur la touche **Entrée** produit le même effet qu'un clic sur lui (cette méthode de validation peut être plus rapide si vous avez la main sur le clavier). Il arrive même parfois que l'un des boutons soit équivalent à la touche **Retour** (ou **Entrée**) sans qu'il soit entouré de manière particulière.

Les boutons-radio

On les appelle ainsi car ils réagissent comme les boutons d'un autoradio : si on appuie sur l'un, l'autre ressort. Dans le Mac, ils sont utilisés pour sélectionner une possibilité parmi plusieurs qui s'excluent mutuellement. Il ne peut donc y avoir dans un groupe plus d'un bouton radio sélectionné à un instant donné. Par exemple, quand vous définissez le format d'impression pour imprimer un document, une partie de la fenêtre présente des boutons pour indiquer la taille du papier (c'est logique puisque le papier ne peut pas avoir deux tailles à la fois !) :

Papier : ⦿ **Lettre américaine**   ◯ **Lettre A4**
           ◯ **Légal américain**   ◯ **Continu international**
           ◯ **Papier informatique**

Un ou plusieurs boutons du groupe peuvent être grisés si les choix correspondants ne sont pas disponibles : dans l'exemple fictif ci-dessous, il faut sélectionner le lecteur sur lequel on veut opérer ; comme il n'y a pas de disque dur connecté, le choix de celui-ci est impossible :

⦿   **Lecteur interne**
◯   **Lecteur externe**
◯   **Disque dur**

Les cases à cocher

Lorsque vous devez indiquer des choix multiples qui peuvent être pris en compte ensemble, le Mac vous présente des cases carrées. Vous cochez en les cliquant celles que vous voulez. Par exemple, quand vous définissez le format d'impression d'un document (avec l'ImageWriter), une partie de la fenêtre vous propose :

Effets spéciaux : ☒ **Portrait ajusté**
                ☒ **Réduction 50 %**
                ☐ **Pas de saut de page**

Puisque ce sont des cases et non des boutons-radio (elles sont carrées), cela signifie que vous pouvez avoir ensemble **Portrait ajusté, Réduction 50%,** et **Pas de saut de page.** Ici, on a coché les deux premières cases, pour avoir **Portrait ajusté** et **Réduction 50%,** mais pour conserver les sauts de page.

> ☛ Pour activer un bouton-radio, vous n'êtes pas obligé de cliquer juste à l'intérieur de celui-ci : tout le rectangle qui englobe le bouton et son texte est "sensible" à la souris. La même remarque vaut pour les cases à cocher.

☞   Quand vous enfoncez le bouton de la souris dans leur périmètre, les boutons s'inversent (deviennent noir sur blanc) :

et le tour des boutons-radio et des cases à cocher se renforce :

Si vous changez d'avis avant d'avoir relâché le bouton de la souris, il suffit de déplacer le pointeur hors de la zone sensible avant de le relâcher pour que l'action ne soit pas prise en compte. La même remarque est valable pour la case de fermeture d'une fenêtre.

Les curseurs de réglage

Enfin, il existe une dernière sorte de contrôle : les curseurs. Ces objets graphiques peuvent prendre différentes formes, mais comportent toujours une partie mobile, que l'on peut déplacer avec la souris pour obtenir une valeur précise. Les deux exemples les plus courants sont les dispositifs de défilement des fenêtres (les ascenseurs), et le potentiomètre de réglage du son dans le tableau de bord :

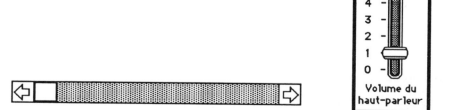

Les flèches à l'extrémité des barres de défilement ne sont que des boutons un peu particuliers par leur forme et le fait qu'ils agissent en temps réel et en continu : tant que vous cliquez dedans, la fenêtre défile.

Ces contrôles peuvent prendre d'autres formes, mais leur dessin restera toujours suffisamment explicite pour qu'il n'y ait pas de confusion possible dans leur utilisation.

Les Fenêtres

En premier lieu, toutes les informations présentées par le Mac sont affichées dans des fenêtres. Un grand nombre de fenêtres peuvent être présentes ensemble à l'écran, mais une seule pourra être active à un instant donné.

Pour activer une fenêtre, rien de plus simple : il suffit de cliquer sur une partie visible de celle-ci. Il se peut que la fenêtre que vous désirez activer soit entièrement recouverte par une autre ; dans ce cas, il faudra d'abord déplacer celle ou celles qui se trouvent par-dessus (notez dès à présent que l'utilitaire QuicKeys, dont nous reparlerons, permet d'une simple frappe au clavier d'activer directement la fenêtre du second ou du dernier plan, ce qui parfois est d'un très grand secours lorsqu'il y a beaucoup de fenêtres ouvertes).

Pour déplacer une fenêtre, il faut la prendre par sa barre de titre, puis la déplacer à l'endroit voulu, sans relâcher le bouton de la souris. Un cadre en pointillé aux dimensions de la fenêtre suit les mouvements de celle-ci, pour vous aider à la placer précisément où vous voulez.

> ☛ Il est souvent possible de déplacer une fenêtre sans l'activer : il suffit de maintenir la touche Commande enfoncée pendant que vous saisissez sa barre de titre. Ceci permet de déplacer une fenêtre sans perdre les sélections que vous avez faites dans une autre (qui est donc active).

En effet, il ne peut y avoir d'élément sélectionné (icône, texte, élément graphique) dans une fenêtre inactive. Désactiver une fenêtre entraîne donc la désélection de tous les éléments qui y étaient précédemment sélectionnés.

> ☛ En fait, certaines applications conservent la sélection dans les fenêtres inactives ou fermées, et parfois même entre deux sessions. C'est par exemple le cas d'Excel.

Il existe quatre grands types de fenêtres :

 les fenêtres de documents ;

 les fenêtres de dialogue ;

 les fenêtres d'alerte ;

 les fenêtres d'accessoires de bureau.

Il est ainsi facile de différencier les données d'une application des messages du système. Chaque sorte de fenêtre a un but différent. Il est donc normal qu'elles n'aient pas le même comportement.

Les fenêtres de documents

Ce sont celles dans lesquelles vous travaillez habituellement. Elles ont toujours une barre de titre, qui indique le nom du document qu'elle contient. C'est en faisant glisser la barre de titre que vous pouvez déplacer la fenêtre à votre guise sur le bureau. Notez que certaines applications, comme MacPaint, ne permettent pas de déplacer leurs fenêtres.

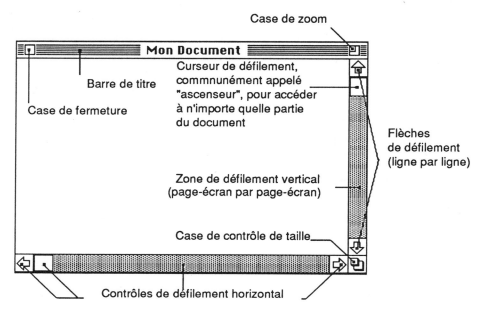

Suivant les applications et le type de travail auquel elles sont destinées, les fenêtres de documents peuvent être munies des différents contrôles usuels (ou seulement de quelques uns d'entre eux) : case de contrôle de taille, de fermeture, flèches, zones et ascenseurs de défilement vertical et/ou horizontal.

Lorsqu'une fenêtre de document est inactive, sa barre de titre, son ou ses dispositifs de défilement et sa case de taille sont estompés :

Sans titre
Cette fenêtre est inactive. Pour l'activer, il suffit de cliquer sur n'importe quelle zone visible lui appartenant.

Les fenêtres ont souvent une case supplémentaire dans la barre de titre ; c'est une case de zoom, qui sert à agrandir la fenêtre à tout l'écran. Cette case est particulièrement utile si vous avez un grand écran. Un second clic dans cette case rend à la fenêtre sa taille originale.

> Attention ! Si vous avez un grand écran, vous serez naturellement tenté d'agrandir la fenêtre à sa taille maximum. Il n'y a bien sûr pas d'inconvénient à cela, tant que vous travaillez avec le grand écran. Mais il faut savoir que certaines applications enregistrent la position et la taille de leurs fenêtres lorsque vous les quittez. Si par malheur vous rouvrez le document sur un écran plus petit, vous n'aurez plus accès aux barres de défilement et aux cases de zoom et de taille. On est donc coincé avec une fenêtre trop grande. Dans une application, la seule solution est de tout sélectionner, de copier, et de coller dans un nouveau document. Mais ce n'est pas toujours possible.
>
> Le pire des cas est celui du Finder. Si vous placez une fenêtre en bas d'un grand écran, elle disparaît lorsque vous l'ouvrez sur un Mac d'origine. On perd donc complètement l'accès aux icônes qu'elle contient. Pire, le fait de copier la disquette ou le dossier entier sur un autre disque ne résoud rien : la fenêtre de la copie est placée au même endroit inaccessible ! L'unique solution, à notre connaissance (en dehors de courir acheter un grand écran pour le second Mac !) est de copier les fichiers sur un autre disque ou dossier à l'aide d'un accessoire de bureau comme Extras, DiskTop ou DiskInfo (voir Chapitre 8). Ce qui rend ces derniers encore plus indispensables…
>
> Moralité : laissez toujours vos fenêtres en haut à gauche d'un grand écran si vous comptez les utiliser ensuite sur écran normal.

Les fenêtres de dialogue

Comme leur nom l'indique, les fenêtres de *dialogue* apparaissent quand le Mac a besoin de vous demander des informations supplémentaires pour effectuer le travail que vous lui avez demandé. Par exemple, quand vous choisissez **Format d'impression…** avant d'imprimer un document, le Mac affiche le dialogue suivant :

Ce type de fenêtre ne comporte ni barre de titre, ni dispositif de défilement. Vous ne pouvez pas la bouger. Vous devez indiquer vos choix grâce aux boutons-radio ou aux cases à cocher, puis valider ces choix en cliquant **OK,** ou au contraire annuler la commande avec le bouton **Annuler.**

Il y a souvent dans les dialogues un bouton plus en relief que les autres. Ce bouton est la réponse conseillée ; un appui sur la touche **Retour** ou **Entrée** provoquera le même effet que lui.

Un dialogue est prioritaire par rapport à un document : vous ne pouvez pas continuer à travailler tant que vous n'avez pas validé ou annulé, ce qui fait disparaître le dialogue ; toute tentative de clic en dehors de la fenêtre de dialogue provoque un "bip" de réprimande.

Certaines applications présentent parfois des fenêtres de dialogue plus "douces" : elles permettent de rentrer des indications dont le logiciel se servira éventuellement plus tard ; les fenêtres de tels dialogues ressemblent à celles des documents. Un bon exemple en est la fenêtre de recherche/remplacement de MacWrite :

☐ ▦ Remplacer ▦
Que rechercher ?	Mac
Remplacer par :	Macintosh
[Poursuivre la recherche]	[Remplacer et poursuivre la recherche]
[Remplacer]	[Remplacer partout]
⦿ Mot entier	○ Partie de mot

Ces fenêtres peuvent être déplacées, fermées ou rappelées à loisir.

Si le dialogue (quel que soit son type) doit recevoir du texte, celui-ci est accepté dans une zone spéciale que l'on appelle *champ d'édition* :

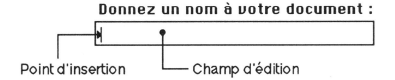

Donnez un nom à votre document :

Point d'insertion — Champ d'édition

Vous devez alors cliquer pour positionner le *point d'insertion* (voir plus bas "Entrée de texte").

S'il y a plusieurs champs d'édition dans un dialogue, passez de l'un à l'autre, soit par un clic sur le suivant, soit en appuyant sur la touche **Tabulation.**

Les dialogues d'ouverture/enregistrement

Lorsque vous ouvrez un document depuis une application, un dialogue apparaît, pour que vous puissiez choisir quel document ouvrir. De même, quand vous enregistrez un document pour la première fois (ou si vous faites un **Enregistrer sous...**), un dialogue vous demande quel nom vous désirez donner à ce document. Ces dialogues ont été rendus standard, et ont donc la même apparence dans toutes les applications.

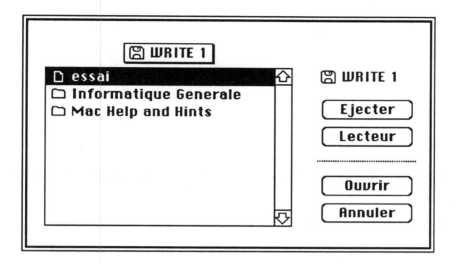

Les fenêtres d'alerte

Assez semblables aux fenêtres de dialogue (mais d'une priorité encore plus élevée), les *alertes* sont générées par le Mac pour vous informer d'une situation anormale, vous signaler que vous avez fait une erreur, ou simplement vous signaler quelque chose :

Elles ne contiennent généralement qu'un bouton, marqué **OK,** que vous devez cliquer pour indiquer que vous avez pris connaissance du message, avant de

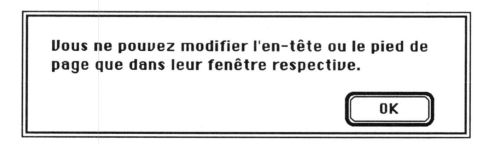

continuer à travailler. Les alertes ne peuvent pas être déplacées ; elles ne comportent pas non plus de case de fermeture : elles disparaissent toutes seules dès votre clic.

L'alerte ci-dessus est présentée par MacWrite lorsque vous cliquez plusieurs fois de suite dans la zone de l'en-tête ou celle du pied de page.

Les fenêtres d'accessoires de bureau

Les accessoires se servent parfois d'un type de fenêtre particulier : coins arrondis, barre de titre noire lorsque la fenêtre est active, pas de dispositif de défilement. Ces fenêtres peuvent être déplacées (par leur barre de titre), ou fermées (case de fermeture).

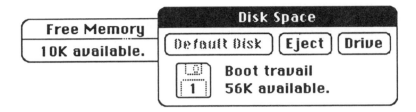

Les Menus

Ils reviennent eux aussi dans pratiquement tous les programmes qui tournent sur Mac, à l'exception d'un petit nombre d'entre eux, qui offrent assez peu de commandes pour que des boutons soient suffisants. Les menus ou options de menus qui apparaissent en grisé ne sont pas disponibles : ils correspondent à des commandes accessibles dans d'autres phases du logiciel.

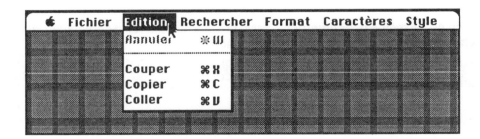

Est-il utile de rappeler que pour dérouler un menu, il suffit de pointer son titre et de maintenir le bouton de la souris appuyé ? Son titre s'inverse alors, c'est-à-dire qu'il apparaît en blanc sur fond noir. Si vous choisissez ensuite une option dans le menu, le titre reste inversé pendant tout le temps d'exécution de la commande. Si le travail demandé est assez long, le curseur prend d'habitude la forme de la montre ; ce n'est toutefois pas une règle absolue.

☛ Le fait que le titre du menu soit inversé prouve que le Mac est en train de travailler. Quand vous voyez le menu redevenir normal, vous savez que la commande est exécutée, et que vous avez de nouveau la main.

🍎 Si le nom d'une option est suivi de points de suspension, cela signifie que la commande débouche sur un dialogue qui vous demandera des précisions et que vous aurez l'opportunité d'annuler votre choix (par un bouton **Annuler**).

 S'il n'y a pas de points de suspension, la commande est aussitôt exécutée, bien qu'une confirmation puisse vous être demandée dans certains cas. Vous pourrez aussi parfois revenir en arrière après l'exécution en choisissant **Annuler** (voir plus bas) dans le menu **Edition,** mais cet article n'est pas toujours disponible ;

 Certains articles sont suivis du sigle de la touche Commande et d'une lettre. Cela signifie qu'en appuyant simultanément sur ces deux touches, on obtient le même résultat qu'en choisissant l'article directement dans le menu. Il n'est alors pas nécessaire de dérouler le menu : si les mains sont sur le clavier, il n'y a pas besoin d'attraper la souris (à condition de se souvenir des lettres de commande) ;

 Si un article de menu correspond à un choix parmi plusieurs possibilités, l'article en service est coché dans le menu :

```
Caractères
  Cairo
✓Chicago
  Geneva
  Helvetica
  New York
  Times
  Venice
```

Il en est de même pour les articles-bascule que vous activez ou désactivez par choix successifs (comme la grille dans MacPaint) ;

 Ces articles des menus sont souvent séparés en groupes de commandes ayant une logique ou une finalité communes. La séparation est faite par un trait pointillé fin ;

 Ces menus contiennent quelquefois des icônes. Il s'agit toujours d'icônes statiques, que vous ne pouvez pas déplacer, et qui sont seulement une représentation graphique de l'action de la commande associée.

Les menus spéciaux

Depuis la sortie du Macintosh Plus, de nouveaux types de menus sont apparus qui connaissent des succès inégaux. Si vous trouvez un de ces menus, ne soyez pas surpris. Bien que parfois difficiles à manier, leur fonctionnement reste intuitif.

 Les menus peuvent être plus longs que l'écran. Une flèche vers le bas -ou vers le haut- indique que d'autres articles se trouvent "sous" le bas de l'écran -ou le haut de l'écran. Le menu défilera tout seul lorsque vous arriverez sur la flèche.

🍎 De même, vous trouverez de plus en plus souvent des *sous-menus* dans les menus. Dans ce cas, l'article qui comporte un sous-menu présente une flèche à sa droite. Lorsque vous passez sur l'article, le sous-menu se déroule automatiquement, et se comporte lui-même comme un menu ordinaire : vous devez y faire glisser la souris sans relâcher le bouton avant d'arriver à l'option choisie. Ne soyez pas surpris si le sous-menu se déroule à gauche du menu plutôt qu'à sa droite : cela dépend de la place disponible à l'écran.

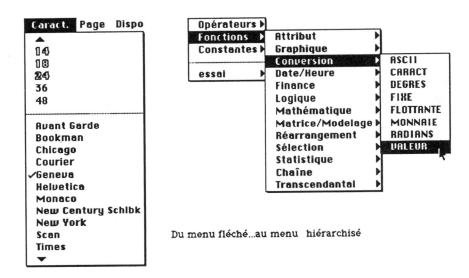

Du menu fléché...au menu hiérarchisé

🍎 On rencontre des *Pop-Up menus* dans certaines applications. Un Pop Up est un menu en dehors de la barre des menus. Au repos il apparaît comme une zone de texte, mais lorsque vous cliquez dessus pour modifier son texte, le menu se déroule, vous laissant choisir une option parmi plusieurs.

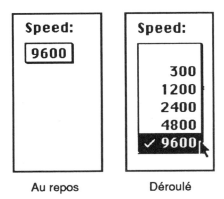

Au repos   Déroulé

⚫ Les menus *détachables*. Ils sont apparus avec Hypercard. Si, après avoir atteint le bas du menu, vous continuez à "tirer", le menu (et toutes ses options) se détache purement et simplement de la barre des menus, pour rester affiché en permanence sur l'écran. Le choix se fait alors par simple clic sur l'option.

Peu d'applications utilisent actuellement ce procédé. Il a néanmoins un bon avenir surtout avec le Macintosh II et l'arrivée de programmes de CAO (ce type de menu est très adapté aux stations de travail). Notez que le menu comporte une case de fermeture comme une fenêtre.

> ☛ Sur les écrans géants Radius, tous les menus sont détachables.

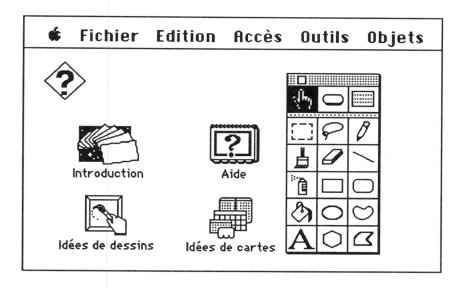

Les menus standard

En principe, vous devez toujours trouver trois menus identiques dans toutes les applications : le menu **Pomme** (⚫), le menu **Fichier,** et le menu **Edition.**

Le menu ⚫ et les accessoires de bureau

Il contient toujours un premier article intitulé **A propos de...,** qui donne des informations sur l'application en cours (numéro de version, copyright, etc.).

Les autres articles sont les accessoires de bureau. Leur nombre est variable et dépend du Fichier Système du disque maître (voir "Le dossier Système", "Démarrage", et "Accessoires de Bureau", Chapitres 3 et 4). Le nombre maximum théorique d'accessoires de bureau est fixé à 15, mais il est possible d'en avoir plus dans certains cas (voir "Les utilitaires indispensables", Chapitre 7).

Attention ! Une application peut elle aussi ajouter ou supprimer un ou plusieurs accessoires de bureau. Le menu ● peut donc se modifier lors du démarrage d'un logiciel.

Vous pouvez ouvrir plusieurs accessoires de bureau ensemble, vous passerez alors de l'un à l'autre en activant leurs fenêtres respectives, par un simple clic. Vous pouvez aussi re-choisir l'accessoire dont la fenêtre est cachée dans le menu ● : cela a pour effet de le ré-activer et de le faire passer au premier plan. Le transfert des données entre accessoires ou applications s'effectue via le Presse-papiers (menu **Edition**), à condition que les données soient compatibles (voir Le Presse-papiers, chapitre 6).

☛ Si vous devez faire de fréquents aller-retours entre un accessoire et une application, ne fermez pas l'accessoire à chaque fois, activez plutôt alternativement la fenêtre de l'un et de l'autre : vous gagnerez du temps.

Certains accessoires de bureau utilisent un menu propre, qu'ils ajoutent à la barre des menus de l'application en cours ; c'est pourquoi les applications doivent normalement laisser une place libre dans leur barre de menus. Il arrive malgré tout que des applications occupent toute la barre, et qu'on ne puisse donc pas y utiliser de tels accessoires.

D'autres accessoires changent carrément toute la barre des menus. Ils doivent donc être fermés avant de pouvoir poursuivre le travail dans l'application.

Le menu Fichier

Dans les applications en langue anglaise, il s'appelle **File.** Il contient toujours les commandes pour **Ouvrir, Fermer, Enregistrer** (sauvegarder), **Imprimer** des documents. Il permet aussi de définir le **Format d'impression** et de **Quitter** l'application en cours. D'autres choix y sont parfois proposés, comme **Revenir à l'enregistrement,** qui permet de retrouver la dernière version enregistrée, quelles que soient les modifications apportées depuis au document, ou **Enregistrer sous,** pour faire une copie du document sous un autre nom ou sur une autre disquette.

Le menu Edition

Il est typique du Mac, et en principe présent dans toutes les applications : en effet, même si elles ne l'utilisent pas toutes, elles laissent ainsi la possibilité aux accessoires de bureau de s'en servir. C'est lui qui gère la commande **Annuler,** qui vous autorise la méthode des essais et des erreurs, et le Presse-papiers, puissant moyen de communication entre applications différentes.

 La commande **Annuler**

Elle n'est pas implémentée dans tous les programmes, car elle est difficile à mettre en œuvre pour les programmeurs, et est gourmande en mémoire. Lorsqu'elle est disponible, elle annule la dernière modification apportée au document. Si la commande est implémentée, mais que la dernière action ne peut être annulée, le menu indique **Impossible d'annuler,** en grisé.

Souvent, un simple clic dans le document est une modification. Donc si vous changez d'avis après une action, faites **Annuler** aussitôt, sans rien faire d'autre avant. En général, **Annuler** peut aussi s'annuler, redonnant la version modifiée. Ce qui donne une possibilité de bascule pour examiner deux versions d'un document (mais soyez très prudent avec la souris : un clic de trop, et vous ne pourrez plus annuler...) ;   Annule possède le raccourci-clavier Commande-Z.

 Les commandes **Couper, Copier, Coller**

Ces commandes régissent le Presse-papiers : **Couper** ôte la sélection du document, et la place dans le Presse-papiers ; **Copier** effectue une copie de la sélection, et la place dans le Presse-papiers ; **Coller** insère le contenu du Presse-papiers dans le document, ou remplace la sélection par celui-ci. Les raccourcis-clavier standard sont Commande-C pour **Copier**, Commande-X pour **Couper**, et Commande-V pour **Coller**.

 La commande **Effacer**

Semblable à **Couper, Effacer** enlève la sélection du document, mais ne la place pas dans le Presse-Papiers. La portion enlevée est définitivement perdue (à moins d'**Annuler**. La touche **Arrière** est en général équivalente à **Effacer**.

Le Presse-Papiers

Le Presse-Papiers est une pièce maîtresse du Macintosh. Il est unique dans le domaine de la micro-informatique : aucune autre machine à ce jour n'offre la possibilité **Copier/Coller** des informations entre différentes applications d'une manière aussi simple, rapide, et homogène. La puissance du Presse-Papiers est telle que nous lui consacrerons une rubrique à part (voir Chapitre 6). Il vaut en effet la peine de savoir l'utiliser à fond, pour comprendre quelles informations on peut coller par rapport au type de l'application.

QUELQUES (BONS) PRINCIPES

L'utilisation du Mac repose sur quelques principes de base. Même si tout a été fait pour les rendre intuitifs, il est bon de les connaître et de les comprendre pour tirer le maximum de la machine.

La sélection

Pour pouvoir travailler sur un élément (icône, portion de texte, morceau de dessin, jeu de caractères, élément d'une liste, etc.), il faut indiquer au Mac quel est cet élément. On se sert à cette fin du principe général de la *Sélection* : vous cliquez sur l'élément voulu ; celui-ci devient alors plus contrasté (souvent en blanc sur noir) : on dit qu'il est sélectionné. Exemples :

 La fenêtre sélectionnée est la fenêtre active (voir plus haut). Pour activer une fenêtre, il suffit de cliquer sur n'importe quelle portion visible de cette fenêtre ;

 Sur le bureau (dans le Finder), vous devez sélectionner l'icône d'un fichier avant de pouvoir le déplacer, le copier, le dupliquer, ou faire toute autre manipulation ;

 Dans les zones de texte, vous devez faire glisser le pointeur (bouton enfoncé) sur le texte que voulez modifier ;

 Dans les applications, les méthodes de sélection varient : clic ou balayage sur l'élément, rectangle de sélection pour entourer la zone à sélectionner (dans le Finder ou MacPaint par exemple), exécution d'une commande d'un menu (gestion de fichiers). Cela dépend du type de données que manipule l'application ;

 Couper/Copier/Coller agissent toujours sur la sélection en cours. S'il n'y a pas de sélection, **Couper** et **Copier** devraient être grisés. Si le Presse-papiers est vide, **Coller** est en principe grisé. Pour plus de détails, voyez le Presse-papiers, Chapitre 6.

L'entrée de texte

Dans presque toutes les applications, il est nécessaire de rentrer du texte, ne serait-ce que pour donner des noms à vos documents. Là aussi, un gros effort a été fait par Apple : il y a dans la ROM du Mac un mini traitement de texte pour standardiser les opérations de base.

Il y a donc des règles relatives aux textes qui sont toujours vraies, quelle que soit l'application dans laquelle vous vous trouvez. Les véritables traitements de texte comme MacWrite ou Word 3 reprennent d'ailleurs ces principes, en les approfondissant et en les améliorant.

 Normalement, quand le pointeur passe au-dessus d'une zone de texte, il prend la forme d'un I majuscule, caractéristique de l'entrée de texte. Il arrive toutefois que cette règle ne soit pas observée (notamment dans les dialogues d'enregistrement/sauvegarde de documents, où le curseur conserve sa forme de flèche dans tout le dialogue) ;

 En cliquant dans la zone de texte, vous positionnez le point d'insertion, c'est-à-dire l'endroit où le prochain caractère frappé au clavier apparaîtra. Le point d'insertion est matérialisé à l'écran par une barre verticale clignotante (vous pouvez régler la vitesse de clignotement grâce au Tableau de Bord) ;

 Pour sélectionner une portion de texte, balayez celle-ci avec le pointeur. La partie de texte sélectionnée s'inverse (en blanc sur fond noir), et est prête à être modifiée ;

 Lorsqu'un morceau de texte est sélectionné, les caractères que vous frappez au clavier viennent remplacer ceux sélectionnés ; cette caractéristique est très pratique pour remplacer rapidement un texte par un autre : il est inutile d'enlever l'ancien texte avant de taper le nouveau. Le nouveau texte peut être d'une longueur différente de l'ancien. C'est par exemple le cas dans les champs d'édition de la commande **Enregistrer sous...**, qui présente dans le champ d'édition l'ancien nom, déjà sélectionné ; vous avez juste à taper le nouveau nom, sans vous soucier de l'ancien :

Enregistrer le document sous :

```
┌─────────────────────────────────┐
│ Chapitre 1                      █│
└─────────────────────────────────┘
```

 la touche **Arrière** enlève le dernier caractère tapé, ou la sélection s'il y en a une, sans toucher au contenu du Presse-papiers.

A L'INTERIEUR D'UNE APPLICATION

Enregistrer un document sur le disque

Lorsque vous entrez dans une application, celle-ci présente généralement un document vide, souvent intitulé "Sans Titre" ou "Untitled". Si vous travailliez sur ce document sans l'enregistrer, il serait perdu définitivement à l'extinction du Mac. La moindre micro-coupure de courant est également fatale à votre labeur. La sinistre bombe, bien connue hélas, a aussi le même effet. Le Mac pratique d'ailleurs l'humour noir, quand, après avoir perdu des données à cause de la bombe et vous avoir obligé à cliquer **Redémarrer,** il affiche allègrement "Bienvenue" ! ! !

Il y a donc une règle d'or : Enregistrez régulièrement votre travail, au moins toutes les 10 à 15 minutes. Cela ne prend que quelques secondes, mais peut épargner de (très) longues heures pour tout recommencer : en cas de désastre, vous ne perdrez au maximum que les 10 dernières minutes de travail.

Enregistrez aussi votre document avant d'entreprendre une action un peu inhabituelle, ou dans des circonstances hasardeuses ou compliquées : avant d'ouvrir un accessoire de bureau, d'ouvrir une nouvelle application sous Switcher ou MultiFinder, de changer la mémoire cache, de faire un tri sur Excel (opération non annulable), ou d'une manière générale toute action susceptible d'altérer l'état de la mémoire. Prudence est mère de sûreté...

Quel que soit le programme dans lequel vous vous trouvez, les opérations d'enregistrement (et de lecture) de documents se font d'une manière identique. C'est là un des avantages du Mac par rapport à d'autres machines : lorsque vous savez sauvegarder un document dans une application, vous savez le faire dans toutes !

Les dialogues d'enregistrement

La première fois que vous choisissez d'**Enregistrer** un document, ou lorsque vous demandez **Enregistrer sous...**, le Mac vous demande, dans un dialogue que nous allons détailler, de donner un nom à ce document. Il vous donne également la possibilité de définir sur quel disque vous désirez le sauvegarder.

La forme de ce dialogue est standard (il est pourtant possible de définir d'autres formes, et les créateurs de jeux le font parfois).

Après avoir choisi **Enregistrer** pour la première fois (et par la suite en demandant **Enregister sous...**), vient le dialogue :

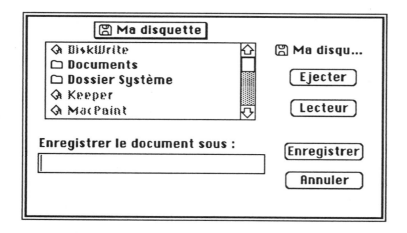

 S'il s'agit du premier enregistrement du document, "Sans titre" ou "Untitled" est souvent proposé automatiquement par le Mac comme nom par défaut ; sinon le bouton **Enregistrer** reste grisé jusqu'à ce que vous ayez tapé un nom dans la zone d'entrée de texte). Les touches **Entrée** et **Retour** sont des raccourcis au bouton **Enregistrer** ;

 Le bouton **Lecteur** n'est actif que s'il y a plus d'un disque dans le Mac : deuxième lecteur de disquette, disque dur, ou Ramdisque (voir chapitre 3). Le nom du disque sur lequel l'enregistrement va s'effectuer est indiqué dans le dialogue. En cliquant le bouton **Lecteur**, on passe cycliquement d'un lecteur à l'autre ;

> ☛ la touche **Tabulation** est un raccourci au bouton **Lecteur**.

 Le bouton **Ejecter,** comme son nom l'indique, éjecte le disque dont le nom apparaît dans le dialogue. Cliquez **Lecteur** jusqu'à ce que le nom du disque qui vous paraît le moins utile soit affiché ; cliquez ensuite **Ejecter,** puis insérez la disquette de votre choix, même "inconnue" du Mac jusqu' alors ;

> Attention ! Normalement, le bouton **Ejecter** est grisé lorsqu'un disque dur ou un Ramdisque est actif. Mais il arrive que ce ne soit pas le cas… Si vous le cliquez, il s'ensuivra un problème majeur, lorsqu'il vous demandera de le réinsérer (car comment réinsérer un disque dur ou un Ramdisque ?). Il ne restera plus qu'à redémarrer le Mac pour en reprendre le contrôle, en perdant tout le document. Aïe, Aïe, Aïe !

 Si vous introduisez une disquette neuve, le Mac vous proposera de l'initialiser (voir Chapitre 3), ce qui est une grande supériorité sur nombre d'appareils dits professionnels, qui ne savent pas formater une disquette à l'intérieur d'une application… Imaginez ce qui se passerait si, après avoir écrit un rapport de 40 pages, vous vous aperceviez que vous n'avez pas de disquette formatée pour l'enregistrer (essayez donc avec certains "compatibles"…) ! Sur le Mac, vous êtes à l'abri de ce genre d'ennui, mais n'attendez tout de même pas d'avoir tapé 40 pages pour enregistrer votre rapport, on ne sait jamais…

 Le bouton **Annuler** annule l'opération de sauvegarde, et revient dans le document.

Il faut alors taper le nom du document. La première fois que vous enregistrez un document, le Mac vous propose de le ranger dans le même dossier que l'application. La petite fenêtre munie de l'ascenseur montre tous les documents, applications et dossiers contenus dans ce dossier. Les documents et les applications sont en grisé, ce qui est normal, car vous ne pouvez pas ranger un nouveau document dans un autre document, ni dans une application ! Par contre, les dossiers sont actifs. En faisant un double clic sur l'un d'eux, vous l'ouvrez, et la fenêtre en montre alors le contenu : elle indique toujours le contenu du niveau dans lequel vous vous trouvez.

Prenons un exemple (fictif): si on fait un double clic sur le dossier Documents, la fenêtre affichera donc son contenu :

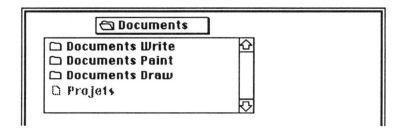

En sélectionnant ensuite le dossier Documents Paint, la fenêtre montrera ce qu'il contient (ici, il est supposé vide) :

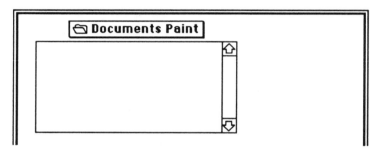

Pour revenir en arrière dans la hiérarchie, le nom du dossier dans lequel vous vous trouvez agit comme un mini menu déroulant, comportant tous les niveaux qui conduisent à celui du disque. Il ne reste plus qu'à choisir le niveau qui vous intéresse, pour que la fenêtre donne le contenu de celui-ci. Vous pouvez alors "redescendre" une nouvelle branche si vous le désirez. En fait, la structure d'un disque au format *HFS* est un arbre dans lequel la racine est la disquette elle-même, les nœuds sont les dossiers et les feuilles les documents ou applications (voir Chapitre 3).

En cliquant directement sur le nom du disque, à droite dans la fenêtre :

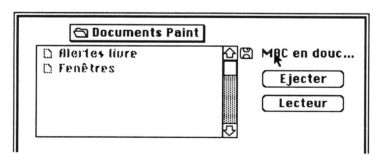

vous remontez d'un niveau de dossier, en dehors de tout dossier. C'est de cette façon que vous vous déplacez de niveau en niveau dans l'organisation du disque.

> ☞ Il existe un certain nombre de raccourcis clavier. Lorsque la fenêtre contient des dossiers, flèche-en-haut et flèche-en-bas vous déplacent dans la liste ; Commande-flèche-en-haut ouvre le dossier sélectionné, tandis que Commande-flèche-en-bas redescend d'un niveau dans la hiérarchie.

Dans notre exemple, supposons que nous voulions à présent enregistrer le document dans le dossier Chapitres, contenu dans Documents Write ; en partant de Documents Paint, il faut revenir à Documents, puis sélectionner Documents Write, et enfin Chapitres :

Si un fichier quelconque (application, document, même appartenant à une autre application) de la disquette où vous voulez enregistrer porte déjà le nom choisi pour votre document, un petit dialogue apparaît, qui vous demande confirmation de la perte de ce fichier :

Si vous maintenez votre choix, en cliquant **Oui**, vous effacerez l'ancien fichier et le remplacerez par votre document ; si vous cliquez **Non**, vous revenez au dialogue de sauvegarde pour changer de nom. Le bouton **Non** est souligné, car c'est lui qui donne l'action la plus "sûre" : pas de destruction de fichier. Un appui sur **Retour** ou **Entrée** donnera le même résultat.

☞ Le dialogue d'enregistrement conserve le chemin (ordre des dossiers) déterminé la dernière fois (même si entretemps vous enregistrez simplement un document ouvert appartenant à un autre dossier ou disque). Le même chemin est aussi proposé par défaut par le dialogue d'ouverture (voir plus loin). Le chemin initialement proposé est celui qui a permis d'ouvrir le document, c'est-à-dire en fait la fenêtre au premier plan dans le Finder au moment où on l'a quitté.

Ce dialogue peut être personnalisé par les applications ; une option, particulière à MacWrite, permet de choisir le format d'enregistrement : soit tout le document, avec sa mise en forme (règles, gras, souligné, tailles et polices des caractères, etc), soit le texte seul (caractères ASCII) en vue de transférer le fichier vers des applications incompatibles avec MacWrite. Les autres applications peuvent avoir des options différentes ou supplémentaires.

Attention ! Si vous avez de vieilles disquettes à structure MFS, les dossiers qu'elles contiennent ne seront pas affichés dans la fenêtre (puisqu'ils n'ont pas d'existence réelle –voir Chapitre 3). Il y aura toujours le nom de la disquette en haut de la fenêtre, mais aucun mini-menu déroulant n'apparaîtra. Vous ne pourrez donc enregistrer le document qu'au niveau principal de cette disquette. Pour le reste, tout se passe comme précédemment.

Enregistrer ou enregistrer sous... ?

Le menu **Fichier,** obligatoire dans toutes les applications respectant le standard Mac, contient presque toujours les deux articles **Enregistrer** et **Enregistrer sous....** Quelle différence y a-t-il entre les deux ?

Le principe en est simple : la première fois que vous enregistrez un nouveau document, le Mac vous demande, dans le dialogue que nous venons de détailler, de donner un nom à ce document. Il vous donne également la possibilité de définir sur quel disque vous désirez le sauvegarder.

Lorsque l'enregistrement est fait, le document devient "solidaire" à la fois du nom qui lui a été assigné, et du disque sur lequel il se trouve.

Par la suite, quand vous ouvrez à nouveau ce document, vous pouvez bien sûr le modifier. Vous avez alors le choix entre trois possibilités :

 Vous ne désirez pas conserver le document modifié : dans ce cas, imprimez-le si nécessaire, puis choisissez **Fermer** sans l'enregistrer ; le Mac vérifie alors que ce n'est pas un oubli de votre part, en vous demandant :

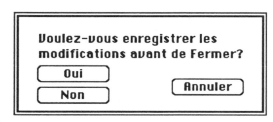

(la forme du dialogue peut varier légèrement d'une application à l'autre). Si vous cliquez **Non** vous perdez les modifications. Si vous cliquez **Annuler,** la commande **Fermer** est annulée : vous revenez dans le document. Si vous cliquez **Oui,** vous remplacez l'ancien document par le nouveau, sans nouvelle confirmation, comme avec la commande **Enregistrer** (voir ci-dessous) ;

- Vous ne voulez conserver que la nouvelle version de votre document, l'ancienne n'ayant plus d'intérêt. Dans ce cas, il suffit de choisir **Enregistrer** dans le menu **Fichier.** Aucun dialogue n'apparaît : le Mac remplace l'ancienne version par la nouvelle. C'est le cas le plus fréquent : vous enregistrez au fur et à mesure de la progression dans la construction du document ;

- Vous voulez conserver à la fois l'ancienne et la nouvelle version. C'est par exemple utile si vous utilisez souvent une même base pour élaborer des documents différents. Vous pourrez ainsi bâtir dans un traitement de texte une "Lettre vide" qui comprendra seulement votre en-tête, et le format habituel de votre courrier, ou dans un tableur une feuille de calcul qui vous resservira pour de nombreux comptes, etc...

Il suffit d'ouvrir le document de base, et aussitôt de l'**Enregistrer sous...** un nom différent : cette nouvelle version devient le document actif, et tous les **Enregistrer** à venir porteront uniquement sur lui. Vous gardez ainsi votre document de base, sous son nom original, pour une prochaine utilisation.

Si le nom que vous choisissez pour votre document existe déjà, le Mac vous demande si vous voulez remplacer ce fichier (et donc le perdre) par l'enregistrement de votre document :

Ce dialogue de confirmation apparaît également lors du premier **Enregistrer.**

Lors d'un **Enregistrer sous...** vous pouvez :

- Sauvegarder le document sur la même disquette, mais sous un autre nom ;

- Sauvegarder le document sur autre disquette, que ce soit avec le même nom ou sous un nom différent ;

- En HFS seulement, sauvegarder le document sur la même disquette, avec le même nom, mais dans un dossier différent ;

 Sauvegarder le document sous le même nom, dans le même dossier, dans la même disquette ; cette opération revient à faire un **Enregistrer** simple, mais passe par la confirmation **Voulez-vous remplacer "le document" ?**. C'est d'ailleurs ce qui se passe si vous ne changez rien dans le dialogue, puisque par défaut, le Mac vous propose le nom original du document et le disque sur lequel il se trouve.

Attention ! **Enregistrer sous...** peut servir pour faire une copie de sauvegarde de votre document dans un autre dossier ou sur une autre disquette que celle sur laquelle vous travaillez. Mais souvenez-vous que par ce fait, le document actif devient attaché à cette nouvelle disquette. Si vous voulez continuer à travailler sur la disquette d'origine, il faudra **Fermer** le document, et réouvrir celui qui se trouve sur l'original (ou à la rigueur faire un nouvel **Enregistrer sous...**, afin d'attacher à nouveau le document à sa disquette première). De l'oubli de ce "détail" peuvent provenir bien de ennuis : croyant la copie de sauvegarde devenue obsolète par un long travail postérieur, vous effacez celle-ci, sans vous rendre compte que l'original n'a pas été modifié par ce travail. Alors, soyez prudents !

 Lors d'un **Enregistrer sous...** sur un disque différent de celui contenant l'original, il est fort probable que le Mac vous demande un nombre impressionnant d'échanges de disquettes, si les deux disques ne peuvent être présents ensemble. MacWrite 4.5, par exemple, peut demander plus de 25 inversions successives...

Enfin, si, dans une configuration à deux lecteurs, le Mac vous demande des échanges de disquettes dans un même lecteur, vous pouvez le "piéger" : lorsqu'il vous demande "Insérez le disque "Machin", éjectez la disquette inutile de l'autre lecteur (Commande Majuscule 1 ou 2 suivant que c'est le lecteur interne ou externe), et insérez dans ce lecteur la disquette demandée. Lorsqu'il vous redemandera la seconde disquette, repoussez-la dans son lecteur. Les deux disquettes étant maintenant présentes, il n'y aura plus d'échange (à moins qu'il n'ait besoin de la troisième disquette...).

 Il arrive que par suite de sauvegardes successives lors de l'élaboration d'un document, vous vous trouviez avec de nombreuses versions. Il y a un moyen simple de reconnaître la plus récente : choisissez **Lire les informations** dans le menu **Fichier** du Finder, vous y trouverez la date et l'heure de chaque version.

Ouvrir et fermer un document dans une application

Pour ouvrir un document précédemment enregistré sur une disquette, il faut choisir **Ouvrir...** dans le menu **Fichier**.

Certaines applications n'autorisent l'ouverture que d'un seul document à la fois ; **Ouvrir...** se trouve donc grisé, indisponible si un document est déjà ouvert : vous devez le **Fermer** pour en ouvrir un autre. C'est le cas de MacWrite et de MacPaint (anciennes versions), par exemple.

D'autres applications permettent d'avoir plusieurs documents ouverts ensemble (dans des fenêtres différentes). C'est le cas de la plupart des applications récentes. Dans ce cas, **Ouvrir** n'apparaît grisé que lorsque le nombre maximum de documents simultanés est atteint (s'il existe). Par exemple MacDraw en autorise six.

Dans certains cas, il est possible que **Fermer** soit absent du menu **Fichier**. C'est alors en ouvrant un autre document que vous fermez le précédent. Cela se produit dans les applications qui doivent toujours avoir un document actif. Il est également parfois possible de fermer le document en fermant sa fenêtre : c'est le cas de MacWrite, de MacPaint, ou de MacDraw. Ces applications acceptent de ne pas avoir de document actif, ce qui peut surprendre, surtout sous MultiFinder car l'application "en dessous" réapparaît ; seule la barre des menus et la petite icône à droite de la barre indiquent quelle est l'application en cours. Il faut alors choisir **Nouveau** dans le menu **Fichier** pour créer un document vierge **Sans titre**.

Cliquer dans la case de fermeture de la fenêtre d'un document est équivalent à la commande **Fermer**.

Les dialogues d'ouverture

Après avoir fait **Ouvrir,** on obtient le dialogue de la page suivante.

Son fonctionnement est semblable à celui de sauvegarde : recherchez votre document en ouvrant successivement les dossiers, après avoir trouvé le bon disque, à l'aide des boutons **Lecteur** et **Ejecter**. Les raccourcis claviers signalés pour les dialogues d'enregistrement sont également valables ici.

> ☛ Si vous ne savez pas exactement où se trouve le document dans le disque dur (ou la disquette), servez-vous de l'accessoire **Recherche de Fichiers,** fourni par Apple avec le Mac (voir Chapitre 4). Non content de vous indiquer où est le document recherché, il positionne les dialogues d'enregistrement et d'ouverture sur le dossier ou le disque voulu ; vous n'aurez donc pas à refaire la recherche dans ce dialogue.

Comme dans le cas de la sauvegarde, le bouton **Lecteur** n'est actif que s'il y a plus d'un lecteur de disque en service (lecteur externe non vide, disque dur, Ramdisque). Lorsqu'il est actif, il permet de passer d'un lecteur à l'autre, cycliquement, et d'afficher le contenu de leurs disques. Le nom du disque courant est affiché dans le dialogue.

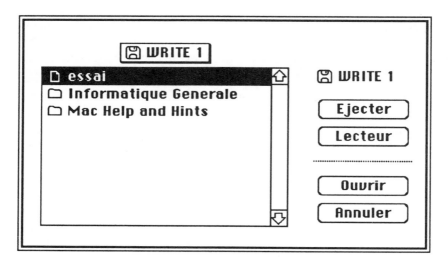

C'est d'ailleurs ce disque qui sortira si vous cliquez le bouton **Ejecter.** Cela vous permet alors d'insérer celui qui contient le document à ouvrir, s'il n'était pas encore dans un lecteur.

Comme déjà signalé, le bouton **Ejecter** est normalement grisé lorsqu'un disque dur ou un Ramdisque est actif. Mais il arrive que ce ne soit pas le cas... Si vous le cliquez, la conséquence est moins grave que pour une sauvegarde, mais il ne vous en faudra pas moins redémarrer le Mac pour en reprendre le contrôle lorsqu'il vous demandera de le réinsérer (car comment réinsérer un disque dur ou un Ramdisque ?).

☞ Lorsqu'il y a plus d'éléments que la fenêtre ne peut en contenir, vous pouvez sélectionner directement celui (dossier ou document) qui vous intéresse en tapant son nom, ou du moins ses premières lettres ; toutefois, vous devez taper assez rapidement : si vous tapez une seule lettre, vous sélectionnez le premier élément commençant par cette lettre.
La seconde frappe pourra donc être interprétée soit comme la seconde lettre du nom, soit comme une nouvelle demande. La rapidité d'interprétation de la seconde frappe peut être réglée par la "Pause avant répétition" dans le Tableau de Bord (voir chapitre 5). Vous devez sélectionner le nom du document désiré, puis cliquer **Ouvrir,** ou simplement faire un double-clic sur le nom du document. Si aucun document n'est sélectionné, **Ouvrir** est grisé.

Chapitre 3

Les disques

Le Mac peut fonctionner soit avec des disquettes, soit avec un (ou même plusieurs) disque (s) dur. S'il n'est pas très compliqué d'introduire une disquette dans un lecteur, il y a pourtant un certain nombre de choses à connaître pour en tirer le maximum.

LES DISQUETTES

L'initialisation

Avant de pouvoir être utilisée, une disquette doit être initialisée (on dit aussi *formatée*, avec un seul "t"), c'est-à-dire préparée à recevoir des informations de type Macintosh. En effet, d'autres ordinateurs se servent de disquettes 3, 5 ", mais n'écrivent pas dessus de la même manière. C'est pourquoi les fabriquants de disquettes n'initialisent pas les disquettes neuves qu'ils vendent. En fait, l'initialisation peut intervenir dans plusieurs cas :

 La disquette est neuve : le Mac s'en rend compte, et vous demande de l'initialiser ou de l'éjecter :

 La disquette est abîmée : cela se passe de la même façon (le texte de l'alerte peut varier légèrement : "Ce n'est pas un disque Macintosh", "Ce disque est illisible", etc...). Il arrive malheureusement (trop souvent) qu'une disquette perde les informations qu'elle contient. Cela peut provenir d'un certain nombre de facteurs ; le plus souvent c'est la présence d'un champ magnétique à proximité (téléphone, moteur électrique, le Mac lui-même...) qui efface une partie des données de la disquette. Une disquette craint aussi les agents extérieurs tels que doigts, cendres, café... Mais avec un miminum de précautions, vous conserverez vos disquettes fort longtemps. Vous pouvez même, si nécessaire, les envoyer par la poste dans une enveloppe ordinaire.

 Vous voulez entièrement vider la disquette, sans qu'il soit possible de récupérer ce qui s'y trouvait. Il faut en effet savoir que mettre une icône à la poubelle n'efface pas "physiquement" le fichier correspondant de la disquette, mais écrit simplement dans le répertoire que sa place est disponible. Tant que l'on a pas écrit autre chose dans le disque, il est théoriquement possible de récupérer le fichier (nous donnons la marche à suivre dans le Chapitre 10, "Les Problèmes" ; il faut connaître cette possibilité qui peut s'avérer bien utile en cas de fausse manœuvre !).

Il suffit de demander **Initialiser le disque** dans le menu **Rangement** du Finder ;

> Attention ! si cet article est grisé, cela signifie :
> - qu'aucune disquette n'est sélectionnée,
> - que la disquette sélectionnée n'est présente dans aucun lecteur,
> - que la disquette sélectionnée est verrouillée en écriture.

Pour initialiser la disquette, il suffit de cliquer dans la case "Double face". Votre disquette est alors initialisée en 800 Ko, système HFS (voir Chapitre 5). C'est ce que vous ferez le plus souvent.

Toutefois, si vous avez un ancien lecteur 400 Ko, les disquettes ainsi initialisées seront considérées comme illisibles. C'est logique, puisque le lecteur ne peut lire qu'une seule face de la diquette. Pour utiliser un tel lecteur, il faut cliquer "Simple face" dans le dialogue d'initilisation. La disquette est alors formatée en 400 Ko, système MFS (voir Chapitre 5).

> ☞ Vous pouvez formater une disquette en 400Ko HFS en cliquant Simple face, mais en maintenant Commande et option enfoncées pendant l'opération. Il faut cependant reconnaître que cela n'a que peu d'utilité. Si vous appuyez sur **Option**, **Commande** et **Tabulation** en insérant un disque, le mac vous demandera si vous désirez l'initialiser (uniquement dans le Finder).

Le mystère des Ko perdus

Les disquettes utilisées par tous les appareils de la famille Macintosh actuelle sont au format 3"1/2 formatées en 800 Ko (l'ancien système et les lecteurs 400 Ko ne donnaient que... 400 Ko !). Mais, direz-vous, on n'a jamais vu une disquette afficher fièrement "800 Ko disponibles"... il y en a toujours moins !

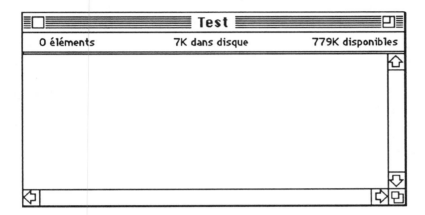

En fait, le formatage ne donne pas tout à fait 800Ko, mais 786 Kilo-octets pour être exact. Et la place réellement disponible sur la disquette n'est pas non plus de 786 Ko : en effet, le Macintosh marque toute disquette nouvellement initialisée en écrivant un petit fichier appelé Desktop qui servira à enregistrer les icônes et leurs positions (voir plus loin). Ce fichier fait en temps normal 7 Ko environ. Une disquette normalement formatée doit donc vous annoncer 779 Ko disponibles. Voilà levé un petit coin du voile !

Les différentes icônes des documents sont stockées dans le fichier (déjà évoqué auparavant) normalement invisible nommé *Desktop* (Bureau). Elles y restent, même après que les documents aient été ôtés de la disquette. Si de nombreux types de documents ont été mis (même temporairement) sur un disque, le Desktop peut devenir grand, et prendre inutilement de la place sur ce disque.

Il est alors avantageux de reconstruire le Desktop avec les seules icônes des documents effectivement présents sur le disque. Maintenez enfoncées les touches **Commande** et **Option** pendant que le Finder lit la disquette, lors de son introduction. Le Mac affiche le dialogue :

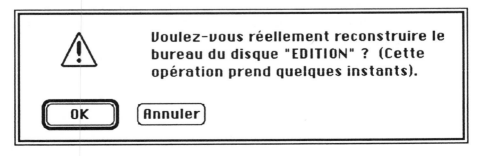

Cliquez **OK**. Sachez toutefois que vous perdrez le texte que vous avez pu introduire dans la fenêtre **Lire les Informations** (voir Chapitre 5).

Les 786 K sont répartis en deux avec 393 K sur chaque face de la disquette. Les 393 K sont eux mêmes répartis en 70 pistes concentriques à égale densité de données : que la piste où sont stockées les données se situe au bord ou au centre de la disquette, la quantité d'information stockée reste identique. Comment cela est-il réalisé ? La vitesse de rotation des unités de disquettes est variable. Vous pouvez vous en rendre compte assez facilement en tendant l'oreille et en vous mettant un peu à l'écoute de votre Mac !

Le Mac accepte au maximum deux lecteurs de disquettes, un interne et un externe, sauf le Mac SE à deux lecteurs internes qui en accepte un troisième en externe. C'est dire que la capacité totale de mémoire disque admissible est d'un peu moins de 1600 Ko. Ce qui tend à devenir très peu avec l'inflation galopante qui sévit dans la taille des applications.

Comment travailler avec des disquettes

Le problème crucial avec les disquettes réside dans la place disponible, qui fait cruellement défaut. Autant dire tout de suite qu'avec les applications récentes, il est quasiment impossible de travailler avec un seul lecteur. Quasiment, car en théorie tout est possible... mais le nombre d'échanges de disquettes que le Mac vous demandera se chiffre par dizaines ! Seules les applications les plus anciennes, comme MacWrite, peu encombrantes, pourront tenir avec le Système sur une seule disquette, tout en laissant encore assez de place pour enregistrer un document.

Il faut dans ce cas supprimer les accessoires de bureau, réduire au minimum le nombre de jeux de caractères, et jeter tous les autres fichiers non indispensables(MultiFinder, fichiers du tableau de bord, etc.). Supprimez la mémoire cache et servez-vous d'un Ramdisque (voir plus loin).

> Attention ! Vous devez laisser au moins un accessoire de bureau dans le Système pour que ce dernier fonctionne correctement. Choisissez-en un qui prend peu de place.

Avec deux lecteurs, on est un peu plus à l'aise. Mais le travail reste souvent fastidieux. Les sauvegardes sont lentes, et certaines applications sont si encombrantes qu'elles ne laissent pas de place pour enregistrer un document. Là aussi, il faut réduire au maximum la taille du dossier système, et tenter de placer le document sur la disquette système. Bien sûr, si vous voulez travailler avec plusieurs documents à la fois, le recours au disque dur semble indispensable. De toutes façons, le prix de ceux-ci a sensiblement baissé au cours des derniers mois, et c'est un achat qui ne se regrette pas.

La sécurité

Comme nous l'avons déjà dit, une disquette présente une fiabilité "raisonnable". Raisonnable, mais pas absolue. Il convient donc de prendre des précautions si vos données sont d'une importance cruciale.

La première chose à faire, c'est une copie de sauvegarde de toute disquette importante, qu'elle soit de programme ou de données. La loi autorise de faire une copie de sauvegarde de tous les programmes que vous achetez. A ce propos, il est inadmisible que la protection de certains d'entre eux rende cette opération impossible.

La copie devra être rangée à l'abri dans un endroit différent de l'original. A quoi servirait-il en effet de faire une copie pour la ranger dans la même boîte, sur laquelle on va renverser le pot de café ?

En un mot comme en cent, la sécurité des disquettes est une affaire de bon sens. Pas besoin d'en faire une obsession, mais il faut garder en tête les problèmes possibles.

UN MAC EN PLUSIEURS VOLUMES

Pour le Mac, la *mémoire de masse*, c'est à dire les disques ou disquettes sur lesquels vous stockez programmes et données, est constituée de différents *volumes*. Un volume connu du Mac est représenté par son icône sur le bureau du Finder.

Un volume n'a pas de capacité standard. Le volume le plus simple, c'est la disquette. Mais il y a d'autres volumes possibles : un disque dur est lui aussi un volume ; un CD-ROM aussi. Mais dans ce cas, il s'agit de volumes importants ; on a donc parfois la possibilité de découper ces disques en plusieurs volumes indépendants. Chaque volume ainsi créé se comportera de manière autonome, comme s'il y avait autant de disques physiques connectés au Mac. Les Ramdisques (voir plus loin) sont également considérés comme des volumes.

Voulez-vous monter le volume?

Un volume peut être dans deux états : *monté* ou *non-monté*. Un volume non monté est inconnu du Mac. C'est par exemple le cas d'une disquette non encore insérée. Le Mac ignore tout de son existence. Avec un disque dur composé de plusieurs volumes, vous décidez vous-même des volumes que vous voulez monter (parfois avec des mots de passe, ce qui assure la confidentialité des informations).

Dans le cas des disquettes, un volume monté peut encore être *en ligne* (physiquement présent dans un lecteur) ou *hors ligne* (éjecté temporairement). Tant qu'un disque est en ligne, le Mac a accès à ce qu'il contient ; dès qu'il est mis hors ligne, il ne conserve qu'un minimum d'informations : son nom, le numéro qu'il lui a attribué, et le répertoire de ce qu'il contient. C'est pourquoi il vous la réclamera dès qu'il aura besoin de lire (et a fortiori d'écrire) quelque chose dessus.

Ejection express

Comment sortir une disquette insérée dans le Mac ?

 Sous Finder, vous pouvez demander **Ejecter** (Menu **Fichier**), ou taper son équivalent Commande-E, avrès avoir sélectionné la disquette voulue. Dans ce cas, la disquette est mise hors ligne, mais reste montée. Son icône reste d'ailleurs affichée, bien que grisée.

Vous pouvez aussi mettre la disquette directement à la poubelle. Bien qu'apparemment le résultat soit le même, il y a en fait une nuance : cette fois, la disquette est dé-montée, et le Mac l'oublie complètement.

> Attention ! Vous ne devez jamais tenter de la faire sortir manuellement. Toute tentative de ce genre se solderait par la destruction du lecteur.

 Dans une application, le cas est un peu différent : il n'y a ni poubelle, ni commande **Ejecter**. Normalement, vous n'aurez jamais à faire sortir une disquette du Mac pendant que vous travaillez car le Mac gère lui-même les échanges dont il a besoin ; si cependant cela vous arrivait, demandez **Enregitrer Sous...**, et cliquez **Ejecter** sur la disquette concernée. Cela a pour effet de dé-monter celle-ci.

Enfin, il y a un dernier moyen, peu conseillé, et qui doit rester un secours : Commande-Majuscule-1 éjecte la disquette du lecteur interne (en bas sur Mac SE double lecteur), et Commande Majuscule-2 celle du lecteur externe (lecteur supérieur pour le SE ; auquel cas Commande-Majuscule-3 éjectera la disquette externe).

> Attention ! Ne réintroduisez jamais une disquette éjectée par cette méthode dans un second Mac. Le cas peut se produire lorsqu'on travaille avec deux Mac sur une même disquette (ce qui est à éviter). Lorsque l'un des deux Mac la réclame, demandez **Enregistrez Sous** pour l'éjecter de l'autre, sinon le premier ne la reconnaîtrait plus.

DISQUES DURS : POUR QUI, POURQUOI

La capacité d'une disquette étant limitée à 800 Ko, il faut bien reconnaître que dans la plupart des cas ce n'est pas suffisant. Dès que l'on commence à travailler un peu sérieusement, le disque dur est un passage obligé. Il est d'ailleurs proposé d'origine sur le Mac SE et le Mac II. Il existe de plus actuellement de multiples possibilités de connecter des disques durs sur toute la famille des Macintosh.

Si on y réfléchit bien, le disque dur présente de nombreux avantages :

- Tout d'abord, il est presque inutile de le rappeler, l'accès à un disque dur est au moins 10 fois plus rapide que l'accès à une disquette. Pour fixer les idées, les meilleurs disques durs actuels ont des temps d'accès moyens de 18ms. La moyenne des disques se situe plutôt dans la zone des 40 ms. Au-dessus de 60ms, considérez que le disque "se traîne". Globalement, un Mac avec disque dur est de 5 à 15 fois plus rapide qu'un Mac à disquettes ;

- La plupart des applications les plus performantes génèrent de gros fichiers et les disquettes sont vite encombrées. Les bases de données bien sûr sont grosses consommatrices de place disque ; les banques de données de dessins comme les piles Hypercard font couramment 1 Mo. Enfin, les logiciels eux mêmes sont parfois très volumineux et occupent 3, 4 voire 5 disquettes à eux seuls. Dans ces conditions, leur utilisation devient problématique sans un support qui puisse recevoir le logiciel dans son intégralité : par exemple, l'actuelle version de Pagemaker 3. 0 est livrée en 5 disquettes ;

- Si vous vous servez couramment de plusieurs applications, il est vraiment très pratique de les avoir "en ligne", c'est-à-dire disponibles à tout instant, sans avoir à changer de disque ;

- Les impressions comsomment également de la place disque : les fichiers à imprimer génèrent des fichiers temporaires qui prennent parfois beaucoup de place -certaines impressions ont des fichiers tampons de plus de 400 Ko quand ce n'est pas le Spooler d'impression (voir chapitre 6) qui occupe à lui seul 800 Ko ou 1 Mo.

> Attention ! Très important : n'éteignez jamais le Macintosh tant que la lumière qui indique que le disque dur travaille (lumière généralement rouge) est allumée. Vous risquez la destruction des données se trouvant sur le disque. De toutes façons, on doit éteindre le Mac par l'option **Eteindre** du menu **Rangement** du Finder.
>
> Un disque dur est une mécanique fragile : ne l'éteignez pas pour le rallumer brusquement aussitôt ; les mécanismes de rotation du disque peuvent s'abîmer par des effets de tension.

Les différents disques durs

Les disques durs existent en deux catégories :

Les disques SCSI

SCSI signifie Small Computer Standard Interface ; c'est une interface de sortie standardisée par l'ANSI (association internationale de normalisation) qui comporte un ensemble de spécifications mécaniques (forme des brochages et des connecteurs), électriques (nombre et fonctions des broches) et fonctionnelles pour connecter des micro-ordinateurs à des disques durs, des disques optiques et d'autres appareils. C'est une norme -et non une obligation- d'interfaçage.

Depuis le Mac Plus, le Mac dispose d'un port SCSI et peut donc recevoir des périphériques fonctionnant suivant cette norme. On peut chaîner jusqu'à sept périphériques SCSI les uns derrière les autres. Cela signifie que vous pouvez connecter sept disques durs à un même Mac (mais pas deux Mac sur le même disque dur ; il faut pour cela passer par un réseau -AppleTalk, Symbiotic ou autre-) !

Les disques SCSI ont pour principal avantage d'être les plus rapides ; de plus, ils sont utilisables sur tous les types de micro-ordinateurs disposant d'une connexion SCSI ! D'une manière générale, seuls les disques SCSI sont reconnus par le Mac au démarrage : pas besoin d'insérer de disquette système (une exception : le HD 20 d'Apple qui bien que non SCSI, peut démarrer). Il existe principalement :

 Les disques durs internes livrés avec le Mac SE ou le Mac II. 20 Mo ou 40 Mo pour le Mac SE et 20, 40 ou 80 Mo pour le Mac II ;

 Les disques que l'on peut ajouter sur tous les types de Mac. Ils existent sous les formats 20Mo, 40Mo, 60Mo, 80Mo, 150Mo et plus.

Les disques non SCSI

 Les disques non SCSI se trouvent généralement sous les tailles de 20Mo, 40Mo, 80Mo et parfois même 130Mo. Ils se branchent sur l'interface de lecteur externe. Certains fabriquants ont logé, à l'intérieur du Macintosh Plus, un disque dur non SCSI. Moins rapides, ne pouvant généralement pas démarrer, ils sont aussi moins chers. Ils servent surtout dans les réseaux.

> Attention ! Ne connectez jamais un périphérique non SCSI sur le port SCSI du Macintosh : il n'y résisterait pas. Regardez les connecteurs avant de brancher, car les ports SCSI et lecteur externe se ressemblent beaucoup.

Les disques durs en réseaux

Les disques durs peuvent être intégrés à des réseaux, soit à titre individuel (le disque est utilisé par un seul Macintosh), soit à titre collectif (disque partagé). Ils peuvent être de tous types. Néanmoins, il est conseillé de choisir des disques SCSI dans la mesure du possible, à cause de leurs qualités déjà énoncées. En général, s'ils doivent être partagés, ce seront des disques de grande taille.

Quelle taille choisir ?

Un disque à la bonne mesure...

Le dimensionnement du disque dur dépend de ce que l'on veut en faire, aurait dit Monsieur de La Palisse. Selon que vous désirez faire du simple traitement de texte, stocker des images, ou gérer une base de données, les volumes nécessaires ne sont pas du tout les mêmes. Il importe donc de choisir correctement la taille de votre disque et définir ce que vous allez y laisser en permanence. La première idée, c'est que les disques durs font au minimum 20 Mo (Mac SE) et 40 Mo (Mac II).

Ce qu'il faut compter

 Si votre disque est unique, il servira probablement pour le démarrage. Il devra donc comporter un dossier Système (voir plus loin). Les fichiers du dossier système de base font environ 550K. Mais vous ne vous en tiendrez sûrement pas là, car vous adjoindrez obligatoirement des polices de caractères et accessoires de bureau (voir Chapitre 4). Comptez environ 300K de polices et accessoires. Avec un certain nombre d'utilitaires supplémentaires (patience, nous y reviendrons !) placés dans le dossier système, la taille de votre dossier système avoisinera gaiement 1Mo. Trop grand pour une disquette, mais petit par rapport à la taille d'un disque dur.

 Viennent ensuite les applications, c'est-à-dire les programmes (on dit aussi logiciels, softs, etc.). Voici une petite liste donnant la taille moyenne de certains logiciels bien connus ; elle peut donner une idée des volumes nécessaires pour les logiciels et leurs accessoires (dictionnaires, palettes etc.) :

Mac Write	70K	Mac Paint	61K
HyperCard	500K	VideoWorks II	2Mo
Mac Draw	102K	Excel	382K
4 ème dimension	800K	Pagemaker 3.0	750K
Ragtime	400K	Ready Set Go ! 4.0	275K

On constate que, si on prend une configuration standard (Traitement de textes + Tableur + dessin vectoriel + dessin Bit Map) on arrive à 2 Mo environ de logiciel.

A l'opposé, si on se constitue une configuration de PAO, on va tourner aux alentours de 6 Mo.

La partie logiciel + Système fera donc approximativement entre 3Mo et 7Mo.

Bien sûr, ce seront vos données qui seront le plus volumineuses. Hélas, elles sont en réalité plus difficiles à mesurer : un document Mac Paint, c'est 22K (Mac Plus). Les documents de traitement de texte font environ 4 K pour une feuille de format A4. Il est donc évident que les petits documents ne vont pas encombrer votre disque, à moins qu'ils ne soient très nombreux.

Les bases de données sont bien évidemment plus gourmandes sur les disques. Elles ne sont en effet pas constituées des seules fiches : il faut tenir compte du volume total de la base qui englobe les formats, les index, les états, les procédures, etc. Les chiffres sont très variables, et vont de quelques centaines de Ko à plusieurs dizaines de Mo !

La justification des disques durs de grosse taille se trouve donc en partie dans les bases de données. Mais ce ne sont pas les seules : les images scannérisées constituent une autre catégorie de données volumineuses ; une image scannérisée peut prendre jusqu'a 6Mo (image scanner en couleur 300BPI). Si vous faites de la PAO ou du traitement de l'image, vous allez donc avoir rapidement besoin de place.

Le dimensionnement final des disques se dégage de ces remarques.

 Un utilisateur non professionnel pourra se limiter à un disque dur de 20Mo (40 Mo pour un Mac II, mais y a-t-il vraiment des amateurs non professionnels pour le Mac II ?) ;

 Si vous devez utiliser votre Mac pour gérer une base de données, alors pas d'hésitation, prenez au moins 40Mo, ou 60Mo si votre base est vraiment volumineuse. De même, si vous voulez faire de la PAO professionnelle : en règle générale, pas de PAO sérieuse à moins de 40M ;

 Vous manipulez des données très volumineuses : PAO avec images scannérisées, bases de données, dessins, traitement de texte professionnel ; 80 Mo, voire plus, s'imposent ;

 Enfin, pour les utilisations de disque en réseau, si votre disque doit être partagé entre plusieurs utilisateurs, il vous faudra prendre un disque de grande taille. Bien qu'il n'y ait pas de règle générale, comptez largement 5Mo par utilisateur, avec une partie commune à 30Mo : vous arrivez vite à 80Mo ; vous pouvez même aller jusqu'à 130Mo si les documents sont gros. Pour les disques destinés à usage "privatif", le réseau n'entraîne pas de nécessité spécifique.

L'initialisation

Les disques durs doivent, eux-aussi, être initialisés avant leur première utilisation. Celle-ci n'a pas lieu dans le Finder comme pour les disquettes, mais à l'aide d'un programme spécial, fourni avec le disque dur. Gardez toujours en tête que ré-initialiser un disque(qu'il soit dur ou non) efface définitivement tout ce qui pouvait se trouver dessus. Or, il arrive que le disque doive être réinitialisé, à la suite d'un problème quelconque. Ce qui pose la question de la sécurité : nous allons y revenir.

La partition

Certains disques durs permettent de créer plusieurs volumes, c'est-à-dire qu'ils peuvent se comporter comme plusieurs disques de capacité plus petite. L'intérêt ? d'abord retrouver plus vite tel ou tel fichier ; à vous d'organiser votre rangement de manière pratique. La plupart des disques durs partitionnables (ce qui n'est pas le cas des disques du Mac SE ou du Mac II) permettent de définir un mot de passe autorisant (ou interdisant) de monter tel ou tel volume.

Un volume monté a une icône sur le bureau, et apparaît dans la liste des lecteurs lors d'un enregistrement ou d'une ouverture.

Par contre, un volume non monté, c'est comme une disquette qui n'a jamais été insérée depuis le démarrage : le Mac l'ignore. Les mots de passe permettent donc une grande confidentialité, et l'accès à certaines données peut n'être donné qu'aux personnes autorisées.

La sécurité

Plus gros est le disque dur, plus grande est la catastrophe en cas de problème. Il est donc essentiel de prévoir des sauvegardes régulières de votre disque en entier ou du moins des données vitales. Si votre disque fait 20 Mo, vous pouvez encore envisager des sauvegardes sur plusieurs disquettes.

Apple fournit d'ailleurs un logiciel spécialisé dans la sauvegarde (on dit aussi backup), nommé tout simplement Sauvegarde. Vous pouvez choisir de sauvegarder le disque entier, ou seulement les fichiers modifiés depuis la dernière sauvegarde (voir Chapitre 7).

La sauvegarde entière d'un disque dur de 20 Mo prend environ 25 disquettes, et de une à deux heures. Ce n'est pas une opération amusante, tant s'en faut, mais ne la négligez pas. Il arrive en effet (rarement, mais une fois suffit...) que le disque dur "perde" des fichiers, ou refuse de fonctionner correctement. Ce n'est d'ailleurs pas toujours de sa faute; certaines applications mal écrites, surtout dans le domaine public, arrivent à effacer le *directory* du disque, c'est-à-dire l'endroit où sont répertoriés les fichiers qu'il contient (on l'appelle aussi *table d'assignation*). Si vous conservez des données importantes dans votre disque dur, il est donc capital de les sauvegarder régulièrement. La fréquence des sauvegardes dépend du travail qu'il est admissible de refaire en cas de perte.

Si les fichiers ne sont pas trop gros, il est possible de les recopier directement à partir du Finder en fin de journée par exemple ; mais s'ils dépassent la capacité d'une disquette, le Finder ne sait pas les répartir sur plusieurs disquettes. Il faut alors soit avoir recours à un utilitaire de sauvegarde comme *HFS Backup*, soit compacter le fichier avec un programme spécial (*Stuffit* par exemple).

Au delà d'un disque dur de 40Mo, et pour de gros fichiers, les sauvegardes sur disquettes deviennent vraiment trop fastidieuses (déjà sur un 20 Mo. . .). La solution est alors le *Streamer*. Un streamer est un boîtier de sauvegarde sur bande magnétique de tout ou partie des fichiers d'un disque dur. C'est beaucoup plus sûr, confortable, et... cher !

L'expérience montre qu'un disque dur se remplit à une vitesse vertigineuse. Faites le ménage souvent, mettez en historique (disquettes ou bandes) les données qui ne servent plus mais qui doivent être conservées et jetez impitoyablement l'inutile. Ne gardez autant que possible sur vos disques durs que les données et les programmes utiles et n'hésitez pas à jeter le superflu à la poubelle.

Cela vous fera gagner à la fois de l'espace disque et du temps : lors des recherches vous trouverez plus rapidement vos fichiers, et vous risquerez moins d'erreurs de manipulation (remplacer involontairement un fichier par un autre est vite arrivé). Retenez simplement que des données, ça se gère !

LES RAMDISQUES

Etre disque et mémoire à la fois...

Un Ramdisque est une partie de la mémoire que le Macintosh considère comme un lecteur de disquettes. Il en a exactement le comportement. La seule différence -et de taille- est que les données qu'il contient s'envoleront à la moindre coupure de courant ou bombe. S'il contient des documents, ce qui est dangereux, n'oubliez donc pas de les recopier sur une disquette physique avant l'extinction ou le redémarrage.

Comment cela fonctionne-t-il ? Le Mac connaît deux sortes de mémoire de stockage :

 Sa *mémoire centrale* ou RAM qui est sa table de travail. La RAM est volatile (tout est perdu quand on éteint), son volume de stockage n'est pas très grand, son coût est élevé. Mais son accès est très rapide ;

 Les *mémoires de masse* utilisées pour le stockage permanent des informations, qui sont les disques durs et les disquettes. Ces unités bien sûr ne sont pas volatiles, leur volume de stockage est grand et leur coût est faible. Mais leur accès est lent. On les appelle mémoires *périphériques*.

Faire un Ramdisque, c'est demander au Mac de considérer qu'une partie de la RAM soit traitée comme un lecteur de disquette supplémentaire. Pour faire cette demande, on utilise un logiciel de Ramdisque, qui permet de déterminer le nom et la taille du disque créé. Ces paramètres étant fixés, une partie de la mémoire centrale va être utilisée comme un disque, tout en gardant les avantages de la RAM. Vous fixez vous même la partie de la mémoire allouée au Mac et celle dévolue au Ramdisque. Voici par exemple comment se présente l'utilitaire Max Ram :

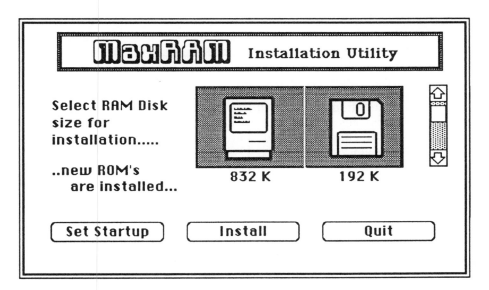

Quand vous créez un Ramdisque, sur le bureau du Mac apparaît l'icône d'un disque qui n'existe pas physiquement : il représente votre Ramdisque. Vous pouvez le gérer exactement de la même manière qu'un disque réel. La seule différence, c'est que vous ne pouvez pas éjecter ce disque (!) et qu'il disparaît à l'extinction du Mac.

Sous certaines conditions de volumes, il est même possible de créer plusieurs Ramdisques. Mieux même, on peut y mettre le dossier système tout entier ou/et des applications et avoir ainsi son lecteur entièrement disponible. La rançon de cette manipulation est que l'on dispose de moins de place mémoire : les applications que l'on peut faire tourner sont alors plus petites. Pas question par exemple de faire tourner Hypercard ou Pagemaker dans des configurations standard utilisant un Ramdisque.

Quel intérêt ?

Si vous possédez une mémoire RAM étendue à plus de 1 Mo, les Ramdisques sont très intéressants ; mais il serait bien étonnant que, disposant d'une extension mémoire, vous ne possédiez pas un disque dur ! ?

En conséquence, le Ramdisque sert surtout pour les petites configurations (Mac Plus ou Mac SE sans disque dur). On s'en sert en général pour mettre des applications de petit volume et/ou le système si les supports disques sont limités.

Il est évident que les accès électroniques aux données sont beaucoup plus rapides que les accès mécaniques. Un Ramdisque sera donc toujours beaucoup moins lent qu'un lecteur physique, même s'il s'agit d'un disque dur.

En plus de cela, il est toujours avantageux de pouvoir disposer d'un lecteur supplémentaire (surtout dans le cas d'une configuration sans lecteur externe).

Il existe sur le marché de nombreux utilitaires de création de Ramdisque (Speedy, Ramdisque etc.). Pour choisir à l'achat, regardez si le logiciel envisagé permet un paramétrage complet de la taille du Ram-disque, si vous pouvez créer plusieurs Ramdisques simultanément, si vous pouvez créer un Ramdisque automatique au démarrage avec recopie de fichiers.

> Attention ! Si vous utilisez votre Ramdisque pour stocker des données quand vous travaillez, n'oubliez surtout pas, avant extinction du Mac, de sauvegarder vos données sur un disque, un vrai.
>
> Si vous copiez des applications dans le Ramdisque, il se peut que vous ayez quelques problèmes avec certaines d'entre elles :
>
> - soit parce qu'au démarrage elles réclameront l'original pour travailler
>
> - soit tout simplement parce que vous obtiendrez la "Bombe" au lancement, refus pur et simple de travailler dans de telles conditions.

Bien sûr, à moins d'avoir une extension mémoire confortable, les Ramdisques ne feront bon ménage ni avec le MultiFinder, ni avec Switcher.

Vous trouverez la description de Ramstart, Ramdisque du domaine public, au Chapitre 8.

LE DEMARRAGE

Vous venez d'allumer votre Mac ou vous venez de redémarrer et il faut qu'il trouve, pour pouvoir démarrer convenablement, un certain nombre d'informations nécessaires à son fonctionnement. Ces informations, il les trouve à la fois dans la ROM (mémoire morte, ineffaçable) qu'il possède en interne et qui contient une bonne part du système d'exploitation et dans le fichier système. Seulement, suivant que vous serez riche ou pauvre en matériel, votre configuration ne démarrera pas de la même façon.

Avec un ou des lecteurs de disquettes

Là, pas de problème : toute disquette possédant un dossier système quel qu'il soit est dite "de démarrage " (on rencontre aussi le terme "bootable" -pauvre Montaigne ! - pour indiquer qu'un disque peut démarrer). S'il trouve le Système sur la (ou une des) disquette(s) que vous lui avez donnée à digérer, le Mac est heureux (et il le montre, regardez comme il "sourit"...) et démarre sans problème. Dans le cas contraire, il affiche son mécontentement qui peut se manifester de deux manières :

 L'écran devient noir et une icône de Mac triste apparaît. C'est le pire qu'on puisse faire à un Mac qui essaye de démarrer : C'est le rejet total. Il faudra éteindre le Mac avant de pouvoir songer à redémarrer. Le Système de la disquette est fortement endommagé ;

 Le Mac éjecte également la (ou les) disquette(s) en exhibant l'icône d'un disque barré d'une croix. C'est le rejet, certes, mais moins définitif puisque vous pouvez réessayer. Cela signifie simplement que la disquette insérée ne contient pas le dossier système ou n'est pas un disque Mac.

Si vous avez un lecteur externe, le Mac commence par chercher le système sur le lecteur interne, puis sur le lecteur externe. Dans le cas où vous possédez deux lecteurs internes (cas du Mac SE), il commence par chercher le système sur le lecteur du bas avant celui du haut. Si les deux disquettes ont chacune un Système, c'est donc celui de la disquette du bas qui sera chargé.

Avec un disque dur

Une disque dur vient toujours après les disquettes dans l'ordre de recherche du système par le Macintosh, même s'il s'agit d'un disque interne. Les règles de priorité entre disques et disquettes sont les suivantes :

 Si un disque est sélectionné dans l'option **Démarrage** du Tableau de Bord, ce disque est utilisé en premier. Cette fonction démarrage est accessible uniquement sur Mac SE et Mac II. Elle permet de définir à volonté le disque de votre choix sur lequel chercher les fichiers systèmes. Cela permet en particulier de gagner du temps : le Mac trouve tout de suite ses paramètres de démarrage sans explorer tous les disques existants par ordre de priorité ;

 Si aucun disque n'est spécifié dans **Démarrage**, ou si le disque sélectionné n'est pas connecté, le système recherche les disques SCSI, en commençant par le disque interne ;

 Si vous disposez de deux disques durs non SCSI, un en interne (Disque dur Macintosh HD20) et l'autre en externe, le Mac commence d'abord par le disque interne ;

 Si vous possédez un ou plusieurs disques SCSI, ils viendront derrière les lecteurs de disquettes et les disques non SCSI dans l'ordre de recherche des fichiers système. Quand vous possédez plusieurs disques SCSI, l'ordre de priorité entre disques durs est fixé par la règle des numéros de SCSI décroissants.

Lorsqu'il a trouvé le Système et qu'il l'a utilisé, le Mac cherche un programme à lancer. En général, la première application que Mac va lancer est le Finder. Rappelons que le Finder -littéralement "trouveur"- est le programme qui gère dans l'environnement Macintosh les fichiers sur disques et disquettes, et le bureau qui se présente en l'absence d'application de travail. Si lors de la séance de travail précédente, on n'a fixé le démarrage sur aucune application, c'est le Finder qui est lancé. Si au démarrage, le Mac ne trouve ni application à lancer ni le Finder, il ne peut pas démarrer et vous informe "**Impossible de lancer le Finder**". Nous verrons comment fixer le démarrage au chapitre 5.

Le disque maître

Lorsque le Mac a démarré, l'icône du disque de démarrage s'affiche en haut à droite de l'écran. Cette icône peut donc être soit celle d'une disquette, soit celle d'un disque dur.

> Attention ! Si l'icône d'une disquette a toujours la même allure, il n'en est pas de même pour celle des disques durs. On peut rencontrer toutes sortes d'icônes figurant des disques durs, ou des partitions de disques durs.

Obéir au Maître

Le disque maître est important pour plusieurs raisons :

 Vous ne pouvez pas éliminer son icône, même en la jetant à la poubelle, comme vous pouvez le faire avec les autres disquettes. Si le disque maître est une disquette, cette action aura simplement pour effet de l'éjecter et de griser l'icône ; mais le Mac connaît toujours ce disque (on dit qu'il est toujours monté) ;

- C'est le Système du disque maître qui est actif ; cela signifie que les fontes et accessoires de bureau disponibles sont ceux qui se trouvent dans ce système ;

- C'est sur le disque maître que sont recherchés les fichiers ImageWriter, LaserWriter et LaserPrep qui permettent de gérer les imprimantes.

Il peut arriver que le disque actuellement maître ne vous convienne pas. Il faut alors en changer.

Comment changer de disque maître

Il y a plusieurs réponses à cette question. D'abord, il faut savoir que tout ce qui suit n'est entièrement vrai qu'avec le Système 4. 3/Finder 6. 0, qui sont les seules versions traitées dans cet ouvrage ; les versions antérieures sont maintenant obsolètes.

> ☛ Pour savoir quelle version du Finder vous avez, choisissez **A Propos du Finder** dans le menu **Fichier** ; une fenêtre vous indiquera le numéro de version. Une autre manière est de sélectionner l'icône du Finder, et demander **Lire les informations**, toujours dans le menu **Fichier**. Cette dernière façon donne aussi le numéro de version du Système, et plus généralement le numéro de version de toute application récente.

> Attention ! Si vous utilisez des versions antérieures du Système/Finder, il faut demander une mise à jour (gratuite) à votre revendeur ou à des amis. C'est un point très important sur lequel nous reviendrons.

- Pour changer volontairement de disque maître, faites un double-clic sur le Finder du nouveau disque, tout en maintetant Commande et Option enfoncées. Ceci a pour effet de lancer le Finder et le Système de ce disque ;

> Attention ! Cela ne fonctionne pas si le disque contient une version plus ancienne du Système/Finder. Le Mac vous en avertit d'ailleurs par une alerte :

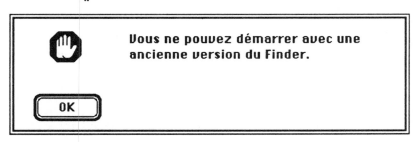

> Si le couple Système/Finder est plus ancien que celui actuellement en service, il faut redémarrer le Mac en introduisant la disquette avant le démarrage. Mais il n'y a pas vraiment de raison de conserver des disquettes avec de vieux Systèmes (sauf peut-être pour faire fonctionner une ancienne application refusant le Système récent).

🍎 Mais il peut arriver que le Mac change tout seul de disque maître. Cela se produit dans plusieurs cas :

- Vous avez un système à un ou deux lecteurs de disquette, et vous lancez une application sur un autre disque que celui de démarrage, mais contenant aussi un Système/Finder récent. Le Mac bascule sur le système de la seconde disquette, qui devient le disque maître (elle sera en haut du bureau lorsque vous reviendrez au Finder).

> Attention ! Ceci n'est pas vrai lorsque vous avez démarré depuis un disque dur. En effet, le Mac, malin comme il est, suppose que votre disque dur est à jour, et contient toutes vos polices et accessoires favoris. Il n'y a donc pas besoin a priori de changer de disque maître. Cette astuce évite aux possesseurs de disque dur de mettre à jour toutes les disquettes contenant des applications.

- Vous avez un disque dur, mais vous aviez démarré ou basculé sur le système d'une disquette, et vous lancez une application se trouvant sur le disque dur. Le Mac bascule alors sur le système du disque dur (toujours à condition que sa version du Système/finder soit postérieure à celle de la disquette).

Les Macintosh branchés en réseau

Il est possible que vous soyez connecté sur un réseau Appletalk. Si c'est le cas, il est fort probable qu'il y ait un serveur (partagé ou non, voir Chapitre 9) sur ce réseau. De toutes manières, quel que soit le réseau, il vous faut démarrer le Mac en "local" avant toute connexion sur le réseau. Cela signifie que dans tous les cas, le Mac doit démarrer d'abord avec une disquette ou un disque dur. Au niveau des réseaux, les règles concernant l'après démarrage du système sont les suivantes :

🍎 Le réseau sur lequel vous vous connectez ne contient pas de serveur. Pas de problèmes, le démarrage de votre Macintosh se fait indépendamment du réseau. Vous travaillez toujours avec vos applications et vos disques ;

🍎 Le réseau sur lequel vous vous connectez contient un serveur distribué (blocs ou fichiers, voir Chapitre 9). Vous pouvez, en général, fixer le démarrage sur l'une des applications des volumes du serveur qui vous sont accessibles ;

Le réseau sur lequel vous vous connectez contient un serveur réparti. Vous ne pouvez pas fixer le démarrage sur n'importe laquelle des applications des volumes qui vous sont accessibles sur un des disques du réseau.

> Attention ! Dans le cas où, sur votre disque de démarrage, le Système, le Finder ou les drivers d'impression ont des numéros de versions différents de ceux utilisés sur le reste du réseau, vous risquez des ennuis. Voir "Les problèmes", Chapitre 10.

ET POUR REDEMARRER ?

Question idiote à première vue : il suffit d'éteindre le Mac et de le rallumer !

ET BIEN NON ! c'est même ce qu'il ne faut jamais faire, et ceci pour plusieurs raisons. En tout premier lieu, les circuits électriques du Mac sont sensibles. Si vous éteignez et rallumez brutalement le Mac, les sautes de tension qui en résultent peuvent à la longue les abîmer. Cela vaut également pour le tube cathodique qui constitue l'écran (c'est d'ailleurs vrai aussi pour votre télé). Il vaut beaucoup mieux faire ce que l'on appelle en jargon un démarrage à chaud (on dit également *Reset*), en pressant le bouton avant (celui qui est vers vous) sur l'interrupteur double que vous avez dû installer sur le côté gauche (Mac 512, Plus, SE) ou droit (Mac II) de l'appareil. Vous ne l'avez pas mis ? C'est un tort ! Il s'enclippe très simplement.

Donc, pour redémarrer, il suffit de presser ce bouton ? Oui et non. Oui parce que c'est un fait, le Mac redémarre. Mais non car il vaut encore mieux demander **Redémarrer** dans le menu **Rangement** du Finder. Faites l'expérience (particulièrement si vous avez un disque dur. Essayez les deux manières, et chronométrez le temps mis par le Mac entre le Bip sonore et le moment où le Finder vous donne la main. Cela parce que le disque est "préparé" au redémarrage (remise en ordre du fichier Système).

La même remarque vaut pour l'article **Eteindre** du même menu : si vous l'utilisez, le prochain démarrage sera beaucoup plus rapide. Notez que l'utilitaire QuicKeys (dont nous reparlerons souvent) donne accès à cet article depuis l'intérieur d'une application quelconque.

Chapitre 4

Le dossier système

LES DIFFERENTES VERSIONS

Le dossier système contient avant tout deux fichiers vitaux pour Macintosh qui sont le Système et le Finder. Ces deux éléments ont connu de multiples versions, certaines étant incompatibles entre elles, et d'autres non compatibles avec tous les types de Mac. La version la plus répandue est constituée du Système version 4.3 et du Finder version 6.0.

Ces versions fonctionnent à la fois sur le Mac plus, le Mac SE et le Mac II et ce sont celles qui sont livrées à l'heure où nous écrivons ces lignes avec tous les Mac. Nous considérons dans cet ouvrage que vous possédez ces versions. Sinon vous êtes en retard système ! Courez chez votre fournisseur pour qu'il vous donne le système en circulation (l'échange est gratuit). Le changement est indispensable, sous peine d'ennuis tôt ou tard. Le seul cas où il faut garder une version plus ancienne est celui où vous possédez un Mac 128 ou 512.

OUVRONS LE DOSSIER SYSTEME DE BASE

En dehors du Système lui-même que nous allons détailler, et du Finder, dont nous vous parlerons plus loin, vous trouverez souvent d'autres éléments dans le dossier système : fichier du Presse-Papiers, du Calepin, de l'Album, ImageWriter, LaserWriter, LaserPrep, Fichiers du tableau de bord, INITs... Nombre de ces fichiers ont une icône commune, en forme de Mac. A de légères différences près, votre dossier système tel qu'il se présentera dans sa fenêtre aura l'allure suivante :

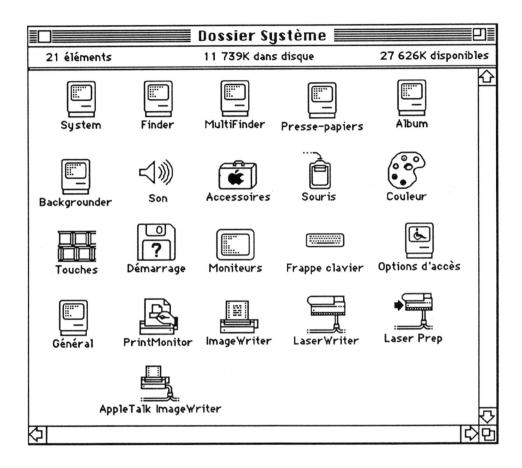

Inutile de dire que ces éléments ont chacun leur utilité. Le fichier système et le Finder ne se présentent plus : sans eux, point de salut, ni de fonctionnement.

Le fichier MultiFinder sera expliqué également au chapitre 5. Il suffit pour l'instant de savoir qu'il ne sert que sous Multifinder et que son absence n'est pas dommageable si on ne compte pas l'utiliser.

> Attention ! Il est très important qu'il n'y ait pas deux dossiers systèmes, et surtout pas deux fichiers "System" sur un même disque. Ce serait une source de confusion qui pourrait parfois devenir très dangereuse pour vos données.

Sustem

LE FICHIER SYSTEME

Son nom est toujours "System". Vous ne pouvez d'ailleurs normalement pas le changer. Et c'est heureux, car le Mac ne le reconnaîtrait plus, et sans Système, point de démarrage : le Mac ne marche pas.

Si on ne peut pas renommer le Système, et si on ne doit pas en garder deux sur un disque, cela signifie-t-il qu'on ne peut pas conserver une copie de sauvegarde du système (qui contient des jeux de caractères et des accessoires choisis avec soin…) dans un coin du disque dur ? non, car il y a une astuce :

> ☛ Pour pouvoir garder une copie du système, sélectionnez-le, et choisissez **Dupliquer** dans le menu **Fichier** du Finder. Celui-ci vous fournit une "Copie de System", qui, elle, est renommable. En cas de besoin, vous pourrez donc supprimer les mots "Copie de", pour retrouver un System tout neuf.

Les entrailles du fichier Système

Tout d'abord, le Sytème contient des éléments généraux utilisés soit par le système lui-même, soit par toutes les applications :

🍎 Les accessoires de bureau, dont les plus importants sont le Tableau de Bord et le Sélecteur, utilisés dans l'environnement Mac pour définir un certain nombre d'options de fonctionnement, pour paramétrer les imprimantes utilisées, le réseau etc. (voir chapitre 5)… Le nombre d'accessoires de bureau qui peuvent résider dans le fichier System est au maximum de 15.

🍎 Les polices de caractères.

Ces deux types d'éléments sont les seuls sur lesquels vous pouvez agir directement à l'intérieur du Système. Il existe un utilitaire spécialement destiné à les manipuler : c'est le Font/DA Mover, que nous détaillerons à la fin de ce chapitre.

Mais ce n'est pas tout ; le Système contient bien d'autres choses (inaccessibles aux non-initiés) :

🍎 Toutes les routines d'initialisation des disquettes et les procédures de formatage des disques durs ;

🍎 La plupart des programmes de gestion des fenêtres, menus, contrôles et listes ;

 Les programmes de génération des alertes et des fenêtres de dialogue ;

 Les ressources "internationales" qui permettent de convertir un programme dans différentes langues. Ex : transformer la virgule en point dans des affichages de chiffres ;

 Un module de conversion Binaire-décimal ;

 Un module de calculs en virgule flottante ;

 Les fonctions mathématiques (sin, cos etc...) ;

 Les modules de gestion des couleurs (pour le Mac II) ;

 Les icônes du fichier système ;

 Des ressources définissant les actions des combinaisons des touches Commande-Majuscule-chiffre (FKEY). Ces commandes sont indépendantes des raccourcis clavier qui peuvent être utilisés à la place des menus ; elles sont d'ordinaire au nombre de 4 (mais on en trouve d'autres dans le domaine public) :
- Commande-Majuscule-1 éjecte la disquette interne
- Commande-Majuscule-2 éjecte la disquette externe
- Commande-Majuscule-3 copie l'écran dans un document MacPaint sur le disque de démarrage.
- Commande-Majuscule-4 copie sur l'imprimante (ImageWriter uniquement) le contenu de la fenêtre active.

L'action de ces commandes n'est prise en compte que lorsque le bouton de la souris est relâché ; d'où impossibilité d'obtenir des copies d'écran avec menus déroulés...).

> Attention ! Si vous utilisez deux Mac, n'introduisez jamais dans le second une disquette éjectée en cours de travail par le premier, sinon celui-ci ne la reconnaîtrait plus ! Si c'est absolument nécessaire, protégez-la en écriture : Mac écrit sur les disques non protégés des informations qui lui permettent de les reconnaître (essayez deux disques portant le même nom : il sait les distinguer) ; si vous introduisez la disquette dans un autre Mac, ces informations sont changées, et le premier Mac ne peut plus la reconnaître. Ce qui est particulièrement dramatique si vous étiez dans un document non sauvegardé : le Mac "boucle", éjectant continuellement la disquette incriminée, tout en vous la réclamant !

Le Système contient également ce que l'on appelle des *drivers* c'est à dire des modules qui permettent au système de piloter d'autres périphériques :

 Les modules de contrôle des imprimantes ;

 Les modules de contrôles de blocs et de protocoles utilisés pour les communications avec le réseau Appletalk.

Enfin, la ROM (mémoire morte) du Mac contient de très nombreuses routines utilisées par toutes les applications. Il arrive que certaines de ces routines ne fonctionnent pas tout à fait comme prévu (on parle de *bugs*, c'est-à-dire de fautes). Comme il est très difficile et très onéreux de changer les ROM, Apple a prévu un mécanisme par lequel le Système peut remplacer des portions de ROM. Chaque nouvelle version du Système contient donc les corrections des fautes apparues au fil de l'utilisation des ROM par le public. C'est une des raisons pour lesquelles il est important d'avoir la dernière version du Système délivré par Apple.

LES AUTRES FICHIERS SYSTEMES

Les éléments du dossier système sont appelés les "fichiers systèmes", au pluriel, car ils servent au Système. Ils sont de différentes natures : certains ont un petit Macintosh pour icône, d'autres ont une icône rappelant celle d'une application.

Presse-papiers   Album

Le Presse-papiers et l'Album

Le Presse-papiers et l'Album sont des fichiers systèmes particuliers : vous pouvez les détruire si vous le désirez, mais le Mac les recréera quand il en aura besoin sans vous demander votre avis. Il placera toujours ces deux fichiers dans le dossier contenant le Système et le Finder actifs.

> Attention ! Si vous tentez de détruire un fichier système -en le mettant à la corbeille par exemple- un dialogue spécial apparaît car le macintosh est très pointilleux en ce qui concerne leur destruction :

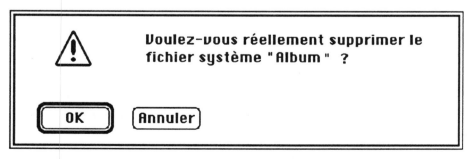

Le fichier Album contient les données qui sont stockées par l'intermédiaire de l'accessoire de bureau "Album". Supprimer ce fichier revient à vider l'Album. Mais cela ne l'enlève pas du menu Pomme (il faut pour cela passer par le Font D/A Mover, voir plus loin).

Le fichier du Presse-Papiers peut en général être détruit sans inconvénient. Nous reparlerons bien sûr du Presse-Papiers et de l'Album (Chapitre 6).

ImageWriter, LaserWriter et LaserPrep

Ce sont là des drivers d'impression. Vous devez garder au moins celui qui porte le nom de votre imprimante : ImageWriter si vous utilisez une ImageWriter, LaserWriter et LaserPrep si vous utilisez une LaserWriter (sauf la LaserWriter SC qui nécessite un Driver spécial). Nous reviendrons en détail sur l'impression au Chapitre 7.

Gestion du clavier

Ce fichier est utilisé par l'accessoire de bureau "Clavier". Plutôt que d'essayer de vous souvenir des touches de caractères spéciaux dans telle ou telle police, recherchez-le avec cet accessoire puis, à l'aide du menu **Edition** copiez-le pour le coller ensuite où vous voulez. Pour plus de détails, reportez-vous au chapitre 5.

Les fichiers du tableau de bord

Le dossier système comprend d'autres fichiers, qui ont des noms biens allé- chants comme "Son", "Général", "Démarrage", "Couleur", "Moniteurs", "Souris", "Frappe clavier", etc... A quoi servent-ils ? Ce sont des fichiers utili- sés par l'article "Tableau de bord" du menu &. Nous les appellerons pour cela les "fichiers tableau de bord". Tous ne sont pas utilisables sur toutes les machines. Nous y reviendrons dans le prochain chapitre.

MultiFinder

Comme son nom l'indique, ce fichier sert à l'utilisation du MultiFinder, dont nous ferons également l'étude au prochain chapitre.

Accessoires

Ce petit fichier ne sert que lors de l'utilisation du Multifinder. En effet, quand ce dernier est actif, les accessoires de bureau ont un statut à part, car ce ne sont pas de véritables applications. Pour que le MultiFinder puisse s'y retrouver, il a besoin de trouver ce fichier dans le dossier Système. Si vous vous servez du MultiFinder et que ce fichier n'est pas présent dans le dossier système, vous serez dans l'impossibilité d'obtenir les accessoires de bureau du menu Attention donc à ce fichier dont l'intérêt n'est pas a priori évident.

Backgrouder et PrintMonitor

Egalement liés au MultiFinder, ces deux fichiers permettent l'impression de fond lorsque ce dernier est actif.

> ☛ Si vous n'utilisez jamais le Multifinder, vous pouvez donc supprimer ces deux fichiers ainsi que Multifinder et Accessoires pour faire de la place ; mais pensez bien à en conserver une copie sur disquette pour le jour où vous en aurez besoin. Par contre, si vous vous servez du MultiFinder, il est impératif de les laisser dans le dossier système.

Options d'accès

Voici un autre élément peu connu. Il a été conçu pour permettre de se servir du clavier du Mac d'une seule main, ce qui n'est pas toujours possible. En effet, il est parfois nécessaire de frapper plusieurs touches en même temps pour exécuter une commande ou obtenir un caractère. Ces combinaisons de touches utilisent souvent une des touches **Majuscule, Option, Commande** ou Option . Si la touche **Majuscule** est répétée des deux côtés du clavier, il n'en va pas forcément de même pour les touches **Option, Commande** et **Control** (sur le clavier étendu Apple, ces touches existent des deux cotés, tandis que sur le clavier du Mac SE seule la touche Option est doublée; sur le Mac Plus elles existent en un seul exemplaire. Ces touches sont appelées "touches *modificatrices*). En conséquence, il est parfois nécessaire d'utiliser les deux mains pour réussir à atteindre toutes les touches désirées.

Si Option d'accès est présent au démarrage dans le dossier Système, le problème est résolu d'une manière élégante. En appuyant cinq fois de suite sur la touche **Majuscule**, un petit signe en forme de bassine se place à droite de la barre des menus, pour indiquer qu'option d'accès est actif :

Edition   Présentation   Rangement

En appuyant une fois sur les touches **Majuscule, Commande, Option** ou **Control**, vous faites apparaître une flèche au dessus de la bassine. La prochaine touche alphanumérique que vous frapperez sera associée avec la touche modificatrice qui a fait activer la flèche :

Edition   Présentation   Rangement

De même, si vous frappez deux fois la touche modificatrice, la bassine se remplit de noir, et la touche est "verrouillée" ; toutes les frappes suivantes seront associées à la touche modificatrice, jusqu'à ce que vous appuyiez sur celle-ci une fois supplémentaire. De cette façon, vous pouvez verrouiller le clavier en mode **Majuscule, Commande, Option** ou **Control** :

Edition   Présentation   Rangement

Ces diverses manipulations permettent donc d'utiliser le clavier d'une seule main, ce qui peut être fort utile aux personnes handicapées. Ce n'est d'ailleurs pas le seul effort que fait le Mac pour elles. Il existe de nombreux accessoires physiques et logiciels conçus pour les personnes ne pouvant pas se servir de leurs mains ; par exemple, le casque VCS se substitue à la souris : les mouvements de la tête remplacent les mouvements de la souris. Avec un peu d'habitude, le pointeur se place exactement là ou le regard se pose. Les clics seront produits par de petites émissions d'air dans un micro devant la bouche.

Il y a aussi des accessoires de bureau qui affichent le clavier à l'écran (dans le style de l'accessoire Clavier) : sur ce clavier, on peut "taper" lettre par lettre avec la souris en se passant totalement du clavier.

Et les autres...

D'autres fichiers peuvent encore se trouver dans le dossier système :

🍎 Des INITs (dont nous reparlerons, et qui servent à exécuter diverses tâches lors du démarrage) ;

🍎 Les documents StartUpScreen et StartUpSound ; ce sont respectivement l'image de présentation affichée à l'écran et un son exécuté au démarrage du Mac (après le traditionnel "Bienvenue"). Des utilitaires spéciaux, disponibles dans le domaine public, permettent de créer ces deux documents;

🍎 Des fichiers créés par des applications, pour conserver certaines options de fonctionnement. Le fait de les placer dans le dossier système leur permet de les retrouver, même si vous changez l'application de dossier entre temps. C'est par exemple le cas de Word, qui place un fichier "Options Word" dans le dossier système. Si vous le détruisez, il sera recréé à la prochaine utilisation du logiciel.

LES ACCESSOIRES DE BUREAU

Les accessoires des bureau sont des mini-applications, disponibles à tout moment dans le menu 🍎 situé à l'extrême gauche de la barre des menus.

Il en existe plusieurs centaines : certains sont donnés par Apple avec le Mac, d'autres sont vendus dans le commerce, d'autres encore sont dans le domaine public. Il en existe pour toutes les fonctions : tableurs, traitements de textes, etc... tant dans le domaine public que chez les éditeurs de logiciels. Ils ont des buts aussi variés qu'utiles ou amusants.

Vous pouvez installer une quinzaine d'accessoires de bureau dans le Système d'une disquette, à l'aide de *Font/DA Mover* (voir plus loin), ou beaucoup plus avec *SuitCase* ou *Font/D/A Juggler* , utilitaires dont nous reparlerons au chapitre 8. Ils apparaissent dans le menu Pomme (🍎), d'où vous pouvez les choisir à tout moment (sauf quand la disquette de démarrage est éjectée, auquel cas ils sont grisés). Bien sûr plus il y a d'accessoires dans un Système, plus celui-ci grossit et prend de la place sur son disque ou sa disquette. A l'origine, les accessoires du bureau étaient limités à 8Ko, mais maintenant cette taille est largement dépassée, et les accessoires peuvent enfler démesurément la taille du Système.

Attention ! Normalement, vous pouvez passer d'un accessoire de bureau à l'application par activations successives de leur fenêtre. Il y a pourtant au moins une exception à cette règle : dans MacPaint (Version 1), il est impossible de continuer à dessiner tant qu'un accessoire de bureau est ouvert. Dans la version 2, le problème ne se pose plus et vous pouvez dessiner tout en ayant un accessoire de bureau activé.

Sous Multifinder, les accessoires de bureau sont également accessibles, mais dans des conditions particulières (il faut que le fichier Accessoires soit présent dans le dossier système).

De plus en plus d'accessoires de bureau disposent d'un menu personnel. Ce dernier vient se loger à la droite du dernier menu de l'application en cours. C'est pour cela qu'Apple a demandé aux programmeurs de laisser une place vide dans la barre des menus. Malheureusement, il arrive souvent que la traduction française (toujours plus volumineuse que la version anglaise) néglige de laisser une place suffisante pour les menus des accessoires de bureau. Dans ce cas, le menu est inaccessible (sauf si l'on fait l'acquisition d'un écran géant !) si vous travaillez avec le Finder. Dans le cas du Multifinder, le problème ne se pose pas: la barre des menus est mise à blanc, entièrement à disposition de l'accessoire utilisé.

☛ En cliquant à l'extrême droite de la barre des menus, on arrive parfois à "attraper" le menu caché, bien que son titre n'apparaisse pas.

LES POLICES DE CARACTERES

Les polices de caractères sont parmi les éléments les plus importants du système Macintosh et bien connaître leurs possibilités est extrêmement important. Sans rentrer dans les détails techniques, rappelons que le Macintosh possède un écran géré point par point : tout ce qui est présent à l'écran est décrit sous forme de points dans la mémoire du Mac (on parle d'écran Bitmap). En particulier, l'écran du Mac Plus ou du Mac SE fait 512 x 342 points (ou pixels), celui du Mac II 640 x 480 pixels.

Les caractères que vous frappez au clavier sont eux aussi décrits sur l'écran entièrement sous forme de points. La correspondance entre ce que vous frappez au clavier et ce qui s'affiche à l'écran est assurée par l'entremise des polices de caractères. Ces dernières sont stockées dans le fichier Système du Macintosh sous la forme d'une description matricielle (c'est à dire d'un rectangle de X points sur Y points, X et Y dépendant de la taille du caractère). Quand vous choisissez une police de caractères, le Système possède donc la description du caractère qui est frappé au clavier. Par exemple, voici comment est décrit point par point le caractère "B" majuscule de la police de caractères "Zapf chancery" en 24 points, standard :

Anatomie d'une police

Sans plonger au plus profond du manuel de l'imprimeur, on peut dire qu'un caractère frappé se caractérise de trois manières :

 Sa forme : Chicago, Helvetica, etc ;

 Son style   : gras, italique, souligné ;

 Sa taille : 9, 12, 24, 36 points…

Une police de caractères est constituée de toutes les tailles et de tous les styles d'une seule forme de lettres. Une police de caractères s' appelle aussi une *fonte*.

Il existe des dizaines de fontes. Certaines sont très connues et ont même leur histoire, d'autres sont passablement ignorées, d'autres encore reviennent à intervalles réguliers suivant les modes. Vous pouvez imaginer vous-même vos propres polices si vous le désirez, bien que le dessin d'une nouvelle police soit reconnu comme un travail d'artiste, très difficile et extrêmement long. Il existe d'ailleurs des utilitaires pour en faciliter la création (par exemple *Fontastic*).

La multiplication des polices

Les polices nécessaires au Système

Le système a impérativement besoin des polices suivantes pour fonctionner normalement :

Chicago 12
Monaco 9
Geneva 9 et 12

Ces polices sont toujours dans le système et ne peuvent être retirées.

Les Polices supplémentaires du Système

En dehors des polices précédentes nécessaires au Système, ce dernier comprend le plus souvent d'autres polices avec lesquelles vous pouvez travailler.

Dans la plupart des appplications, vous pouvez choisir la police de caractères que vous désirez utiliser. Les polices dont vous disposez sont limitées à celles que vous propose le menu de choix des polices (généralement **Caractère**).

> Attention ! Les polices ITC Zapf Chancery et ITC Zapf Dingbats ne supportent pas tous les styles à l'impression. Les modifications demandées apparaissent à l'écran mais ne sont pas imprimées.

Les polices de caractères Macintosh peuvent se ranger en deux catégories suivant que l'on considère l'écran du Mac ou l'impression d'un document.

 Pour l'affichage à l'écran ou une impression de qualité moyenne, les polices Bitmap ou QuickDraw ou "écran" ;

 Pour l'impression de très bonne qualité, les polices vectorisées, PostScript ou "laser".

Cette distinction est liée à ce que vous souhaitez faire : si vous tapez du texte, c'est sans doute pour l'imprimer. Mais les choses ne se passent pas de la même manière si on imprime sur une ImageWriter ou sur une LaserWriter (et encore différemment sur l'Image Writer LQ). L'ImageWriter imprime en Bitmap (ce que l'on voit sur l'écran), tandis que la LaserWriter se sert de ses propres fontes en ROM, ou de fontes spéciales *téléchargées* pour imprimer avec une qualité supérieure à ce que l'on voit sur l'écran.

On sera donc ammené à distinguer des polices Bitmap c'est à dire les polices qui seront imprimées telles que l'écran les affiche, et des polices vectorisées qui, si elles sont manipulées par les imprimantes Laser, donneront un rendu supérieur (une police vectorisée utilisée sur une imprimante ImageWriter donne du Bitmap). Cette distinction n'apparaît que pour l'impression et ne concerne plus seulement le Système et le Macintosh mais aussi l'imprimante en service.

Nous reviendrons longuement sur les caractéristiques des polices dans le chapitre 7 concernant l'impression.

> Attention ! La liste des polices disponibles dans un système peut être fort longue. Si, après avoir sélectionné une police, vous regardez dans le menu **Taille**, vous verrez que certaines d'entre elles sont affichées en relief. Cela signifie que ces tailles sont effectivement présentes dans le Sytème. Les autres tailles

sont disponibles, mais devront être recalculées à partir d'une taille existante pour pouvoir être affichées. Le résultat n'est pas du tout le même. Dans le cas où la police est recalculée, l'aspect à l'écran n'est pas très beau et les lettres apparaissent comme déformées et "brouillées".

FONT/DA MOVER

C'est un utilitaire Apple. Il est d'ailleurs fourni en standard avec les disquettes Macintosh.

Il sert à supprimer et à ajouter des accessoires de bureau ou des jeux de caractères dans le fichier Système. Son fonctionnement est identique dans les deux cas ; nous nous bornerons donc à décrire les manipulations de jeux de caractères.

Font/DA Mover peut manipuler trois sortes de fichiers :

 Le fichier Système, dans lequel il peut ajouter ou supprimer des jeux de caractères ou des accessoires ;

 Des documents contenant uniquement des jeux de caractères. Vous pouvez les créer, ou modifier les jeux de caractères qu'ils contiennent. Ils sont affichés par le Finder avec l'icône :

Caractères

 Des documents contenant uniquement des accessoires de bureau. Ils ont également une icône propre :

Accessoires de bureau

Ces documents sont inexploitables par eux-mêmes : ce sont en fait des réserves dans lesquelles on range les jeux ou les accessoires peu usuels, les polices inutilisées, pour éviter d'en encombrer un Système. Ces polices et accessoires peuvent être stockés par ailleurs sur des disquettes et à tout moment être transférés dans votre Système.

Font/Da Mover se lance de trois façons différentes :

⚫ Par un double-clic sur son icône ;

⚫ Par un double clic sur l'icône d'une valise d'accessoires ;

⚫ Par un double clic sur l'îcone d'une valise de polices de caractères.

Dans le cas ou vous démarrez en cliquant sur son icône ou une valise de polices de caractères, il affiche alors sa fenêtre de travail :

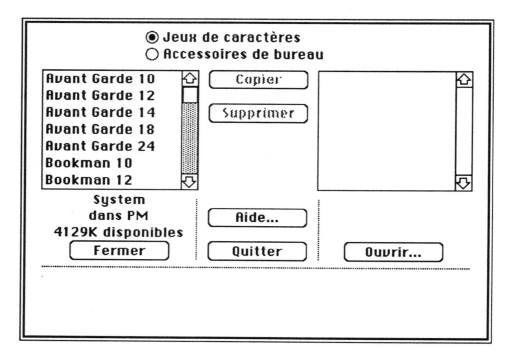

Les jeux de caractères du Système du disque Maître (ou du fichier cliqué) sont affichés dans la liste de gauche. Pour obtenir la liste des accessoires de bureau, il suffit de cliquer sur le bouton correspondant. (Dans ce cas où vous démarrez en cliquant sur l'icône d'une valise d'accessoires, vous arriverez directement sur cette liste).

> ☛ Si vous appuyez sur la touche **Option** au moment de son lancement, Font/DA Mover présente directement les accessoires de bureau au lieu des jeux de caractères. Vous évitez ainsi le temps d'ouverture des caractères (qui peut être assez grand s'il y en a beaucoup).

Font/DA Mover vous permet de modifier aussi bien le Système du disque où il se trouve, que celui de tout autre disque : deuxième lecteur, Ramdisque, disque dur ou disquette non encore insérée.

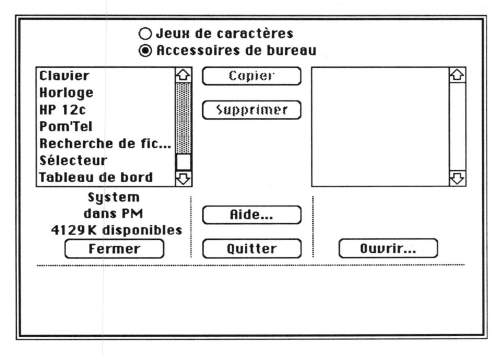

Le principe de Font/DA Mover est le suivant : il y a un fichier source dans lequel on puise les fontes (ou les accessoires), et un fichier destinataire dans lequel on désire les insérer (ce dernier peut éventuellement être absent si on veut seulement supprimer des fontes du fichier source, sans en garder de copie).

Les deux listes de Font/DA Mover sont interchangeables : chacune d'elle peut aussi bien recevoir le fichier source que le fichier destinataire. C'est pourquoi elles ont chacune un bouton **Ouvrir,** qui appelle un dialogue standard d'ouverture, pour vous permettre de trouver, puis de sélectionner les fichiers source et destinataire. Ce dialogue a la forme suivante :

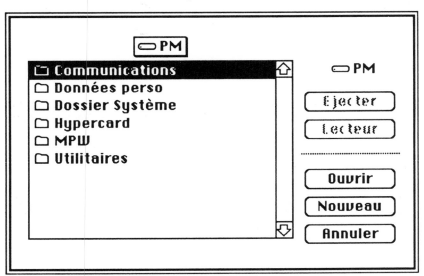

Il vous permet trois actions :

🍎 Ouvrir le Système d'une disquette ;

🍎 Ouvrir un document de Font/DA Mover (contenant des fontes ou des accessoires) ;

🍎 Créer un nouveau document (en cliquant **Nouveau**), pour sauvegarder les éléments que vous supprimez ou copiez d'un autre document ou d'un Système.

Ce dialogue ne permet d'ouvrir qu'un seul document à la fois. Le bouton de la fenêtre correspondante devient alors **Fermer.**

Lors des opérations de copie, Font/DA Mover montre une fenêtre du type :

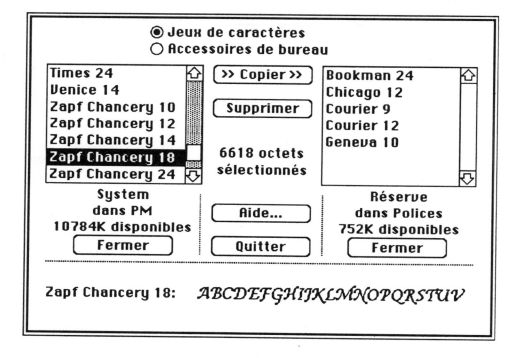

Vous devez alors sélectionner le ou les éléments du fichier source. Celui-ci peut donc se trouver à droite ou à gauche ; les flèches du bouton **Copier** s'affichent automatiquement dans le sens où la copie s'effectuera.

S'il n'y a qu'un seul côté ouvert, **Copier** est grisé, et seule la suppression est possible. Les éléments supprimés sont alors perdus.

Pour changer l'un des fichiers ouvert d'un côté, il faut cliquer **Fermer** puis de nouveau **Ouvrir.**

☛ Si vous disposez d'une vieille version de FONT/DA Mover, il se peut que la police sélectionnée s'affiche (ici Zapf Chancery 18) ainsi qu'un exemplaire de texte "le renard agile ...". Cette phrase un peu bizarre en a surpris beaucoup. L'astuce (en fait, le traducteur n'a pas été très astucieux) c'est que la phrase anglaise est "the brown fox jumps over the lazy dog" qui a l'avantage de contenir presque toutes les lettres de l'alphabet! Hélas, il n'en était pas de même pour la version française... Maintenant les versions les plus récentes affichent simplement le début de l'alphabet, ce qui est beaucoup moins élégant (mais plus efficace...).

Des accessoires biens cachés

Le Font/DA Mover comporte quelques astuces. En effet, si la plupart des accessoires se trouvent dans le Système, rien n'empêche d'en placer aussi dans les applications, car ce sont en fait des ressources (voir chapitre 14).

☛ Si vous appuyez sur la touche Option en cliquant l'un des boutons **Ouvrir**, le dialogue d'ouverture n'affiche plus seulement les documents "valise" et les systèmes, mais tous les fichiers. Vous pouvez ainsi incorporer un ou plusieurs acessoires dans une application (et même dans un document, mais l'intérêt est moins grand).

Certains accessoires sont en effet particulièrement utiles en conjonction avec une application, et ne présentent plus guère d'intérêt dans un autre contexte. Vous éviterez ainsi d'encombrer le Système avec des accessoires...accessoires !

De plus, ces accessoires ne sont pas comptés dans les 15 que Font/DA Mover peut mettre dans le Système (nous verrons au Chapitre 8 qu'en fait, on peut dépasser largement cette limite, et qu'on peut en avoir autant que l'on veut, avec SuitCase ou Font/DA Juggler).

Chapitre 5

La vie de tous les jours

Finder   MultiFinder

LE FINDER ET SES RUSES

Un peu comme Monsieur Jourdain qui faisait de la prose sans le savoir, les utilisateurs du Macintosh se servent du Finder sans s'en rendre compte. Ce chapitre est donc fait pour vous apprendre à utiliser le Finder avec efficacité, mais
aussi pour en connaître les pièges et les ruses. En outre, il devrait vous permettre d'en comprendre les réactions parfois surprenantes.

Qu'est-ce que c'est ?

Le Finder est une application chargée de vous présenter un environnement graphique vous permettant d'exploiter votre Macintosh. Cet environnement est en
réalité un gestionnaire d'éléments permettant les duplications, déplacements et
effacements ainsi que le démarrage des applications. Pour cela, vous disposez
de commandes que vous pouvez sélectionner dans des menus.

Par la suite, nous prendrons comme référence la version 6. 0 du Finder. C'est la
version fournie avec tous les Mac au moment où nous écrivons ces lignes.

Le numéro de version est visible lorsqu'on a choisi **A propos du Finder** dans le
menu . La version 6.0 dont nous parlerons affiche alors une fenêtre du type :

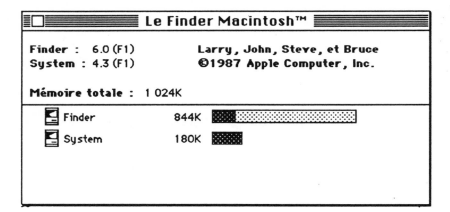

Vous remarquez dans la fenêtre la zone mémoire totale qui donne la taille de la mémoire dont dispose votre Macintosh et sa répartition en faveur du système et du Finder.

Du bureau...

Le Finder affiche tous ses éléments sous forme graphique, et limite au maximum les frappes au clavier, permettant ainsi un accès facile au néophyte.

Le bureau peut présenter six sortes d'objets.

 Les disques et disquettes :

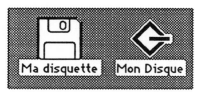

 Les dossiers :

Dossier   Dossier Système   Dossier Protégé

 Les applications :

Application   MacDraw   MacWrite   Microsoft Excel

 Les documents :

Document   Dessin

 La corbeille :

Ces cinq premiers types d'icônes peuvent être affichés de plusieurs manières, les icônes peuvent être ouvertes ou fermées, sélectionnées ou non. Leur présentation change alors légèrement :

Nous avons pris ici l'exemple de l'icône d'un disque, mais il en est de même pour les quatre autres types d'éléments (corbeille, document, application, dossier).

Selon l'état de cette icône, les commandes disponibles dans les menus diffèrent.

 Les fenêtres :

 Les fenêtres apparaissent lorsqu'on ouvre l'icône d'une disquette, d'un dossier, ou de la corbeille. Il suffit pour cela de sélectionner l'icône, puis de demander **Ouvrir** (menu **"Fichier"**) ou plus simplement de faire un double-clic sur l'icône en question. Il peut y avoir de nombreuses fenêtres ouvertes simultanément sur le bureau, mais une seule est active à un instant donné. Une fenêtre s'active par simple clic sur n'importe quelle portion visible, ou par un double clic sur l'icône qui l'a générée (disque, dossier ou corbeille) ;

> ☛ Il peut être utile de déplacer une fenêtre sans pour autant vouloir l'activer, ce qui perdrait les sélections en cours. Il suffit pour cela de maintenir la touche **Commande** enfoncée pendant le déplacement.
>
> Si vous appuyez sur **Option** tout en ouvrant une fenêtre, celle-ci ne sera pas mémorisée. La prochaine fois que vous ouvrirez ce disque, la fenêtre sera fermée. Bien utile pour atteindre un document ou une application profondément "enterrée" dans de nombreux niveaux de dossiers !
>
> Si vous appuyez sur **Option** tout en cliquant la case de fermeture d'une fenêtre du Finder, toutes les fenêtres ouvertes seront fermées les unes après les autres. Pratique pour ranger un bureau encombré !

Lorsque vous avez ouvert une disquette, un certain nombre de renseignements apparaissent sur la fenêtre devenue active :

Un petit cadenas indique si le disque est verrouillé en écriture. Si le petit cadenas est présent (voir illustration) vous ne pouvez pas :

 Changer le nom du disque ou d'un de ses éléments car ceux-ci sont écrits sur le disque ;

 Copier des éléments sur ce disque ;

 Sortir des éléments du disque pour les mettre sur le bureau puisque la position de tous les éléments est aussi inscrite sur le disque ;

 Créer un nouveau dossier ;

 Dupliquer des éléments ;

 Verrouiller, déverrouiller ou ajouter des informations concernant un élément ;

 Aligner les icônes ;

 Jeter certains de ses éléments à la corbeille ;

 Initialiser le disque ;

 Fixer le démarrage sur une application du disque.

Les articles du menu **Rangement** sont indisponibles pour une disquette protégée en écriture (présence du petit cadenas). Si vous modifiez la disposition des éléments dans la fenêtre ou leur présentation, cette information ne pourra être conservée sur le disque. Lors de la prochaine introduction de cette disquette dans le Macintosh, rien ne sera changé. Curieusement, l'article **Fixer le démarrage** est néanmoins accessible. Dans le cas où vous essayez de l'utilisez, le système vous répond :

Impossible de fixer l'application de démarrage "Essai" (le disque est verrouillé).

La façon dont le contenu des fenêtres est présenté est déterminée dans le menu **Présentation**. La forme la plus naturelle du Macintosh est **Par icône**, mais vous pouvez en choisir une autre, par exemple pour rechercher un élément précis dans une fenêtre qui en contient beaucoup.

☞ Ranger à la main les icônes d'un dossier par ordre alphabétique est difficile et fastidieux. Il y a un moyen de le faire automatiquement :

- ouvrez le dossier, et décalez sa fenêtre de manière à ce que le dossier grisé soit encore visible ;

- dans la fenêtre ainsi ouverte, demandez **Par nom** dans le menu **Présentation** ;

- demandez ensuite **Tout selectionner** (menu **Edition**) ;

- faites ensuite glisser les éléments noircis dans l'icône grisée de leur propre dossier ;

- enfin, demandez **Par icône** (menu **Présentation**) ;

- et voilà...

...aux icônes

Dans le Finder, chaque application est présentée avec son icône personnelle :

Mais parfois l'application ne possède pas d'icône particulière ; le Mac se sert alors de l'icône standard pour une application :

Les documents créés par les applications ont, eux aussi, leur icône ; c'est en général une "variation" de celle de l'application :

Lorsque l'application n'a pas d'icône particulière, les documents qu'elle crée utilisent l'icône générique des documents :

Les icônes peuvent être déplacées à loisir dans leur fenêtre (ou sur le bureau, voir plus loin). A la suite de ces déplacements, les icônes sont souvent désordonnées. Pour redonner un bel aspect à la fenêtre active, il suffit de choisir **Ranger la fenêtre** dans le menu **Rangement**. Les icônes prennent alors place sur une grille invisible, donnant une présentation impeccable.

> ☛ Si vous maintenez **Option** tout en déplaçant une icône, elle s'aligne d'elle-même sur la position la plus proche de la grille.
>
> En enfonçant la touche **Option** tout en exécutant **Ranger la fenêtre**, le résultat est encore meilleur : les icônes se

positionnent à partir du coin supérieur gauche de la fenêtre, sans laisser de trous, et plus rapidement.

Attention ! Si une ou plusieurs icônes sont sélectionnées, le menu **Rangement** indique "**Aligner la sélection**". Seules les icônes sélectionnées sont alors alignées.

Les noms des documents

Chaque icône porte un nom. Certains noms sont donnés par le Système, d'autres par vous. Vous pouvez toujours changer les noms que vous donnez, et parfois ceux attribués par le Système. Les noms sont limités à 27 caractères pour les volumes, et 31 pour les fichiers (applications ou documents). Tous les caractères sont acceptés, sauf les deux points (:) ; les majuscules et minuscules sont indifférenciées.

Pour modifier un nom, il faut sélectionner l'icône, placer le curseur sur son nom et agir ensuite suivant les règles standard d'édition de texte (voir Chapitre 2).

Attention ! Si l'élément est verrouillé ou appartient à une disquette protégée en écriture, il est impossible de modifier son nom. Le curseur ne change d'ailleurs pas de forme lorsqu'il passe dessus.

La notion d'extension, chère aux familiers de MS-DOS n'existe pas avec le Mac, bien que cela n'empêche pas de terminer un nom par ".xxx". Mais ce n'est pas une obligation et le but est alors purement esthétique ou fonctionnel.

☞ Si vous effacez ou modifiez par erreur le nom d'un document ou d'une application, pas de panique ! Avant de faire quoi que ce soit d'autre, cliquez dans une région vide du bureau, et l'ancien nom reviendra de lui-même.

Il peut vous arriver de rencontrer certaines réactions lors de copies, déplacements ou changements de nom. Voir plus loin dans "Organisation des fichiers".

Les sélections

Avant de pouvoir travailler sur un élément, il faut le sélectionner. S'il se trouve dans une fenêtre, celle-ci devient active. Il est en fait possible de sélectionner un ou plusieurs éléments :

Selection simple

Elle se fait par un simple clic sur l'élément désiré. A ce moment, l'affichage de celui-ci s'inverse, sa fenêtre s'active et certaines commandes des menus (en rapport avec l'élément sélectionné) deviennent disponibles.

Sélections multiples

Deux manières :

- Le Majuscule-clic : il faut cliquer sur les éléments les uns après les autres en maintenant la touche **Shift** (Majuscule temporaire) enfoncée. Un Majuscule-clic sur un élément sélectionné désélectionne celui-ci ;

- Le rectangle de sélection : lorsque vous balayez l'écran en prenant soin de démarrer votre mouvement en dehors d'une icône, un rectangle se trace, qui suit le déplacement de la souris ;

Toutes les icônes englobées ou effleurées par ce rectangle se trouvent sélectionnées lorsqu'on relâche le bouton de la souris.

Sa portée est limitée à la fenêtre ou au bureau. Toutefois, si la fenêtre est trop petite pour afficher toutes ses icônes, la sélection englobera tout de même celles qui sont cachées sous les bords si le rectangle est assez grand !

> ☛ Le rectangle de sélection peut être combiné avec la touche Majuscule. Il se produit alors une inversion entre les éléments sélectionnés et non sélectionnés. Il peut aussi être combiné avec le Majuscule-clic pour étendre une sélection. C'est souvent la manière la plus rapide de sélectionner un grand nombre d'éléments : on les entoure tous d'un rectangle pour les sélectionner puis on élimine les indésirables par un Majuscule-Clic

Il est impossible de sélectionner deux éléments se trouvant dans deux fenêtres différentes, puisqu'une sélection rend active la fenêtre où elle a lieu, et qu'il ne peut y avoir qu'une seule fenêtre active à la fois.

Ainsi, vous pourrez par exemple sélectionner :

- Une disquette et la corbeille : elles sont toutes deux sur le bureau.
- Deux dossiers de la même fenêtre.
- Deux éléments appartenant au même dossier.

mais vous ne pourrez pas sélectionner ensemble et sans les déplacer :

- une disquette et un dossier d'une fenêtre car la disquette est sur le bureau tandis que le dossier est sur une disquette.

- deux éléments appartenant à des dossiers différents...pour cela, placez-les sur le bureau (en dehors de toute fenêtre) ; vous pourrez ensuite leur faire reintégérer leur dossier respectif en les sélectionnant et en demandant **Ranger** dans le menu **Fichier** (voir ci-dessous).

Les ouvertures

Les ouvertures se font soit par un double-clic sur l'icône à ouvrir, soit par la sélection de celle-ci suivie du choix **Ouvrir** dans le menu **Fichier**. Voici ce que signifient les double-clics sur les divers éléments :

 Sur la corbeille, une disquette ou un dossier : il s'ouvre pour montrer son contenu. Celui-ci peut être affecté par les commandes du menu **Présentation**. Si l'élément double-cliqué était déjà ouvert, sa fenêtre devient active.

 Sur une application : elle démarre ;

 Sur un document, deux cas peuvent se présenter :

- une des disquettes dont l'icône est affichée sur le bureau contient l'application requise pour ouvrir le document. Dans ce cas, le système fait d'abord appel à cette application et l'ouvre. Ensuite, il ouvre le document.

- le Mac ne trouve pas l'application requise et il vous gratifie d'une alerte :

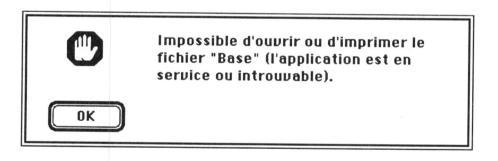

Icônes sur le bureau

Bien que le Mac ne le fasse jamais seul, vous pouvez très bien sortir les icônes des divers éléments de leur fenêtre pour les mettre sur le bureau. Cela peut vous servir dans différents cas :

 Les icônes placées sur le bureau peuvent être sélectionnées ensemble (par Shift-clic ou par un rectangle de sélection), même si elles ne sont pas issues de la même fenêtre. C'est particulièrement utile pour :

- imprimer une suite de documents appartenant à des dossiers différents ;
- copier un groupe d'éléments dispersés dans le disque d'un seul coup ;

 Les éléments sortis d'une disquette apparaissent directement sur le bureau à l'introduction de celle-ci, ce qui vous donne un accès immédiat aux applications ou aux documents les plus fréquemment utilisés.

> Attention ! Un élément sorti sur le bureau peut facilement être dissimulé derrière une fenêtre. Vous pouvez ainsi croire qu'il a disparu de la disquette. Le Mac connait les emplacements d'origine des éléments déplacés sur le bureau (En effet, il peut les **Ranger**, voir plus bas) ; cependant, le dialogue d'ouverture les présentera au niveau principal du disque.

Ranger les icônes dispersées

Après avoir dispersé des icônes sur le bureau, vous pouvez vouloir leur faire réintégrer leur emplacement d'origine. Au lieu de le faire manuellement, il vous suffit de les sélectionner et de choisir **Ranger** dans le menu **Fichier**. Vous voyez alors sous vos yeux ébahis, chaque icône prendre le chemin du bercail !

Vous pouvez également **Aligner la sélection** sur le bureau. Il faut pour cela qu'aucune fenêtre ne soit ouverte. Sans maintenir la touche **Option**, les icônes se placent sur la grille invisible, au plus près de leur position ; en maintenant cette touche, elles s'alignent à la droite de l'écran sans nécessairement respecter la place du disque maître. Si aucune icône n'est sélectionnée, le menu indique **Ranger le bureau**, ce qui a le même effet sur toutes les icônes présentes sur le bureau.

Lire les informations, Verrouiller et Jeter

A chacun des éléments décrits ci-dessus peuvent s'appliquer les fonctions d'informations, de verrouillage ou d'effacement. Nous allons voir en détail comment obtenir ces possibilités, et à quoi elles servent.

Lire les Informations

La commande **Lire les informations** se trouve dans le menu **Fichier**. Pour obtenir les informations relatives à un élément (disque, dossier, application ou document), il faut que celui-ci soit sélectionné (la sélection d'un élément s'effectue en cliquant une fois dessus). La fenêtre qui apparait alors est du type :

```
┌─────────────────────────────────────────────────┐
│ ▤ □ ▤▤▤▤▤▤▤▤▤ Infos ▤▤▤▤▤▤▤▤▤▤▤                  │
├─────────────────────────────────────────────────┤
│                                                   │
│        ◇◇            Verrouillé □                 │
│       ◇◇◇                                         │
│        ◇   MacWrite                               │
│   Type : application                              │
│   Taille : 71 410 octets, 70K sur le disque       │
│                                                   │
│   Disque : PM, SCSI device                        │
│                                                   │
│                                                   │
│   Créé le : Jeu 4 Avr 1985 17:23                  │
│  Modifié le : Mar 15 Mar 1988 13:59               │
│  ┌────────────────────────────────────────────┐  │
│  │ MacWrite V 4.5                             │  │
│  │                                            │  │
│  │                                            │  │
│  │                                            │  │
│  └────────────────────────────────────────────┘  │
└─────────────────────────────────────────────────┘
```

Attention ! La fenêtre ci-dessus est celle qui apparaît si vous travaillez avec le Finder. Dans le cas où vous utilisez le MultiFinder, la fenêtre est légèrement différente, et son utilisation est beaucoup plus "riche" puisqu'elle permet de paramétrer la place mémoire allouée à une application. Voir plus loin le MultiFinder.

Attention ! L'information concernant le type d'un document n'est pas toujours complète. En effet, Macintosh ne reconnaît le type d'un document que si une disquette contenant l'application dont il est issu est en ligne. Dans le cas contraire, le type est seulement "document", sans préciser quelle application l'a généré.

Le cadre du bas sert à introduire des renseignements sur l'élément. Si le disque est éjecté ou verrouillé, ces informations ne sont pas disponibles. Il présente souvent le numéro de version de l'application, et toujours celui des fichiers systèmes (si le Système actif est récent). Si le disque a été éjecté, le cadre apparaît même avec le message : Informations non disponibles, disque éjecté.

Attention ! Les informations disparaissent lors de la reconstruction du Desktop (voir Chapitre 14).

Verrouiller et jeter

C'est aussi dans cette fenêtre que vous pouvez verrouiller ou déverrouiller un élément en cliquant dans la case **Verrouillé**.

Pour les éléments qui ne sont pas des disques, la case **Verrouillé** détermine si votre élément peut ou non être jeté dans la corbeille.

L'option **Verrouillé** apparaît en grisé lorsque :

 Le disque contenant le document n'est pas physiquement présent dans un lecteur ;

 Vous demandez les informations concernant un disque. En effet, le verrouillage se fait de manière physique (en déplaçant la petite tirette prévue à cet effet sur la disquette) et non pas de manière logique (en inscrivant des informations sur le disque). Cependant, si cette case n'est pas modifiable par l'utilisateur, elle indique quand même l'état du disque ;

 Il s'agit d'un élément dont le support est lui-même protégé en écriture par nature (par exemple un lecteur de CD-ROM).

> ☛ On voit facilement si un élément sélectionné est verrouillé : si le pointeur ne change pas de forme en passant sur son nom, c'est qu'il est verrouillé ; s'il prend la forme du curseur de texte, cela signifie que vous pouvez modifier ce nom, et donc que le fichier n'est pas verrouillé.
>
> Si un élément est verrouillé, il peut quand même être jeté à la corbeille sauf dans le dernier cas). Il suffit pour cela de le tirer vers la corbeille en maintenant la touche **Option** enfoncée.

Pour un document, la case **Verrouillé** détermine également l'utilisation que vous pourrez en faire. En effet, si vous pouvez **Ouvrir** un document verrouillé dans une application, vous ne pourrez jamais le ré-enregistrer sous le même nom.

D'autres informations sont également disponibles dans cette fenêtre. En particulier on peut connaître l'application dont sont issus les documents. Ce renseignement se trouve en face du champ **Type**. Il y a cependant quelques restrictions : il faut que l'un des volumes montés (les disques utilisés à ce moment) contienne l'application.

Les copies

Les copies sont une étape cruciale de tout travail informatique. Il est en effet indispensable de conserver des copies de sauvegarde de tous les fichiers importants.

Sur le Mac les copies se font par simple déplacement d'icônes. Toutefois, suivant le type d'icône concerné, le déplacement n'a pas toujours le même effet.

Les déplacements d'icônes

Les déplacements ne réalisent des copies que si l'icône déplacée arrive sur une autre icône, ou sur la fenêtre qui lui correspond. Si l'icône d'arrivée accepte la copie, elle se sélectionne. Sinon cela signifie que la copie est impossible. Les déplacements d'objets multiples sont également réalisables pour copier plusieurs éléments à la fois.

Déplacement de l'icône d'une disquette vers :

- Une autre disquette : remplace le contenu de la disquette d'arrivée par celui de la disquette d'origine. L'ancien contenu de la disquette d'arrivée est irrémédiablement perdu ;

- Un disque dur : ajoute le contenu de la disquette à celui du disque dur, en créant un nouveau dossier ;

- La corbeille : éjecte la disquette et efface son icône du bureau sauf s'il s'agit du disque maître, auquel cas l'icône reste grisée ;

- Toute autre icône : déplacement impossible.

Déplacement de l'icône d'un dossier vers :

- Une autre disquette : copie du dossier et de son contenu sur cette disquette ;

- Sa disquette, sa fenêtre ou son dossier d'origine : aucune copie réalisée, icône du dossier réalignée dans la fenêtre ;

- Un disque dur : ajoute le contenu du dossier à celui du disque dur ;

- Un autre dossier :
  – de la même disquette : aucune copie réalisée, le dossier d'origine est placé dans celui d'arrivée.
  – d'une autre disquette : dossier et son contenu copiés dans le dossier d'arrivée.

- la corbeille : dossier et son contenu supprimés (après une demande de confirmation préalable s'il contient des applications).

Déplacements d'icônes de documents et d'applications vers :

- Une autre disquette : copie de l'élément sur cette disquette ;

- Sa disquette ou fenêtre d'origine : aucune copie réalisée, icône de l'élément réalignée dans la fenêtre ;

- Un disque dur : copie l'élément sur le disque dur ;

 Un autre dossier :
– de la même disquette : aucune copie réalisée, élément déplacé dans le dossier d'arrivée.
– d'une autre disquette : élément copié dans le dossier d'arrivée ;

 La corbeille : élément supprimé.

> ☛ Si vous devez copier de nombreux éléments (n'oubliez pas qu'un dossier peut en contenir beaucoup) depuis une disquette vers un disque dont le contenu est sans importance, il est souvent plus rapide de copier la disquette entière que de sélectionner un à un ces éléments. Notez d'ailleurs que cette sélection n'est pas toujours possible autrement qu'en ayant recours aux déplacements de certaines icônes sur le bureau.
>
> Lorsque le disque d'origine contient de nombreux éléments, et que vous désirez en copier seulement certains, il peut être avantageux, pour les retrouver plus rapidement, de demander la présentation **Par nom** (ou **Par type**). Vous pourrez alors faire une sélection multiple par Majuscule-clic.

Lorsque le Finder fait la copie d'un ou plusieurs éléments, il affiche un "thermomètre", pour marquer la progression de son travail, et indique successivement "Lecture de tel fichier", "Ecriture de tel fichier"et enfin "Mise à jour du Bureau".

Dupliquer

Vous pouvez obtenir une copie de n'importe quel fichier en le sélectionnant et en demandant **Dupliquer** dans le menu **Fichier**. La copie ne pourra s'effectuer que s'il y a assez de place dans le disque. Elle prendra automatiquement le nom de "Copie de…" et le nom du document d'origine.

> ☛ Il y a une autre manière de faire une copie ; il suffit de déplacer l'icône vers un autre dossier du même disque, tout en appuyant sur **Option**. Le Findier affiche alors le "thermomètre" habituel de la copie. Le ficher copié aura le même nom que l'original.

La corbeille

La corbeille est un élément du bureau dont le fonctionnement est particulier. Nombreux sont les utilisateurs qui ne connaissent pas ses particularités, qui ne savent pas quand elle se vide seule, etc. Cette partie vous permettra donc d'élucider les mystères que renferme la corbeille.

Utilité et fonctionnement

L'utilité de cet organe est simple à définir. Sur un disque, les données s'accumulent (c'est particulièrement vrai pour un disque dur !). Lorsque certaines sont devenues inutiles, il faut les éliminer : il suffit de les jeter à la corbeille. Pour mettre un élément dans la corbeille, il suffit d'y faire glisser l'icône de cet élément. Un élément peut être une application, un document, un dossier ou une disquette, ou tout ensemble de ces éléments.

> Attention ! Lorsque vous déplacez un ou plusieurs éléments pour les jeter dans la corbeille, ces derniers ne seront supprimés que si le curseur de la souris pointe sur la corbeille : celle-ci se sélectionne et les élements y disparaissent. Dans le cas contraire, les éléments seront seulement déplacés sur le bureau, mais non jetés.

Mais le Macintosh n'accepte pas de jeter n'importe quoi. Et si vous décidez de jeter quelque chose, il peut rester muet ou bien vous prévenir. . .

Limites d'utilisation

En effet, le Macintosh, et c'est là son "intelligence", n'accepte pas de mettre n'importe quoi dans la corbeille. Il arrive que le message suivant apparaisse :

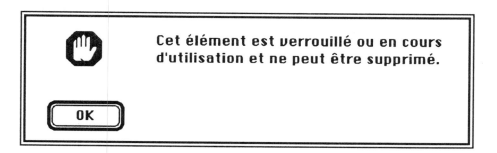

Vous êtes alors obligé de cliquer sur OK. Ensuite, plusieurs solutions s'offrent : si votre élément est en service, nous vous déconseillons de le mettre à la corbeille. Si par contre il est seulement verrouillé, il vous suffit de :

 Sélectionner l'élément désiré ;

 Cliquer **Lire les informations**. . . dans le menu **Fichier** ;

 Déverrouiller en cliquant sur la case **Verrouillé**.

L'élément peut ensuite être normalement jeté dans la corbeille.

☛ Il existe une méthode plus rapide que celle du déverrouillage pour contraindre un élément à aller dans la corbeille. Il suffit de déplacer l'élément vers la corbeille en maintenant la touche **Option** enfoncée.

Si c'est une application que vous désirez jeter dans la corbeille, un autre type de message apparaît :

Le Macintosh considère en effet que les applications ne peuvent être éliminées qu'après confirmation, et ceci pour vous éviter les fausses manœuvres.

☛ Si vous appuyez sur la touche **Option** lorsque vous jetez une application, le message est court-circuité. Ceci peut s'avérer très utile lorsqu'on désire jeter un grand nombre d'applications pour éviter de cliquer OK à chaque fois.

Le vidage de la corbeille

Lorsque vous avez jeté un élément dans la corbeille, il n'est pas instantanément effacé de la disquette. En réalité, la corbeille n'est vidée que sur votre ordre ou lorsque vous démarrez une application.

Pour vider la corbeille vous-même, choisissez simplement **Vider la corbeille** dans le menu **Rangement**. Lorsque cette commande apparaît en grisé, c'est que la corbeille est vide ou qu'elle vient d'être vidée. Cette action est irrémédiable (il n'existe pas de Annuler le vidage de corbeille dans le menu Edition), et lorsque vous l'avez exécutée, votre disquette se trouve définitivement débarrassée des éléments jetés. La place disponible sur celle-ci augmente de fait.

En réalité, même lorsque l'élément est enlevé de la disquette, il n'est pas réellement effacé. On supprime simplement au Finder la possibilité d'y accéder. Certains utilitaires permettent de récupérer les documents effacés. La seule condition pour pouvoir les récupérer est de ne pas écrire de nouveau sur la disquette.

Sinon la corbeille se vide seule lorsque :

 Vous démarrez une application ;
 Vous éjectez la disquette concernée ;
 Vous effectuez une copie ou une duplication, même sur une autre disquette.

Certaines alertes curieuses peuvent apparaitre lors d'utilisations particulières de la corbeille. Voici leur détail et les remèdes, s'ils existent.

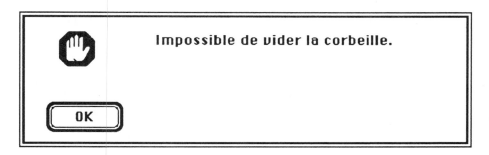

Impossible de vider la corbeille.

OK

Ce message est particulièrement déroutant. En effet, à la suite de son apparition, l'élément se trouvant initialement dans la corbeille n'y est en général plus, et il ne réapparaît pas toujours dans sa fenêtre. Qu'en est-il exactement ?

Il apparaît par exemple dans le cas suivant : Vous vous servez de Switcher dans lequel vous installez, entre autres, le Finder.

Vous passez dans le Finder et vous décidez de jeter dans la corbeille une des applications qui se trouvent installées dans le Switcher. Ceci n'est bien sûr possible que si vous maintenez en même temps la touche **Option** enfoncée. L'application disparaît alors du bureau. Si vous cliquez **Vider la corbeille** dans le menu **Rangement**, vous voyez apparaître le message sus-présenté.

Cependant, le bureau se trouve débarrassé de l'application jetée et si vous ouvrez votre corbeille, vous vous apercevez qu'elle est également vide. Où est passée votre application ?

En réalité, lors de cette manœuvre, rien ne s'est passé. Pour voir réapparaître votre application sur le bureau, vous devez fermer la fenêtre dans laquelle se trouvait l'application puis la rouvrir. L'icône de l'application en question réapparaît alors.

Vous pouvez aussi obtenir :

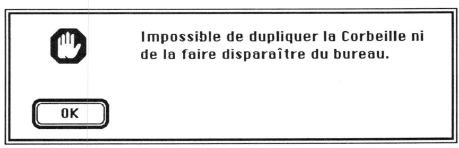

Impossible de dupliquer la Corbeille ni de la faire disparaître du bureau.

OK

dans le cas où vous glissez l'icône de la corbeille dans une fenêtre, un disque ou un dossier.

Comment se passer du Finder ?

Savez-vous que le Finder n'est absolument pas obligatoire, et que le Mac peut très bien fonctionner sans lui ?

On a l'habitude de voir apparaître le Finder au démarrage et l'on finit par le croire inamovible. En fait, si vous avez besoin de place sur votre disquette ou si vous ne vous servez pas du Finder, vous pouvez très bien vous en passer. Vous gagnez alors de la place sur vos disquettes et du temps au démarrage, car vous supprimez le passage par le Finder. Dans la pratique, ce n'est intéressant qu'avec une configuration à un ou deux lecteurs de disquettes, sans disque dur (ce dernier est suffisamment grand et rapide pour qu'on lui laisse son Finder !). Bien sûr, si vous le supprimez, vous ne pourrez plus faire de copies, jeter des documents, ni aucune autre opération sur les icônes depuis cette disquette (à moins d'installer un des accessoires DiskTop, DiskInfo ou Extras dans le Système de la disquette, voir Chapitre 6).

Si vous n'avez pas besoin du Finder, une solution simple consiste à jeter simplement son icône à la corbeille. Evidemment, vous ne pouvez pas jeter le Finder du disque maître. Vous devez donc redémarrer d'abord avec une autre disquette de démarrage, puis introduire celle sur laquelle vous voulez supprimer le Finder et enfin jeter ce dernier.

Vous gagnez déjà une centaine de Ko sur votre disquette, mais cela n'est pas suffisant. En effet, lors de l'introduction de cette disquette, le Mac cherchera en vain le Finder pour démarrer et échouera lamentablement, vous déclarant : "Impossible de démarrer le Finder". Pour éviter cela, il vous faut **Fixer le démarrage** dans le menu **Rangement** sur une application préalablement sélectionnée (voir plus loin). Lors du démarrage d'une telle disquette, vous vous trouverez directement dans l'application choisie.

Mais tout se complique lorsque vous quittez l'application. Dans ce cas, le Macintosh vous produira tout simplement une alerte, pour dire qu'il ne peut lancer le Finder. La seule solution sera de redémarrer ; donc aucune possibilité de transfert de données via le Presse-papiers.

 Cela ne vous dérange pas car vous désirez toujours redémarrer après avoir utilisé cette disquette. Dans ce cas (peu probable), c'est parfait ;

 Après avoir quitté, vous voudriez démarrer sur une autre application, éventuellement pour lui transférer des données. Ceci est possible grâce aux utilitaires comme QuicKeys, ou aux accessoires de bureau comme Extra ou SkipFinder qui permettent de passer d'une application à une autre sans passer par le Finder (cette option s'appelle souvent **Transfert**, et se trouve parfois directement dans le menu **Fichier** de l'application) ;

 Les versions antérieures du Finder proposaient "Utiliser le MiniFinder". Cette option est supprimée dans la version 6. 0. Nous n'en parlerons donc pas.

ORGANISATION DES FICHIERS

La gestion des disques et disquettes

Il existe sur Mac deux systèmes de gestion des fichiers sur les disques ou disquettes : le système MFS (Macintosh File System), anciennement utilisé sur Mac 128 et 512 et quelquefois sur Mac Plus, et le système HFS (Hierarchical File System) utilisé actuellement sur tous les Mac, du Mac Plus au Mac II. Leur différence essentielle tient à la manière dont les dossiers dans lesquels vous rangez vos documents sont vus ou ignorés par les applications. Le terme "disque" désignera invariablement les disques durs et les disquettes, sauf en ce qui concerne le système MFS qui concerne les disquettes seules.

MFS, l'ancien régime

Il est maintenant bien rare de trouver des disquettes gérées en système MFS. Dans le cas bien improbable où, sortie d'un vieux tiroir, vous trouveriez une disquette MFS (mais vous ne le savez pas encore), voici quelques signes qui vous indiqueront sa nature : pour les cas (très rares) où vous devriez distinguer visuellement une structure HFS d'une structure MFS, sur le bureau, seul un petit point les sépare :

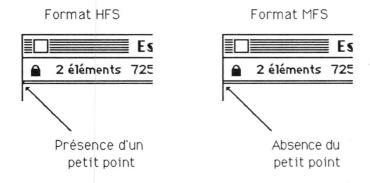

Ce point est absent sur un dossier de type MFS (il faut avoir une bonne vue !).

Le système MFS était utilisé à l'époque glorieuse des Mac 512 et 128. Vous savez que vous pouvez ranger les documents d'un disque dans des dossiers, de manière à les regrouper, par exemple par genre. Cela vous permet de retrouver plus rapidement sur le bureau un fichier donné, s'il y en a beaucoup dans le disque.

Dans un système de type MFS, ces dossiers n'ont pas d'existence réelle ; ce sont seulement des aides graphiques que le Finder (le bureau) vous donne pour vous aider à ranger et à retrouver plus facilement les documents. En fait, tous les documents, qu'ils soient ou non à l'intérieur de dossiers, ou de dossiers dans des dossiers, sont au même niveau dans le disque : la structure est fictive et purement visuelle. Cela implique qu'en MFS, il est impossible d'avoir deux documents de même nom sur un disque, même s'ils sont rangés dans des dossiers distincts.

Prenons par exemple la structure d'un disque MFS. Dans vos manipulations, vous aurez l'impression d'avoir par exemple cette structure :

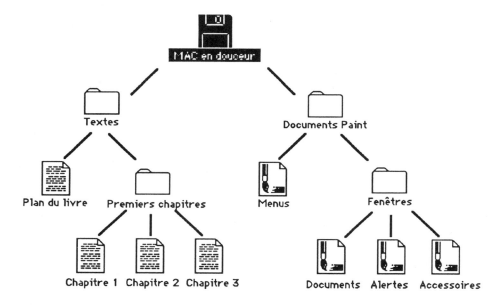

En MFS, cette organisation est trompeuse : le disque a en fait une structure "à plat". En réalité, le système gère ceci :

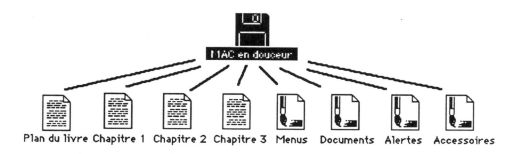

En choisissant **Ouvrir** dans le menu **Fichier** de MacWrite, on voit apparaître à la fois "Chapitre 1", Chapitre 2", "Chapitre 3", et "Plan du livre" (par ordre alphabétique).

De même, lorsque vous sauvegardez un document en MFS depuis une application, il est impossible de le mettre directement dans un dossier ; vous devez pour cela quitter l'application après l'enregistrement, revenir sur le bureau, et ranger le nouveau document dans son dossier.

HFS, le nouveau système

Ces limitations ont donc conduit à la création d'un nouveau système de rangement des fichiers sur le disque : c'est le système HFS (Hierarchical File System).

En HFS, les dossiers existent réellement : il y a une véritable structure arborescente, c'est-à-dire que l'organisation du disque en forme d'arbre est maintenant réelle, et qu' il y a autant de catalogues dans le disque qu'il y a de dossiers. Pour les "connaisseurs" du monde IBM PC, le système HFS se comporte exactement comme le système des directories avec MS/DOS.

Conséquence directe : en HFS, on peut très bien avoir plusieurs fichiers portant le même nom, pourvu qu'ils soient rangés dans des dossiers différents.

Quel en est l'intérêt ? Principalement qu'à présent, quand vous chargez (ou sauvegardez) un document dans une application, vous pouvez choisir dans quel dossier vous voulez lire (ou écrire). Cela diminue sensiblement les recherches à la lecture, et les rangements à la sauvegarde. Notez toutefois qu'il n'est pas possible de créer un nouveau dossier depuis une application. On ne peut qu'utiliser ceux qui se trouvent déjà sur le disque.

Quelques conséquences particulières de la structure HFS :

 La gestion "visuelle" de vos documents et dossiers correspond à ce que gére réellement le système d'exploitation ;

 On peut avoir des documents de même nom dans des dossier différents. Mieux encore, on peut avoir des dossiers de même nom dans des dossiers de noms différents (à méditer et à éviter, car cela peut être dangereux : une méprise est vite arrivée). La plus bizarre possibilité autorise d'avoir un dossier contenant un dossier ou un document de même nom que lui.

> Attention ! Si vous essayez de sortir un document d'un dossier de même nom ou de ramener un dossier au même niveau hiérarchique qu'un document de même nom, le Mac proteste en "criant" :

Les dossiers ne peuvent être remplacés par des fichiers (et vice versa).

OK

Il vous faut, avant toute manipulation, changer le nom de l'un des deux combattants, dossier ou document.

Attention ! Si vous essayez de renommer un document (ou un dossier) alors qu'un document (ou un dossier) porte le même nom, alors...

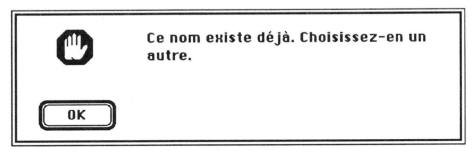

Attention ! Vous désirez sortir un dossier d'un autre dossier. Hélas ! ils ont le même nom. Réaction immédiate :

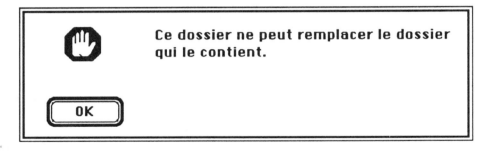

Ouvrir un document depuis le Finder

Pour entrer directement dans un document appartenant à une application, il suffit de faire un double clic sur l'icône de ce document. Si vous obtenez le message suivant (déjà vu en début de Chapitre dans la partie "ouverture") :

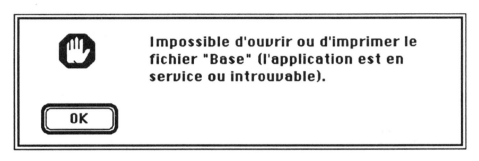

cela signifie que l'application qui a créé le document que vous tentez d'ouvrir ne se trouve sur aucun des volumes montés. En d'autres termes, le Mac ne connait pas à ce moment là de disque ou de disquette qui permette d'exploiter le document sélectionné.

Le remède consiste donc à insérer ou activer le disque qui contient l'application en question.

> ☛ Si l'application créatrice du document que vous ouvrez se trouve sur une disquette éjectée, vous risquez de très nombreux échanges entre le disque contenant le document, celui contenant l'application, et celui contenant le Système, surtout si vous n'avez qu'un seul lecteur. Essayez de regrouper sur un même disque le document et l'application, ou bien utilisez un Ramdisque (voir Chapitre 3).

Cette alerte se produit également si vous essayez d'ouvrir un document Système comme le Finder, le Fichier Système, l'ImageWriter, le fichier du Presse-Papiers ou de l'Album, etc...

Rappelons que seul le Finder ou le Multifinder d'un disque non maître peut être démarré en le double-cliquant, avec **Commande** et **Option** enfoncées. Ce disque devient alors le disque maître (à condition que la version du Système/Finder ne soit pas antérieure).

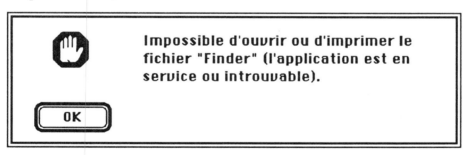

Le Mac crée lui-même parfois des documents. Ceux-ci sont normalement invisibles, mais il peut arriver que vous puissiez les voir. MacWrite, dans les versions antérieures à 5.0, par exemple, crée un "Undo file" (enregistrement de la dernière commande, utilisé par la commande **Annuler**), un "Scrap file" (pour le Presse-papiers) et un "New file" (pour les modifications du document). De même, l'impression produit un "Print file". Ces divers fichiers sont normalement effacés de la disquette lorsque vous quittez l'application. Mais si celle-ci est interrompue, par une bombe ou une micro-coupure par exemple, vous les retrouverez sur la disquette. Ils sont aussi visibles si vous installez le Finder sous Switcher ou si vous êtes sous Multifinder . En aucun cas vous ne pouvez ouvrir ces documents.

> ☛ Il est parfois possible d'ouvrir un document avec une autre application que celle qui l'a créé. Ce n'est évidemment possible qu'avec des applications de même type : entourez d'un rectangle

> de sélection l'application et le document (sortez-les sur le bureau si nécessaire), puis choisissez **Ouvrir** dans le menu **Fichier.** Exemple : MacWrite ne sait pas ouvrir les documents de Word. Mais Word est capable d'ouvrir un document Write. Toutefois, cette opération est impossible par double clic.

Si vous ne parvenez pas à trouver l'application à laquelle se rapporte un document, voyez le Chapitre 10 "Les problèmes".

LE TABLEAU DE BORD

Comme son nom l'indique, le tableau de bord sert à définir un certain nombre d'options concernant le fonctionnement du Mac. Il donne aussi des informations sur la configuration actuellement en service. Il est disponible à tout moment dans le menu : c'est un accessoire de bureau.

Mais c'est un accessoire un peu particulier : il se sert de fichiers spéciaux, disposés à son intention dans le dossier Système ; ce qui lui donne la possibilité de gérer un grand nombre de choses. Il suffit de rajouter un fichier qu'il sait reconnaître pour qu'il l'affiche (pour les curieux, ces fichiers sont du type CDEV).

Le Tableau de bord fait apparaître ces fichiers (avec leur icône) dans la partie gauche de sa fenêtre : il est alors possible de choisir n'importe lequel d'entre eux. Leur utilité est des plus variées. Cela va des réglages standard fournis par Apple, aux paramètres de fonctionnement des écrans géants, ou à des utilitaires géniaux comme QuicKeys. La partie droite change suivant l'icône sélectionnée ; c'est ici que les réglages proprement dits sont effectués.

Nous allons voir ici les éléments fournis par Apple. Notez que tous ne fonctionnent pas sur toutes les machines, et que le tableau de bord est assez malin pour le savoir : à quoi cela servirait-il de donner les options de couleurs ou de moniteurs sur un Mac SE ou un Mac plus ? Ces réglages n'apparaissent donc que sur Mac II.

Attention ! Certains réglages effectués par l'entremise du tableau de bord ne prennent effet qu'au prochain redémarrage, tandis que d'autres sont pris en compte immédiatement.

Général

C'est le fichier principal de gestion de l'environnement Mac. Chaque fois que vous ouvrez le Tableau de bord, c'est ce fichier qui est ouvert par défaut (voir ci-dessus). Sa présence est fortement recommandée dans le dossier système mais n'est pas obligatoire. Il est reconnu par tous les Macintosh. Il gère toutes les informations que le Mac conserve, même après son extinction : elles sont conservées dans la "parameter RAM", petite zone de mémoire alimentée en permanence par la pile du Mac. Tous ces réglages sont pris en compte instantanément, sauf celui de la mémoire cache qui prendra effet au lancement d'application suivant ou au prochain redémarrage.

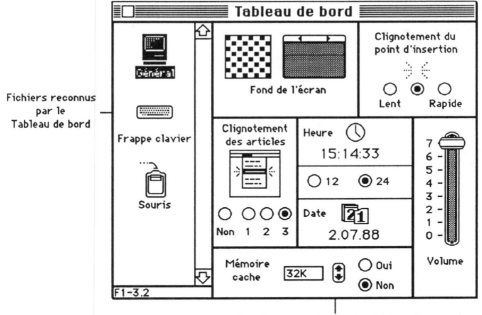

Comme on ne change pas très souvent ces réglages, vous pouvez supprimer ce fichier des disquettes où vous avez besoin de place ; soyez simplement sûr d'en conserver un exemplaire en cas de besoin.

Il s'agit de déterminer tous les réglages "primaires" du Macintosh : la mémoire cache (voir plus loin), le réglage de la date, de l'heure et de leur affichage, le niveau sonore du haut parleur, le clignotement des articles de menu, la vitesse de réaction de la souris, la vitesse de clignotement du point d'insertion et le motif du fond de l'écran. Ces diverses fonctions peuvent être obtenues par d'autres accessoires de bureau (exemple : l'Horloge permet de régler la date et l'heure) mais quelques unes ne sont disponibles que par cette fenêtre.

 Le motif du fond de l'écran. Celle-ci n'affecte pas seulement le Finder, mais toutes les applications (sauf MacPaint). Pour le Mac II, il est possible de paramétrer des fonds colorés.

Fond de l'écran

Cliquez sur les petites flèches pour faire défiler les couleurs, sur la trame de gauche pour modifier le motif courant, et sur l'exemple de fond pour l'installer ;

 Le clignotement du point d'insertion :

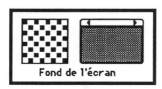

Le point d'insertion est l'endroit où la prochaine frappe au clavier sera affichée. Attention, un clignotement lent est peu visible ;

 Le volume du haut-parleur :

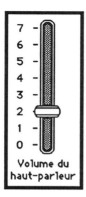

Réglez le son à votre convenance.

Attention ! un volume à zéro ne permet pas d'éliminer tous les sons, en particuliers ceux produits au redémarrage. Si vous voulez vraiment le silence absolu, introduisez une prise de type Jack 3. 5 dans la prise audio située à l'arrière du Mac : cela le réduira complètement au silence.

☛ Il existe des utilitaires pour modifier les sons de base que produit le Mac, ou en ajouter lors des différentes circonstances : insertion ou éjection de disque, redémarrage, frappe au clavier, etc. L'un des plus connus se nomme Sound manager.

 La mémoire cache :

Disponible sur tous les Mac. Cette fonction permet de gagner beaucoup de temps (voir Chapitre 8). Réglez la taille de la mémoire cache entre 32 et le maximum (qui dépend de la mémoire disponible) à l'aide des petites flèches. Mettez la en service en cliquant **Oui** ou désactivez-la en cliquant **Non** ;

 Le clignotement des articles de menu :

Il permet de déterminer si, quand vous choisissez un article dans un menu, celui-ci doit clignoter. Dans l'affirmative, vous pouvez régler le nombre de clignotements (entre 0 et 3) ;

 La date et l'heure :

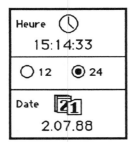

Permet - et le schéma est très explicite - de paramétrer l'horloge du Mac. La même fonction existe sur l'accessoire de bureau "Horloge".

Souris

Permet le réglage de la vitesse de déplacement du pointeur et celle du double-clic.

Le contrôle de la souris n'est pas aussi vital que le fichier précédent. Il est reconnu par tous les Macintosh. Si vous ne changez pas souvent la vitesse de glissement de votre souris favorite ou la vitesse du double clic, la présence de ce fichier n'est pas fondamentale, surtout pour les possesseurs de Mac plus sans disque dur.

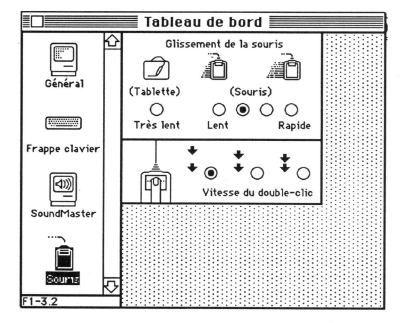

🍎 La vitesse du double clic. Règle l'intervalle de temps maximum entre 2 clics pour qu'ils soient pris en compte en temps que double-clic. Trivial non ?

🍎 Le glissement de la souris. Lorsque l'icône tablette est sélectionnée, le pointeur se déplace à la même vitesse que la souris. Lorsque l'icône de la souris est active, le pointeur réagit plus rapidement aux mouvements vifs de la souris. Essayez **Tablette** et **Souris** réglés sur rapide et vous verrez la différence !

Frappe clavier

Frappe clavier est reconnu par tous les Macintosh. Il est utilisé pour modifier les réactions du clavier de votre Mac.

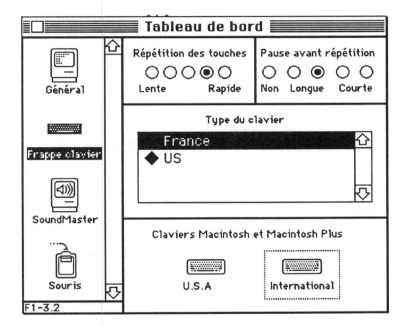

🍎 Type du clavier : permet de fixer à volonté le clavier utilisé. En l'occurrence ici, le choix est limité : France ou US. Vous pouvez transformer ainsi votre clavier de QWERTY en AZERTY et vice-versa (bien sûr, les touches ne correspondront plus, mais chacun sait que vous tapez sans regarder, alors...). La partie "Clavier Macintosh et Macintosh Plus" n'apparaît que sur les "vieux" Macintosh et le Mac plus : le clavier dit "International" comprend un pavé numérique sur la droite alors que le clavier dit "USA" n'en comporte pas. Pour les Mac SE et les Mac II, il n'est pas nécessaire de fixer la nature du clavier puisque la reconnaissance du clavier est automatique dès le démarrage : pavé numérique ou non, clavier étendu ou non (c'est pourquoi ces parties n'apparaissent pas) ;

🍎 Répétition des touches : **Pause avant répétition** règle le délai avant la première répétition lorsque vous laissez une touche enfoncée ; sur "Non", il n'y a pas de répétition. **Répétition des touches** règle le délai entre chaque répétition. Cette option sert non seulement lors de la frappe d'un texte, mais aussi dans les dialogues d'ouverture (voir Chapitre 2).

> Attention ! le clavier étendu est utilisé sur le Mac II ou sur SE :
> il comprend outre le clavier "classique" du Mac, les touches de
> fonction de type PC et les touches d'utilisation de "Unix".

Sons

Le fichier Son est reconnu uniquement par les Mac II. Il permet de fixer la nature du son de base du Mac, qui sera produit en particulier avec les alertes. Les sons qui peuvent être utilisés sont stockés dans le fichier Système. Un cri de singe (Singe), un Clink-Klank sonore, Boing ou Bip sont livrés en standard.

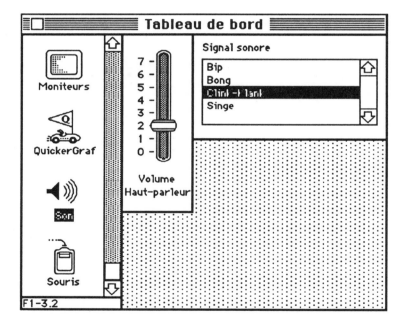

Par ailleurs, il est possible d'adjoindre d'autres sons : il en existe déjà qui circulent avec des sonorités "folles", mais, il faut le constater, fort stressantes à la longue. Il existe des utilitaires pour modifier les sons de base produits par le Mac SE et le Mac Plus. Leur action est similaire .

Démarrage

Ce fichier est utilisable uniquement sur Mac SE et Mac II. Il est très important puisque c'est grâce à lui que vous fixerez le disque de démarrage par défaut. En effet, le fichier démarrage reconnaît tous les disques connectés sur votre Mac (qu'ils soient SCSI ou non), et vous présente leurs icônes dans une fenêtre "disques".

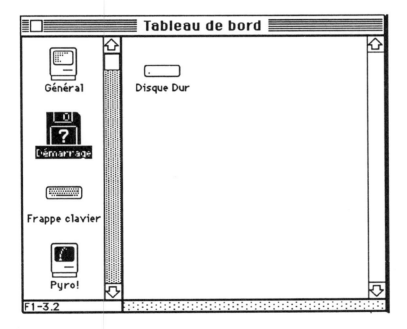

Vous pouvez alors choisir le disque qui sera pris par défaut au démarrage : si aucune disquette n'est présente dans un des lecteurs, le Système suit l'ordre théorique de priorité (déja évoqué au Chapitre 3) pour trouver le fichier Système. **Démarrage** permet de bouleverser cet ordre théorique et de décréter que tel ou tel disque passera avant tous les autres dans la recherche des fichiers systèmes. L'utilisation de cet outil est donc très simple : à l'appel de "démarrage", les icônes des disques disponibles sur votre configuration vont apparaitre. Cliquez alors sur celui sur lequel vous voulez démarrer.

Moniteurs, Couleur

Les fichiers "Moniteurs" et "Couleur" ne sont reconnus que par le Mac II, et servent avec tous les types d'écrans. En particulier "Couleur" sert même sur les écrans monochromes quand on travaille avec des nuances de gris (par exemple, on peut aller jusqu'a 16 nuances de gris avec le moniteur Apple). Ils seront évoqués au Chapitre 11.

LES AUTRES ACCESSOIRES STANDARD

Nous vous proposons d'examiner les autres accessoires fournis en standard avec la disquette système du Mac. Ce sont, pour la plupart, d'excellents outils d'aide à l'utilisateur.

Le sélecteur

C'est un accessoire vital du Mac : à priori, il ne frappe pas l'œil du Mac-maniaque mais cet outil est extrêmement puissant, il est même capital si on veut communiquer avec un réseau ou simplement imprimer.

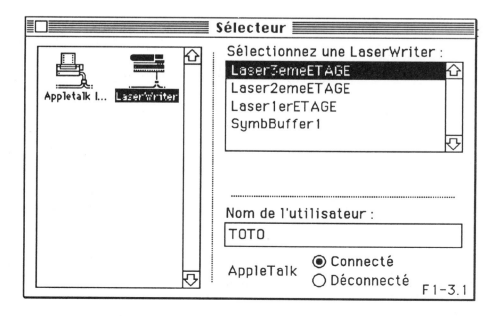

On pourrait penser qu'il fait un peu double emploi avec le Tableau de bord, et ce n'est pas entièrement faux. Leurs fonctions sont similaires, mais les buts sont légèrement différents. Le Tableau de bord sert à régler des options de fonctionnement du Mac, tandis que le Sélecteur a plutôt pour fonction de paramétrer les communications avec l'extérieur. Il n'est pas exclu que dans un avenir plus ou moins proche, Apple décide de les réunir en un seul accessoire (pourquoi pas le Sélecteur de Bord ?). S'ils ont été séparés, c'est sans doute qu'aux premières lueurs de l'âge Mac, la taille des accessoires de bureaux était limitée. Maintenant que cette limite est largement franchie, on peut s'attendre à tout.

Quand vous appelez le Sélecteur, une fenêtre s'ouvre et présente tous les fichiers contenus dans le dossier système et qu'il sait reconnaître : drivers d'imprimante (LaserWriter, ImageWriter...), drivers de communications (Multitalk, AppleShare, etc...). Suivant que vous cliquez alors sur l'une ou l'autre icône, la fenêtre s'adaptera et de nouveaux dialogues apparaîtront pour vous permettre d'adapter votre Mac à ce que vous désirez faire. Vous pourrez donc :

 Choisir l'imprimante active : C'est le cas où vous choisissez un driver d'impression (l'ancien nom était "sélecteur d'imprimante"). Le type d'imprimante sur laquelle vous désirez imprimer étant choisi, les imprimantes disponibles de ce type apparaissent et vous pouvez alors choisir (voir pour plus de détails le Chapitre 7) ;

 Déterminer le nom de l'utilisateur qui identifiera le Mac au sein d'un réseau. Ce nom peut être quelconque.

 Positionner le Macintosh dans son environnement de communications : réseau Appletalk isolé, réseaux Appletalk interconnectés, Appleshare etc., en choisissant le type de communication que vous voulez établir, y compris la connexion vers des serveurs. Chaque driver de communications possède ses propres dialogues et peut être amené à modifier la fenêtre sélecteur pour permettre un paramétrage correct du Mac ;

 Activer les impressions laser en tâche de fond. Cette option n'est utilisable que sous MultiFinder et à condition de disposer des fichiers "Backgrounder" et "Print Monitor" dans le dossier système (voir Chapitre 7) ;

 Voir à l'écran le résultat a priori de n'importe quelle imprimante par le biais de "Preview" qui fonctionne pour n'importe quelle application en se substituant au driver d'imprimante (voir également Chapitre 7) ;

Clavier

Un peu méconnu, cet accessoire est bien utile. Il donne la position de tous les caractères disponibles au clavier, dans toutes les polices présentes dans le Système.

Pour changer de police, il suffit de choisir celle que l'on veut dans le menu Clavier qui se positionne à droite du dernier menu de l'application. Les touches **Option, Majuscule** et **verrouillage Majuscule** sont actives.

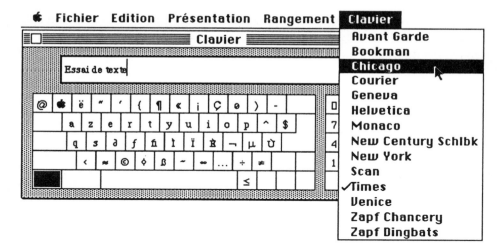

Le **copier/coller** est actif avec toute application manipulant du texte. Un seul regret : on ne peut pas régler la taille des caractères qui s'affichent ; or, certaines fontes sont définies seulement dans les grandes tailles, ce qui les rend illisibles dans la fenêtre de cet accessoire.

L'Album

L'Album, c'est un peu comme un. . . album photos. Vous pouvez y mettre toutes les images, portions de textes, portions de tableurs qui vous plaisent. Le serviteur qui sert à remplir l'Album, c'est le célèbre Presse-papiers.

Maniement de l'Album

Le Presse-papiers est indispensable pour se servir de l'Album, car c'est uniquement par son intermédiaire que vous pouvez y mettre ou y prendre des données.

◆ Pour mettre des données dans l'Album, il faut préalablement **Couper** ou **Copier** ces dernières dans le document en cours de travail. Le type de données importe peu. Choisissez **Album** dans le menu ◆, et lorsque celui-ci est apparu, choisissez **Coller** dans le menu **Edition**. Vous pouvez choisir la page de l'Album après laquelle vos données se colleront en affichant cette page grâce à l'ascenseur : toutes les pages suivantes seront alors décalées ;

◆ Pour récupérer des données depuis l'Album, il suffit d'effectuer l'opération inverse : ouvrir l'Album à la bonne page, choisir **Copier** dans le menu **Edition**, puis le **Fermer** et enfin **Coller** dans le document à l'endroit voulu ;

> ☞ Si vous avez de nombreux échanges à faire entre l'Album et le document, placez leurs deux fenêtres de manière à pouvoir activer successivement l'une et l'autre. Vous éviterez ainsi d'avoir à rechoisir l'Album dans le menu ◆ à chaque fois.

 Pour enlever définitivement une page de l'Album, ouvrez celle-ci et choisissez **Couper** (au lieu de **Copier**) dans le menu Fichier. Bien entendu l'ancien contenu du Presse-papiers est alors perdu. Pour éviter cela, certaines applications offrent la commande **Effacer** qui peut alors être utilisée ;

Changer d'Album

Normalement, le Système prend l'Album du dossier système qui se trouve sur le disque maître. Vous pouvez avoir besoin de vous servir de l'Album d'un autre disque. Deux cas se présentent (vous devez être dans le Finder ou le Multifinder) :

 L'Album actuel du disque maître n'a pas besoin d'être conservé. Copier simplement, dans le dossier système actif, par déplacement d'icônes, l'Album de l'autre disquette (cliquez "Oui" en réponse au message "remplacer les éléments de même nom par ceux selectionnés ?");

 Vous désirez conserver l'Album actuel. Il vous suffit de le renommer avant de copier l'Album désiré. Pour vous en resservir par la suite, il vous faudra d'abord lui redonner son ancien nom (Album).

Mais il existe maintenant plusieurs logiciels permettant de choisir ou même de créer un Album depuis l'application en cours : *SmartScrap* et *Sélecteur d'Album* en sont des exemples courants.

La Recherche de fichiers

C'est un accessoire d'une utilité limitée si vous possédez un Mac sans disque dur, mais il révèle sa puissance dès que l'on dispose de gros volumes. Il vous permet de trouver simplement n'importe quel fichier, en indiquant tout le cheminement qu'il est nécessaire de faire dans les dossiers pour l'atteindre. Quand vous ouvrez **Recherche de fichiers**, une fenêtre apparaît ainsi qu'un menu supplémentaire.

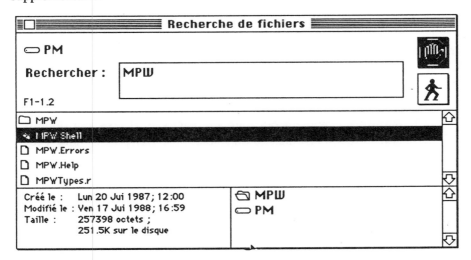

Sans plagier le Guide des utilitaires Macintosh (pages 24 à 32), on peut simplement dire que cet outil est bien utile quand les dossiers imbriqués sont légion sur vos disques : vous pouvez rechercher tous les fichiers contenant une chaîne de caractères donnés. La liste de ces fichiers s'affiche dans une case particulière et vous pouvez alors cliquer sur l'un des noms trouvés pour obtenir le chemin à suivre pour y accéder et connaître ses caractéristiques. Sur la précédente fenêtre on voit par exemple ce que l'on obtient sur notre disque en cherchant "MPW" :

☞ Il n'est pas nécessaire d'attendre que la recherche soit terminée pour cliquer sur l'un des fichiers trouvés. Le chemin s'affiche, mais la recherche continue pendant ce temps.

Plus fort encore, vous pouvez continuer à travailler pendant une recherche : cliquez dans la fenêtre de votre application, sans refermer celle de recherche. La fin de celle-ci est signalée par un bip sonore.

Le menu **Recherche de fichiers** permet quant à lui d'accéder directement à un fichier si vous êtes au niveau du Finder, de limiter la recherche à un dossier particulier (sélectionnez-le et cliquez OK), ou de changer de volume (disque). Il peut aussi sortir le fichier recherché directement sur le bureau (vous pourrez lui faire réintégrer son dossier d'origine à l'aide de la commande **Ranger** du menu **Fichier**).

LE MULTIFINDER

Avec le Finder 6.0 est apparu le MultiFinder. Le MultiFinder permet de lancer simultanément plusieurs applications, sans qu'il soit nécessaire de quitter l'une pour utiliser l'autre. Il donne accès aussi aux tâches de fond (pour les applications encore peu nombreuses qui les supportent). Une tâche de fond est un travail effectué par l'ordinateur, alors que l'utilisateur continue à avoir la main pour faire autre chose. MultiFinder est livré avec un logiciel gérant l'impression Laser en tâche de fond.

Attention ! On parle souvent de multi-tâches au sujet du MultiFinder. Mais le plus souvent, seule l'application du premier plan est capable de travailler. Les autres sont "gelées", jusqu'au moment où vous les réactivez. Il ne s'agit donc pas d'un réel multi-tâches. Cependant, les logiciels les plus récents peuvent tirer parti de l'environnement MultiFinder, et poursuivre un calcul ou un traitement pendant quelles sont désactivées.

Disons tout de suite qu'un méga-octet de mémoire centrale est requis pour pouvoir lancer le MultiFinder, et qu'on ne peut travailler de manière efficace avec lui que si on en possède au moins deux. A l'heure où vous lisez ces lignes, Apple commercialise une configuration à base de Mac II avec 4 Mégas de mémoire vive (contre un seul sur le Mac Plus et le Mac SE).

Comment lancer MultiFinder ?

Tout simplement à l'aide de l'article **Fixer le démarrage** du menu **Rangement du Finder**. Le démarrage du Mac peut être entièrement paramétré. Toutes les procédures de démarrage sont détaillées à la fin de ce chapitre.

> ☞ En faisant Commande-Option-Double clic sur le fichier Multifinder, vous le lancez immédiatement.

Le travail sous MultiFinder

Lorsque le MultiFinder est actif, vous pouvez donc lancer plusieurs applications en même temps. Leur nombre maximum dépend de plusieurs facteurs :

 La taille de chaque application, et surtout la place que chacune requiert pour son fonctionnement. Vous pouvez facilement savoir quelle place est allouée à une application : il suffit de **Lire les informations** sur cette application. Sous MultiFinder, deux lignes supplémentaires indiquent en effet d'une part la taille conseillée, et d'autre part la place qui sera demandée si vous lancez cette application.

```
┌─────────────────────────────────────┐
│ ▦ □ ▦▦▦▦▦ Infos ▦▦▦▦▦ ▦       │
│                      Verrouillé □    │
│   ✎  MacWrite                        │
│  Type : application                  │
│  Taille : 71 410 octets, 70K sur le disque │
│                                      │
│  Disque : PM, SCSI device            │
│                                      │
│  Créé le : Jeu 4 Avr 1985 17:23      │
│ Modifié le : Mar 15 Mar 1988 13:59   │
│ ┌──────────────────────────────────┐ │
│ │ MacWrite V 4.5                   │ │
│ │                                  │ │
│ │                                  │ │
│ └──────────────────────────────────┘ │
│                                      │
│  Espace mémoire conseillé (K) :  96  │
│                                      │
│  Taille de l'application (K) : │ 96 │ │
└─────────────────────────────────────┘
```

Vous pouvez modifier cette dernière : si un message vous indique un manque de mémoire, augmentez-la ; au contraire, si vous êtes à court de place, vous pouvez essayer de la diminuer.

Evitez de donner une taille inférieure à l'espace conseillé, sauf dans le cas d'applications anciennes, conçues à l'époque où il était impensable d'en faire fonctionner plusieurs ensemble, et qui réclament plus de mémoire qu'elles n'en usent réellement.

 La taille mémoire totale disponible sur votre machine. Si vous ne la connaissez pas, vous pouvez connaître cette taille en demandant **A propos du Finder**, dans le menu . La fenêtre vous donne le volume total de mémoire de l'appareil. Evidemment, plus la mémoire est grande, plus le nombre d'applications simultanées est élevé ;

 La taille du plus grand bloc disponible. En effet, lorsque vous lancez successivement plusieurs programmes, ceux-ci se réservent chacun une partie de la mémoire. Ces blocs sont empilés les uns au-dessus des autres. Lorsque vous quittez une des applications, son bloc redevient disponible, en créant un "trou" dans la mémoire. Après plusieurs va-et-vient entre applications, il se peut que seules demeurent quelques petites applications, mais qu'il reste dans la mémoire, malgré une gestion efficace du système, quelques trous non contigus. On dit que la mémoire libre est fragmentée. Il est alors impossible d'ouvrir une application plus grosse que le plus grand trou.

Vous pouvez connaître la taille du plus grand bloc disponible en demandant **A propos du Finder** (menu).

Finalement, comme le Finder occupe environ 160 Ko et un système de taille moyenne d'environ 300 Ko, il ne reste qu'environ 500 Ko pour faire tourner les applications, si vous avez 1 Mo au total : on voit bien que c'est peu. HyperCard par exemple, refuse de tourner sous Multifinder, même tout seul !

Un clic par-ci, un clic par-là

Une fois plusieurs applications lancées, reste à savoir comment passer de l'une à l'autre. Il y a plusieurs méthodes équivalentes, pour activer l'une d'entre elles :

 Cliquer dans une fenêtre lui appartenant ;

 Choisir son nom dans le menu ; sous MultiFinder, chaque programme ouvert a son nom en bas du menu des accessoires de bureau ;

> ☛ Le nom de l'application du premier plan est coché. Non, ce n'est pas forcément un gadget ! Imaginez que vous fermiez tous les documents de l'application active. A l'écran, vous voyez donc la fenêtre de celle qui se trouve "dessous". Comme les menus des deux applications peuvent se ressembler, il n'est pas toujours évident de savoir dans laquelle on se trouve.

🍎 Activer le Finder, et faire un double clic sur l'icône (grisée) de l'application voulue. Vous pouvez aussi la sélectionner et demander **Ouvrir** dans le menu **Fichier** ;

🍎 Cliquer sur la petite icône qui figure à la droite de la barre des menus. Cela active à tour de rôle chaque application ouverte : Switcher fonctionnait de manière identique.

Fich. Edit. Style Caract. Page Dispo. Fond Trait Contour

Accessoires, les accessoires ?

Ils sont disponibles sous MultiFinder, à la condition que le fichier "*Accessoires*" soit présent dans le dossier système, mais leur comportement est un peu différent :

🍎 Lorsque vous quittez une application, les accessoires ouverts ne se ferment pas, mais restent prêts à l'utilisation dans les applications restantes ;

🍎 Quand un accessoire est actif (au premier plan), l'icône d 'Accessoires (une petite valise style Font D/A Mover) apparaît dans la barre des menus ; cela signifie que tous les accessoires sont regroupés dans le programme Accessoires. Mais curieusement, le nom d'Accessoires ne vient pas se mettre dans le menu 🍎, avec les autres applications ouvertes ;

🍎 La barre des menus change, ne laissant que 🍎, **Fichier** et **Edition**.

Dans la pratique, vous pouvez passer comme par le passé d'un accessoire à une application en activant leurs fenêtres respectives.

Les problèmes

L'utilisation du MultiFinder ne va pas sans quelques problèmes. D'abord, toutes les applications ne sont pas compatibles avec lui.

> Attention ! Règle absolue : enregistrez vos documents dans toutes les applications ouvertes avant d'en lancer une nouvelle. Et cela, même si vous savez que l'application est compatible.

Pour la même raison, ne fixez jamais le démarrage sur un logiciel dont vous n'avez pas testé le comportement : imaginez qu'il bloque ! Vous ne pourriez plus démarrer… (dans ce cas, la seule solution serait de redémarrer sur un autre disque système).

Il arrive aussi que des difficultés se produisent lorsque deux applications demandent un accès aux mêmes ressources (voir "Le coin des curieux"). Nous n'entrerons pas dans le détail, mais il convient d'être prudent.

D'autre part, en dehors de la bombe, un peu plus fréquente sous MultiFinder que dans l'environnement "normal", il arrive que l'application dans laquelle vous travaillez se referme brusquement, sans aucun préavis. Le Mac vous informe simplement (assez cyniquement) que "Le système a inopinément mis fin à l'application Untel". Et si vous n'aviez pas enregistré avant…

> ☛ Dans ce cas, il arrive que le ou les documents ouverts ne soient pas refermés. Après avoir redémarré l'application, celle-ci peut donc vous dire que le document est déjà ouvert lorsque vous tenterez de l'ouvrir. Ce problème est en général résolu en redémarrant le Système.

FIXER LE DEMARRAGE

Fixer le démarrage se fait au moyen de la commande "Fixer le démarrage" du menu Rangement. Cette commande a été considérablement améliorée dans la version 6.0 du Finder. Alors que les versions antérieures ne permettaient que de fixer le démarrage sur une application (sans préciser le document à lui associer), on peut à présent définir nombre d'options.

> Attention ! Les priorités de lecture des disques et l'article "Démarrage" du tableau de bord servent uniquement à fixer le démarrge "matériel". L'article **Fixer le démarrage** spécifie le démarrage logiciel.

Démarrage et Finder

Vous utilisez le Finder et vous désirez changer le démarrage. Tout d'abord, vous pouvez faire en sorte qu'une application démarre directement à l'allumage du Mac, sans que le Finder apparaisse. Sélectionnez simplement l'application, et choisissez **Fixer le démarrage**. Par exemple si vous avez sélectionné le logiciel *Mac Draw* vous obtiendrez :

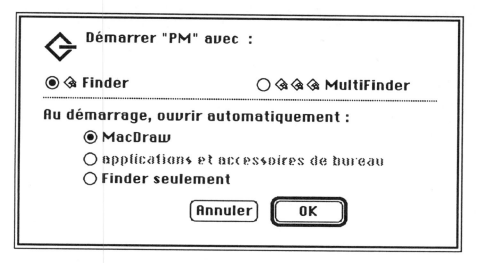

> Attention ! Dans ce cas, vous pouvez enlever le Finder de la disquette, ce qui vous redonne de la place libre sur celle-ci pour les documents (à éviter avec un disque dur).

L'application sur laquelle vous avez fixé le démarrage s'ouvre en général (mais ce n'est pas obligatoire) sur un nouveau document (dénommé "Sans Titre" s'il existe) et le Finder n'apparait pas. Pour "voir" le Finder, il faut alors sortir de l'application. Si vous l'avez supprimé, un message d'alerte vous préviendra et le retour sera impossible. Vous pouvez bien sûr, avec la même fenêtre, fixer le démarrage sur le Finder pour retrouver la situation normale.

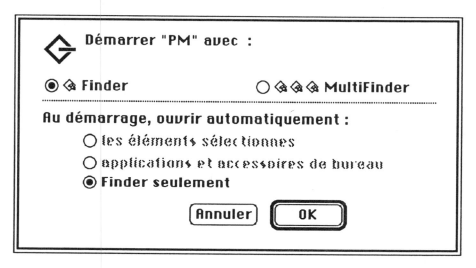

Démarrage et MultiFinder

MultiFlinder

Le démarrage sur Multifinder utilise la même fenêtre que pour le Finder. Dans ce cas, les possibilités sont un peu plus grandes. Pour sélectionner le MultiFinder, cliquez sur le bouton **MultiFinder**. Si aucune application, document ou accessoire de bureau n'est sélectionné à ce moment là, le démarrage avec Multifinder ou Finder sont les seules options possibles.

Démarrage d'application et de documents

Si une ou plusieurs icônes d'applications/documents sont actuellement sélectionnées sur le bureau, vous pourrez choisir de les lancer automatiquement (en cliquant le bouton "**les éléments sélectionnés**") ; si une seule application ou document est sélectionné, son nom est proposé dans le premier bouton.

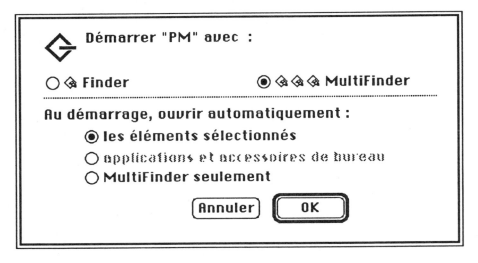

Attention ! Si vous voulez ouvrir plusieurs applications au démarrage, elles doivent toutes se trouver dans un même dossier (sinon vous ne pouvez pas les sélectionner en même temps). Pour les documents sélectionnés, leurs applications d'origine doivent bien sûr être présentes sur le disque.

C'est de la même façon que vous désactiverez MultiFinder (en cliquant sur le bouton **Finder**. Quelle que soit votre demande, il faut ensuite redémarrer le Mac (avec le même disque) pour que celle-ci prenne effet.

☞ Si le démarrage est fixé sur le MultiFinder, il est tout de même possible de démarrer sous Finder Normal : il suffit de presser la touche **Commande** pendant le démarrage (ou redémarrage).

☛ Pour vérifier si vous êtes sous Finder ou sous MultiFinder, regardez à la droite de la barre des menus : si une icône y apparaît, c'est que vous êtes sous MultiFinder.

Et les accessoires de bureau...?

Effectivement, la fenêtre de paramétrage du démarrage semble supposer que vous pouvez démarrer des applications et des accessoires de bureau. Cela n'est pas choquant quand on sait que les accessoires de bureau sont considérés par le MultiFinder, comme des documents de l'application "Acessoires" : on doit donc pouvoir les lancer au démarrage.

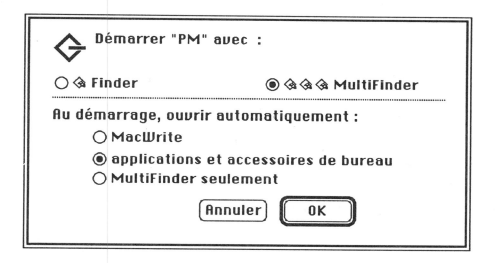

☛ Pour pouvoir activer cette option qui reste désespérément grisée, il faut être déjà sous MultiFinder ! Il suffit alors d'ouvrir un ou plusieurs accessoires de bureau, de lancer les applications que vous désirez et d'appeler **Fixer le démarrage**. Miracle ! le grisé se noircit et vous pouvez démarrer non seulement des applications, mais aussi des accessoires de bureau.

Chapitre 6

Copier, Coller et les autres...

Bien sûr, le Mac ne demande guère d'apprentissage, si on le compare à d'autres ordinateurs. Cependant, en cela comme en tout, on travaille mieux si l'on comprend un minimum de ce que l'on fait : sans être garagiste, vous conduirez mieux et plus économiquement votre voiture si vous savez un peu comment elle marche. Un chapitre spécial, "Le coin des curieux", sera d'ailleurs consacré à une explication succincte de la manière dont le Mac fonctionne et est programmé. On n'y abordera d'ailleurs que peu la technique, pour s'en tenir aux principes généraux.

Mais sans attendre ce chapitre, il y a des notions que vous devez connaître si vous vous servez quotidiennement de votre Mac, ou simplement si vous êtes Macmaniaque.

LE TEXTE

Tout le monde sait ce qu'est un texte. Il n'y a rien de bien mystérieux là dedans : c'est une suite de caractères, qui forment des mots, des phrases et des paragraphes.

Sur Mac, chaque logiciel traitant du texte permet en général de spécifier une police de caractères, une taille, et un style. La mise en page, c'est-à-dire la manière dont le texte est présenté à l'écran doit, elle aussi être codée de manière interne par l'application.

Mais chaque logiciel a sa propre manière de coder tout cela. C'est pourquoi certains vous laissent mélanger les polices et d'autres non.

Si on s'en tenait là, il n'y aurait pas de communication possible entre les applications. C'est ici que le code ASCII vient à notre secours.

Le code ASCII

Dans tous les micro-ordinateurs, les caractères sont codés : la machine ne sait manipuler que des octets, c'est-à-dire des suites de huit bits (0 ou 1). On a donc attribué à chaque lettre ou signe une valeur numérique qui permet de reconnaître de quel caractère il s'agit. Dans un but de standardisation, il existe un code général, appelé code ASCII, qui spécifie le code de chaque caractère.

> Attention : Malheureusement, ce code a été inventé par des américains. Or en américain, il n'y a pas d'accents sur les lettres, ni de cédille sous les c. Le standard ne définit donc que les 128 premiers caractères, qui comprennent les lettres majuscules et minuscules, les chiffres, la ponctuation et quelques signes spéciaux. Il laisse chaque constructeur coder les autres comme il l'entend. Il n'y a donc pas de standardisation entre machines pour coder les textes français, hongrois, allemands ou suédois, qui se servent pleinement des accents et autres ligatures (comme œ ou æ).

Il est un caractère ACSII spécial dont il faut dire un mot : c'est le caractère Fin de ligne (ou retour chariot). Ce caractère produit en fait un passage obligé à la ligne. Vous savez que dans le Mac, le texte va à la ligne tout seul lorsqu'il rencontre le bord droit de la zone dans laquelle il est tapé. Si on déforme cette zone, le texte s'adapte à ses nouvelles dimensions. Cela signifie que la fin d'une ligne normale n'est pas inscrite dans le texte, mais est calculée au moment de l'affichage. Le caractère Fin de ligne n'apparaît (en fait il est normalement invisible) qu'à la fin d'un paragraphe, lorsqu'on appuie sur **Retour**.

Mais lorsque le texte ASCII provient d'un autre ordinateur (ou parfois d'un éditeur de programmes informatiques), la fin de chaque ligne est marquée par un caractère Fin de ligne. C'est pourquoi MacWrite, lorsqu'on ouvre un document Texte seul, vous demande si la fin de ligne doit apparaître à la fin de chaque ligne ou seulement à la fin de chaque paragraphe. Le plus souvent, il faut donc répondre "Fin de paragraphe". Word 3, lui, permet d'enregistrer un document sous plusieurs formats, et en particulier en ASCII(texte seul), avec ou sans fin de ligne à chaque ligne.

Un texte ASCII est donc un texte nu, qui ne comprend que les caractères sans aucune mise en forme. Apple, dans l'immense sagesse et la prévision qui ont présidé à l'élaboration du Mac, a prévu que chaque application manipulant du texte devait pouvoir produire et comprendre, c'est-à-dire accepter, le texte ASCII. C'est ce que MacWrite nomme "Texte seul" (Text Only).

Le format MacWrite

Le texte ASCII constitue donc un moyen idéal pour transférer du texte d'une application à l'autre. Mais comme MacWrite est apparu en même temps que les premiers Mac (il était donné avec MacPaint aux premiers acheteurs), le format MacWrite est devenu lui aussi un standard de fait. Pratiquement tous les traitements de texte acceptent d'ouvrir ou d'importer des documents MacWrite, le plus souvent en conservant l'enrichissement(c'est-à-dire les styles et polices) de l'original.

Type et Créateur

Chaque document Mac comporte en réalité un "type" et un "créateur".

 Le type est peut être quelconque, au choix de l'application créatrice ; par exemple Excel sait créer plusieurs types de documents : feuille de calcul normale, macros, graphiques... Cependant, Apple a prévu deux types particuliers, qui permettent les échanges d'informations : le type TEXT et le type PNTG (painting) dont nous parlerons dans un instant.

Le type TEXT est justement le texte ASCII pur. Excel sait aussi enregistrer une feuille de calcul en ASCII. Bien entendu, on y perd les fonctions qui s'y trouvent, et la version ASCII n'est qu'une "photo" des valeurs actuellement affichées. Les différentes cases seront séparées par un caractère Tabulation, et les lignes par un caractère Fin de ligne. En plaçant des taquets de tabulation selon les colonnes initiales, on pourra donc importer la feuille dans un traitement de texte.

Sachez pour mémoire que le type d'une application est toujours APPL, et que celui des documents MacWrite est MWRT.

 Le créateur est la signature de l'application qui l'a créé. C'est lui, entre autres choses, qui permet au Finder d'associer le document à son application, et vous permet d'ouvrir celle-ci par un double-clic sur le document. C'est aussi par son intermédiaire que le Finder peut afficher la bonne icône pour le document.

La signature est une suite de quatre lettres, qui doit être unique : il ne doit pas y avoir deux applications ayant la même signature, sous peine de graves confusions. Pour cela, les signatures sont données aux développeurs par Apple lui-même, sur simple demande.

Différentes applications peuvent donc créer des documents de même type, bien que leurs icônes soient en général différentes : un document Word texte n'a pas la même icône qu'un document MacWrite texte.

> ☛ On peut quand même ouvrir depuis le Finder un document texte créé par une application avec une autre application (si celle-ci l'accepte) : il suffit de les sélectionner ensemble, et de choisir **Ouvrir** dans le menu **Fichier**. Par contre, un double-clic sur le document ouvrira toujours l'application d'origine.

Le Finder n'affiche pas directement le type et le créateur d'un fichier. Pour les voir, il faut se servir d'un utilitaire disque comme *Set File Info*, *Mac Tools*, ou simplement *ResEdit* ont nous reparlerons largement dans le "Coins des curieux" (Chapitre 14).

LES IMAGES

Comme vous le savez sûrement, tout ce que le Mac affiche sur son écran est de type graphique. Il ne possède pas de mode texte (25 lignes de 80 caractères, air connu chez qui vous savez !). Cet écran est de type Bitmap ("carte de points") : un point de l'écran (on dit pixel) est "allumé" (noir) ou "éteint" (blanc, puisque l'affichage est noir sur fond blanc). A un instant donné, l'écran est donc défini par une carte de ces points, qui indique quels sont les points allumés ou éteints (nous restons ici en noir et blanc ; le cas de la couleur est un peu plus complexe, mais garde le même principe).

QuickDraw

Au cœur de la ROM (mémoire morte), entre mille autres choses passionnantes, se trouve QuickDraw. QuickDraw (littéralement "Dessin rapide") est un ensemble de routines graphiques qui sont utilisées à tout instant pour dessiner à l'écran. Même le texte se sert de QuickDraw.

QuickDraw comporte donc des ordres capables de dessiner toutes sortes de formes : rectangles, carrés, lignes, ovales, etc. ; d'autres routines servent à remplir les formes de motifs (ou de couleurs sur Mac II) ; d'autres encore effacent telle ou telle portion de la fenêtre (en la remplissant de la couleur de fond). On dira par exemple à la routine qui dessine les lignes : fais une ligne entre le point de coordonnées 50,100 et celui de coordonnées 150,300. La routine se charge alors de calculer quels sont les points qui doivent être "allumés".

On voit donc apparaître une dualité dans la manière de conserver une image :

 On peut conserver la carte des points tels que l'écran les affiche. On dit alors qu'on a une image Bitmap, ou Paint.

⚫ Mais on peut aussi conserver l'ensemble des ordres QuickDraw qui génèrent cette disposition de points. On dit cette fois qu'on a une image Draw.

Il y a là une nuance, capitale. Chacune des deux méthodes a ses avantages et ses inconvénients.

Les images Paint

Elles sont produites par les applications de type MacPaint. Du fait de la nature de l'écran, elles sont très proches du Système : lorsque vous faites une copie d'écran par Commande-Majuscule-3 ou avec un accessoire comme Camera, vous obtenez toujours une image Paint. Elles sont donc très rapides à afficher ou à transférer.

Les logiciels de dessin comme Macpaint possèdent des outils pour dessiner les rectangles ou des cercles, par exemple. Mais dès que l'objet est dessiné, il n'existe plus en temps que tel ; simplement, la disposition des points laissés par cette commande produit à l'écran une forme de rectangle ou de cercle. Les points n'ont plus aucune relation entre eux. On peut donc, à l'aide d'une "loupe", aller modifier les points un par un pour obtenir tel ou tel détail dans l'image. Par contre, il n'y a aucune notion de niveau ou de plans : tous les points sont équivalents. Le texte lui-même devient dessin, c'est-à-dire collection de points dès qu'il est tapé.

Les images Paint seraient très grosses en mémoire ou sur disque si on les stockait telles quelles. Une copie d'écran par exemple occuperait toujours 512x342 bits puisque l'écran fait 512x342 points (un pixel est codé sur 1 bit, du moins en noir et blanc), soit environ 20 Ko ! Pour diminuer leur taille, on emploie donc un compactage : en gros, on compte les points successifs de même "couleur" sur une ligne, et on garde ce nombre, avec un code qui indique de quelle couleur il s'agit.

Une image compactée de cette façon est dite au format MacPaint. Ce compactage est efficace, puisque la taille moyenne d'un document Paint est de 22Ko, cette fois pour une page entière !. Le format MacPaint est un standard dans l'univers Mac, au même titre que le format TEXT. Son type est PNTG.

Un dernier mot sur les images Paint, mais qui a une grande importance. La résolution de telle images, c'est-à-dire leur "finesse" est de 72 points par pouce (on dit souvent dpi : dots per Inch) : il y a 72 pixels dans une longueur d'un pouce. C'est exactement la résolution de l'écran. Une image Paint a toujours une résolution de 72 dpi. Il est capital de s'en souvenir lorsqu'on veut imprimer sur la LaserWriter (nous verrons plus loin pourquoi).

Les images Draw

A l'opposé, les images Draw conservent non pas les points qui forment l'image, mais les ordres de dessin qui pourront la recréer. Cette fois, c'est très différent. Un carré reste un carré; on peut le sélectionner, l'agrandir ou le rétrécir, lui donner une épaisseur voulue, et changer ces attributs à tout instant : on change alors l'ordre de dessin qui le recrée à l'écran. On parle aussi dans ce cas d'images vectorisées.

Les images Draw sont un peu plus lentes à dessiner ou redessiner, puisqu'à chaque fois, il faut ré-interpréter les ordres de dessin qui la composent. Il est aussi impossible d'atteindre les points individuellement, car ils n'ont pas d'existence dans le logiciel : les images Graw sont des objets et non des points.

Cette méthode introduit donc la notion d'objet graphique, indépendant de son voisin. Selon l'ordre dans lequel les objets sont dessinés, l'un ou l'autre apparaîtra "devant" ou "derrière". Cette fois, le texte restera du texte éditable.

Vous l'avez compris, le logiciel le plus connu de ce type est MacDraw.

Les images TIFF

Depuis l'apparition des scanners, un nouveau type d'image fait son entrée dans le monde Macintosh. Issu du monde IBM, il s'agit du format TIFF (Tag Image File Format = format d'images photographiques). Il s'est imposé dans de nombreux logiciels de mise en page et de dessin. Il existe en au moins deux versions : le TIFF et le TIFF compressé (qui prend moins de place mais est plus long à traiter). Une image TIFF non compressée peut facilement faire 1 Mo de taille.

Le TIFF a en général la résolution de 300 points par pouce (dpi), mais cela peut varier. Il peut aussi contenir des informations couleurs. Autant dire que l'écran du Mac d'origine est incapable d'afficher correctement une image TIFF, et n'en donne qu'une approximation, puisque sa résolution à lui est de 72 dpi.

La conversion de type

La conversion d'une image Draw en une image Paint se fait sans problème : il suffit de prendre une "photo" de l'écran (ou plus exactement de la mémoire d'écran), pour obtenir la version Bitmap (Commande-Majuscule-3 ou Caméra feront l'affaire).

Par contre, la conversion inverse est beaucoup plus compliquée ; elle s'apparente presque à l'intelligence artificielle, puisqu'il faut extraire des formes plus ou moins complexes de la carte des points. En ce domaine, nous n'en sommes encore qu'aux balbutiements.

Quelle est la résolution d'une image Draw ? Cette question n'est pas si simple. Certes, à l'écran, elle sera de 72 points par pouce. Mais à l'impression, tout va dépendre de l'imprimante en service. Et cela nous amène à parler de Postscript, ce que nous ferons dans quelques pages. Auparavant, il nous faut en terminer avec les images et les données du Mac.

Le Format PICT

Par une malencontreuse idée (pour une fois) Apple donne de manière générique aux images Quickdraw le nom de PICT. En fait, PICT est un terme aux significations multiples. Il recouvre à la fois :

 Un format interne à QuickDraw pour mémoriser les images. Ces images peuvent comprendre des parties vectorisées et des parties Bitmap. Toute image copiée dans un logiciel se verra donc donner le type PICT.

 C'est aussi un type de fichier, au même titre que le type TEXT sert à conserver du texte ASCII, un fichier PICT conservera une image QuickDraw.

 C'est enfin un type de ressource. Cette notion, un peu délicate au profane, sera expliquée dans le "Coin des curieux".

LE TRANSFERT DE DONNEES :
LE PRESSE-PAPIERS ET L'ALBUM

Les deux sortes d'images portent le nom générique de type PICT. Là aussi, Apple a généralisé ce format. Toute application correctement écrite doit accepter ou exporter au moins l'un des deux types PICT ou TEXT. Un bon nombre d'entre elles acceptent d'ailleurs les deux ; c'est ce qui permet à un traitement de texte d'insérer des images. Bien sûr, chaque application a sa préférence. Accepter ne veut pas dire pouvoir modifier : une image importée dans *MacWrite, Page Maker* ou *Ready, Set, Go* pourra être redimensionnée, mais pas corrigée. Il faut pour cela la replacer dans son logiciel d'origine (et encore, il n'est pas sûr qu'on ait toujours accès individuellement à ses composantes).

Copier ou Couper

Quel utilisateur n'a pas maintes fois demandé **Copier** dans le menu **Edition** ? C'est une des opérations les plus fréquentes lorsqu'on travaille sur Mac. Mais que se passe-t-il en réalité à ce moment là ?

Bien sûr, cela dépend dans une certaine mesure de l'application. Mais on peut généraliser le processus, en le simplifiant quelque peu. Le Presse-Papiers tel que vous le concevez n'a pas d'existence réelle. Ou plutôt, il y a deux Presse-Papiers : celui de l'application, et celui du Système.

Lorsque vous copiez une fraction de document, celle-ci est placée dans le Presse-Papiers de l'application sous plusieurs formats à la fois :

 Il y a d'abord le format propre de l'application, qui contient toutes les informations contenues dans la portion copiée. Si vous recollez le "morceau" ailleurs, *sans avoir quitté l'application*, c'est ce format qui est collé. Toutes les caractéristiques de la portion copiée sont préservées, et vous pouvez les modifier comme si elles n'avaient jamais été transférées.

Prenons un exemple : celui de l'éditeur de partitions musicales *DMCS* (Deluxe Music Construction Set). Dans ce logiciel, on peut déplacer les notes, les barres de mesure, demander des liaisons, faire des transpositions (changer la hauteur des notes), etc. Si vous copiez un fragment de musique et que vous le collez plus loin dans le document ou dans un autre document sans avoir quitté, tous ces éléments restent éditables et modifiables.

 Il y a ensuite au moins un des deux formats TEXT ou PICT. Au moment où vous copiez, elle produit donc une version TEXT et/ou une version PICT de ce que vous copiez (ou coupez). Au mimimum, la version PICT sera une copie d'écran de ce qui est affiché. Quant à la version TEXT, elle ne pourra exister que si le document copié contient du texte. En ce qui concerne DMCS, notre éditeur de musique, c'est le format PICT qui est retenu.

> Attention ! En fait, les choses peuvent être plus compliquées, car une application peut exporter sous différents formats suivant ce que l'on copie : Dans Ready, Set, Go !, si vous copiez un *bloc* de texte contenant du texte, il sera pris sous forme PICT (le bloc est un élémènt graphique, avec une taille, un emplacement, etc.), et le texte de ce bloc collé dans une autre application ne sera plus éditable (il sera devenu une image). Par contre, si vous copiez le texte qui figure *dans* le bloc, vous exportez le texte lui-même (avec ses enrichissements tant que vous ne quittez pas, mais en version ASCII dès que vous quittez).

Et si on quitte ?

Chaque application, en dehors de son propre format, "préfère" soit le TEXT, soit le PICT. Cette "préférence" est determinée par le programmeur de l'application, selon ce qu'il juge être le plus représentatif des données copiées. Lorsqu'on quitte l'application en cours, le contenu du Presse-Papiers de l'application est transféré dans celui du Système.

En quittant DMCS, le Presse-Papiers contient à son tour donc la version PICT et la version DMCS de la musique copiée. Cela signifie deux choses :

🍎 On pourra coller cette musique dans un logiciel acceptant les images, c'est-à-dire qui peut coller du PICT.

🍎 Mais DMCS lui-même ne sait pas importer des images : on ne pourra donc pas lui recoller son bout de musique si on a quitté entre-temps et si on a re-copié cette musique depuis n'importe quelle autre application où on l'aurait collée. Car cette fois le format DMCS aur été perdu.

En d'autres termes, les données perdent leur identité lorsqu'on quitte les transfère dans une autre application., à moins que les deux programmes ne travaille sur le même foimat, ce qui est rare. Suivant la "préférence" de l'application dans laquelle on colle, on collera la version TEXT ou la version PICT des données transférées.

Bien entendu, ce petit exposé est largement simplifié, et les choses peuvent parfois avoir un comportement différent. Cela fait partie de l'attrait du Mac : on découvre tous les jours de nouvelles possibilités...

L'Album

L'Album est capable, lui aussi de conserver les données sous plusieurs formats. Lorsque vous collez dans l'Album, le type des données collées s'affiche en bas à droite de sa fenêtre. Il peut donc y avoir plusieurs types. DMCS, pour reprendre notre exemple, colle dans l'Album deux types : DMCS et PICT. De même, MacWrite colle dans l'Album sous MWRT et sous TEXT. L'Album indique en bas à froite de sa fenêtre les différents types présent dans l'élément affiché.

Losque vous copiez un élément de l'Album avant de le placer dans votre application, tous les types présents dans l'Album sont placés dan le Presse-Papiers de l'application.

C'est donc l'application de destination qui choisira, lors du collage, le type qui lui convient le mieux. Si un jour il existe un autre éditeur de musique capable de comprendre le type DMCS, il choisira ce type, et on pourra y éditer l'écriture musicale qu'il produit.

Chapitre 7

L'Impression

VOUS AVEZ DIT WYSIWYG ?

Depuis sa sortie, le Mac s'est taillé une réputation de choix dans le domaine de l'impression. Et ce n'est pas un hasard. Il obéit en effet pleinement aux règles du *WYSIWYG*. Cet acronyme barbare signifie "What You See Is What You Get", qu'on peut traduire par "Tel écran, Tel écrit". En d'autres termes, la version imprimée est identique à la version écran.

Bien sûr, si vous êtes un habitué du Mac, cela vous semble naturel... mais n'oubliez pas que pendant des années, on a dû imprimer "à l'aveuglette" des documents qui ne sortaient jamais comme on les voyait sur l'écran.

Le WYSIWYG, associé à l'impression Laser, a permis la production par tout un chacun de documents de haute qualité dans tous les domaines.

Mais s'il n'est pas bien compliqué de demander **Imprimer** dans le menu **Fichier**, il n'en reste pas moins vrai que l'impression (surtout Laser) est un processus complexe qui demande certaines connaissances pour obtenir les meilleurs résultats.

Avec le Macintosh, trois imprimantes sont possibles :

 L'ImageWriter II, imprimante matricielle aiguille ;

 La LaserWriter, imprimante à laser, qui existe actuellement sous trois versions, la LaserWriter SC, la LaserWriter II NT, et la LaserWriter NTX ;

 L'imprimante matricielle à aiguille ImageWriter LQ (pour Letter Quality).

Le processus et le résultat de l'impression sont très différents pour chacune d'entre elles.

LES DRIVERS D'IMPRESSION

Chacune de ces imprimantes doit être pilotée par un logiciel adéquat, qui sera donc différent pour chaque imprimante. Mais il y a peu de risque de se tromper, car chaque logiciel dédié à une imprimante porte le nom de celle-ci. On trouvera donc des fichiers ImageWriter, LaserWriter, LaserWriter SC, et ImageWriter LQ. Il est absolument indispensable que le fichier correspondant (on parle de *driver*) soit présent dans le dossier système du Mac qui veut imprimer. Pas de driver, pas d'impression.

Laser Prep   LaserWriter   AppleTalk ImageWriter   ImageWriter   Preview

De plus, si vous imprimez avec une LaserWriter II NT ou NTX, cette dernière doit être initialisée en début de session : le Mac qui fait la première impression doit posséder le ficher LaserPrep dans son dossier système. Ce fichier ne sera ensuite plus utilisé (voir plus loin).

LE SELECTEUR

Le point de départ de toute impression se situe dans le Sélecteur. Cet accessoire fourni dans le menu sur les disquettes du Mac, revêt une importance toute particulière. Nous aurons l'occasion de reparler de lui, car il sert également à paramétrer les réseaux connectés au Mac.

Ici, c'est son aspect de base qui nous intéresse: c'est avec le Sélecteur que vous direz au Mac sur quelle imprimante vous voulez imprimer.

Dans le côté gauche, apparaissent les icônes des différents drivers d'impression se trouvant dans le dossier système. Il suffit de cliquer sur l'une d'entre elles pour sélectionner l'imprimante correspondante. A partir de là, son comportement diffère suivant l'imprimante choisie.

Il n'est pas nécessaire qu'une imprimante soit physiquement connectée au Mac pour pouvoir la choisir ; il suffit pour cela que son driver soit présent dans le dossier système.

Attention ! Sélectionnez toujours l'imprimante sur laquelle vous projetez d'imprimer votre document, même si cette dernière n'est pas connectée, ou si vous comptez imprimer plus tard ou sur un autre Mac. En effet, certaines applications détectent quelle est l'imprimante sélectionnée, et adaptent les marges d'impression en conséquence. Si vous changez d'imprimante une fois le document construit, vous risquez la désagréable surprise de voir votre belle mise en pages toute chamboulée… Mac Draw en est le meilleur exemple.

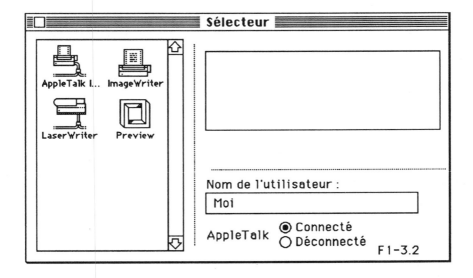

A chaque changement d'imprimante, il ne faudra donc pas oublier de demander **Format d'impression** (menu **Fichier**) pour que l'application recalcule les marges en fonction du papier et de l'imprimante. Le Sélecteur vous le rappelle d'ailleurs dans un dialogue :

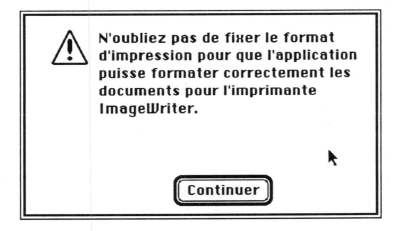

Avec l'ImageWriter II ou LQ

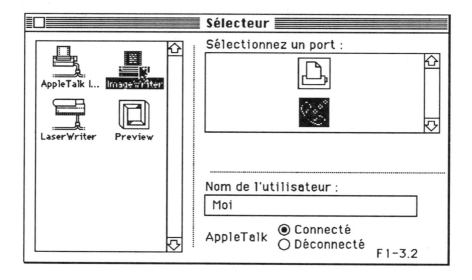

Si vous choisissez l'ImageWriter, la seule chose à préciser ensuite est le port sur lequel celle-ci est branchée. Vous pouvez utiliser indifféremment les deux ports (nommés "Imprimante" et "Modem"), même si vous n'avez pas d'ImageWriter, mais souhaitiez tout de même la sélectionner pour construire un document.

> ☛ Si vous voulez utiliser à la fois la LaserWriter et l'ImageWriter, vous devez connecter cette dernière sur le port Modem, car seul le port Imprimante peut recevoir AppleTalk, et donc la LaserWriter.

Cliquez sur l'icône du port correspondant (la même icône est gravée derrière le Mac, au-dessus des prises).

> ☛ Normalement, l'ImageWriter ne peut pas être partagée sur le réseau Appletalk. Toutefois, il existe une carte d'extension qui permet ce branchement. Dans ce cas, il faudra sélectionner l'icône Appletalk ImageWriter, et le sélecteur se comportera comme avec la Laser.

Avec la LaserWriter

Ici, les choses sont à peine plus compliquées. Il faut simplement savoir que la liaison Mac-LaserWriter n'est pas une simple liaison "série" comme avec l'ImageWriter, mais passe obligatoirement par le réseau Appletalk.

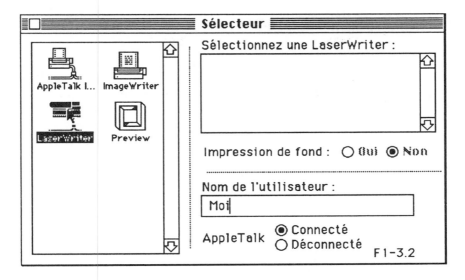

Sans entrer dans les détails de ce dernier, que nous verrons au Chapitre 9, sachez que la gestion du réseau Appletalk est incluse d'origine dans tous les Mac, et qu'elle passe par le port Imprimante. Sur un Mac donné, Appletalk peut être connecté ou déconnecté ; mais cette connexion signifie simplement si le Mac sera capable d'envoyer ou de recevoir des messages Appletalk. "Connecté" ne veut donc pas dire que le réseau existe physiquement, mais qu'il est nécessaire pour pouvoir sélectionner la LaserWriter. Vous devez alors taper le nom sous lequel votre poste sera connu du réseau (Nom de l'utilsateur). L'impression de fond n'est disponible que sous MultiFinder, et sera décrite plus loin.

Preview

Il existe un driver un peu particulier puisqu'il permet d'imprimer à l'écran. Il s'agit de Preview. Ce driver, disponible en ShareWare, se place comme un autre dans le dossier système, et donne à l'écran une vue miniature de l'impression telle qu'elle se fera. Rappelons que le Shareware est une forme de distribution dans laquelle vous pouvez copier librement les produits, les essayer pendant un certain temps, et les donner à vos amis. Si le logiciel vous convient, vous devez envoyer à l'auteur la participation demandée (dans l'une des fenêtres). Sinon vous devez le jeter. C'est le "Mac Honour System"...

Preview est particulièrement utile avec les quelques applications qui ne sont pas entièrement WYSIWYG.

Notez que 4ème Dimension, la base de données d'ACI, et Excel permettent dans tous les cas de faire une impression à l'écran, ce qui se révèle parfois bien pratique.

LE FORMAT D'IMPRESSION

Une fois l'imprimante sélectionnée, il faut demander **Format d'Impression** dans le menu **Fichier**. Cette option sert non seulement à indiquer la dimension du papier, mais aussi à fixer un certain nombre de paramètres pour l'impression, comme l'orientation ou la réduction. Ces paramètres n'étant pas les mêmes d'une imprimante à l'autre, nous les détaillerons avec chacune d'entre elles.

> Attention ! Les applications ne conservent pas toutes les options du format d'impression de la même manière. Certaines attachent ces options au document, d'autres à l'application elle-même, d'autres encore se servent des options par défaut jusqu'à ce que vous les changiez.

Vous devez donc fixer le format d'impression avant de construire votre document : si vous le changez ensuite, votre mise en page risque d'être faussée, voire complètement obsolète si vous changez le sens d'impression. Vous devez ensuite vérifier que ce format a bien été conservé avant d'imprimer si cette impression a lieu à un autre moment ou sur un autre Mac, particulièrement si vous avez ouvert le document plusieurs fois avant de l'imprimer.

L'IMAGEWRITER II

L'ImageWriter II est donc une imprimante matricielle à aiguilles, ce qui signifie que l'impression se fait par la percussion des aiguilles sur le ruban. La qualité donnée est relativement bonne, bien qu'il soit clairement visible sur le document qu'il a été produit par un ordinateur.

Sa résolution est de 76 dpi, à comparer aux 72 dpi de l'écran : elle est très bien adaptée à imprimer ce qui figure sur celui-ci. La petite différence entre les deux pose parfois quelques problèmes de rendu dans les graphiques. Il suffit alors d'activer l'option **Portait Ajusté** dans le **Format d'impression** pour que tout rentre dans l'ordre : cela provoque un calcul d'alignement précis.

L'ImageWriter peut utiliser des feuilles séparées (on peut d'ailleurs lui adjoindre un chargeur feuille à feuille), ou du papier continu, avec perforations latérales. Dans ce dernier cas, soyez vigilant sur la qualité de papier acheté, car s'il est trop fin, il risque de se déchirer à l'intérieur de l'imprimante. De plus, certaines perforations sont pré-découpées pour qu'on puisse les ôter après l'impression, donnant un résultat fort bien fini.

Le format d'impression ImageWriter

Lorsque vous demandez **Format d'impression**, le dialogue suivant apparaît :

```
┌──────────────────────────────────────────────────────────────┐
│  ImageWriter                          yF3-2.6   ( ╭─ OK ─╮ )  │
│  Papier :  ⊙ Lettre US        ○ Format A4                     │
│            ○ Légal US         ○ Continu International (Annuler)│
│            ○ Papier informatique                             │
│  Orientation    Effets spéciaux : ☐ Portrait ajusté          │
│   [🖼] [🖼]                        ☐ Réduction 50 %            │
│                                   ☐ Pas de saut de page       │
│         ▶                                                     │
└──────────────────────────────────────────────────────────────┘
```

Les options sont simples :

● Les icônes **Orientation** déterminent le sens de l'impression : vous pouvez imprimer soit normalement dans le sens de la hauteur de la page, soit dans le sens de la largeur, souvent appelé "à l'italienne" (le Mac parle quelquefois de *Portrait* et de *Paysage*). Cliquez sur l'icône de votre choix.

● Les boutons-radio règlent le format du papier. Il suffit de cliquer sur celui qui correspond au papier inséré dans l'imprimante.

● Les cases à cocher donnent trois effets spéciaux que l'on peut combiner à volonté :

- **Portait ajusté** : comme nous venons de le dire, sert à obtenir un alignement parfait des éléments graphiques. Certaines applications, comme Ready, Set, Go 4 demandent que cette option soit cochée pour accepter d'imprimer.

- **Réduction 50%** : l'impression obtenue sera réduite de moitié. Utile pour obtenir une impression rapide, si on n'a pas besoin de tous les détails.

- **Pas de saut de page** : normalement l'imprimante n'écrit pas sur les pointillés qui séparent deux feuilles consécutives des rames de papier continu, mais laisse une marge en haut et en bas de chaque feuille. Si vous cochez cette option, ces marges sont supprimées, et l'impression aura lieu sur les pliures. Cela peut éventuellement servir pour économiser du papier, si on n'a pas besoin de séparer ensuite les feuilles.

Imprimer

Pour réaliser l'impression, une fois ces réglages effectués, il suffit de demander **Imprimer** dans le menu **Fichier**.

```
┌─────────────────────────────────────────────────────────────────┐
│ ImageWriter                              vF3-2.6  ┌──────────┐   │
│                                                   │    OK    │   │
│ Qualité :       ○ Supérieure  ◉ Normale   ○ Brouillon        │   │
│ Pages :         ◉ Toutes   ○ De : │    │ à : │    │  ┌─────────┐│
│ Copies :        │ 1 │                               │ Annuler ││
│ Chargement : ◉ Automatique   ○ Manuel               └─────────┘│
└─────────────────────────────────────────────────────────────────┘
```

Vous pouvez demander l'une des trois qualités **Brouillon**, **Normale** ou **Supérieure**.

 Brouillon n'utilise pas les caractères système, mais ceux de l'imprimante elle-même. Cette impression est beaucoup plus rapide, mais elle ne correspond pas tout à fait à la mise en page demandée dans le document. Il est encore possible d'agir sur la qualité d'impression en appuyant sur le poussoir *Print Quality* de l'imprimante. Voyez le manuel pour plus de détails.

> Attention ! En qualité brouillon, l'imprimante fait souvent avancer et reculer le papier sur de grandes longueurs (par exemple, dans MacWrite, les en-têtes sont imprimés après la page elle-même) ; les risques de bourrage ou de déchirement sont importants.

 Normale imprime exactement ce qui se trouve à l'écran, en utilisant les même polices que ce dernier. Lorsqu'elle imprime du texte, l'ImageWriter II se sert des fontes qui se trouvent dans le Système. Ce qui implique que vous ne devez vous servir que des tailles apparaissant en relief dans le menu **Tailles :** les autres auront en effet un aspect fort peu esthétique, à cause des distortions dues à leur calcul. Si nécessaire, ajoutez des tailles dans le Système à l'aide du Font/DAMover, ou de Font/DA Juggler (voir Chapitre 8).

 Supérieure donne une meilleure qualité ; en effet, l'ImageWriter effectue alors un double passage sur chaque caractère, mais il doit y avoir dans le Système la taille double de celle demandée dans le document. Par exemple, si vous imprimez en New York 12, vous devez avoir New York 24 dans le Système. Sinon, l'impression n'est pas meilleure qu'en **Normale**, bien qu'elle soit plus longue.

> Attention ! Le bouton **Print quality** de l'imprimante n'est pris en compte qu'en qualité brouillon. Le dialogue prime sur le bouton.

Les autres boutons du dialogue sont explicites par eux-mêmes.

L'impression avec l'ImageWriter est relativement longue, surtout en qualité supérieure. Si vous avez de nombreux documents à imprimer, un Spooler vous sera certainement très utile : cet utilitaire permet de reprendre la main après quelques secondes seulement, et de continuer à travailler pendant l'impression proprement dite. Nous en reparlerons au prochain chapitre.

> Attention ! Avant de lancer l'impression, vérifiez que le voyant Select est bien allumé, sinon vous n'obtiendrez jamais rien. Or ce voyant a la fâcheuse habitude de s'éteindre, dès qu'on soulève le capot, ou qu'il n'y a plus de papier...

Un dernier mot pour conclure : malgré de nombreuses qualités, l'ImageWriter est assez bruyante. Si elle doit servir beaucoup, prévoyez de l'enfermer dans un placard ou de la placer dans une pièce à l'écart (on trouve des rallonges de câble).

L'IMAGEWRITER LQ

L'impression avec l'ImageWriter LQ se passe sensiblement comme celle de l'imageWriter II. Mais elle imprime particulièrement bien (à 216 dpi) les quatre polices Helvetica, Times, Courier et Symbol. Pour profiter de cette qualité d'impression, il faut cette fois qu'il y ait dans le Système la taille TRIPLE de celle demandée dans le document (72x3=216). Pour le reste, voyez le manuel de l'imprimante.

L'IMPRESSION LASER ET POSTSCRIPT

C'est bien sûr le cas le plus compliqué, mais la peinture à l'huile, c'est plus difficile, mais c'est bien plus beau... air connu.

Nous ne traiterons pas ici le cas de la LaserWriter SC, qui se comporte comme une ImageWriter, tout en donnant une résolution de 300 dpi. Ce n'est pas une imprimante Postscript, et les résultats sont, à notre avis, souvent décevants. Si vous avez une telle imprimante, référez-vous au manuel, fort bien fait.

Le cas des Laser Plus, NT et NTX est plus intéressant. Ce sont en effet des imprimantes Postscript. Il est temps de voir ce que cela signifie.

Postscript

Tout le monde, du moins parmi les utilisateurs Mac, a entendu parler de Postscript. Mais bien peu savent exactement ce que c'est.

En fait, Postscript est un langage informatique, spécialement développé par Adobe Systems Inc pour servir à la composition de pages imprimées sur les imprimantes Laser.

En effet, les LaserWriter sont de véritables ordinateurs, spécialisés dans la tâche précise qui consiste à imprimer ; elles comportent le même micro-processeur que le Mac(68000 ou 68020) et de la mémoire vive. C'est pourquoi elles ont besoin d'un langage informatique.

Que se passe-t-il lorsque vous demandez **Imprimer** dans le menu **Fichier** ?

Simplement, l'application dessine votre document (ou seulement les pages que vous spécifiez). Elle le dessine en mémoire, c'est pourquoi vous ne le voyez pas à l'écran. Lorsque vous imprimez sur l'ImageWriter, tout va bien. Les point obtenus sont envoyés à l'imprimante, qui a une résolution voisine de celle de l'écran. On obtient donc directement ce que le Mac a dessiné.

La LaserWriter, elle, ne comprend que le Postscript. Le hic, c'est que le Mac ne dessine pas ses documents en Postscript, mais à l'aide d'ordres QuickDraw, comme nous l'avons dit plus haut. Il est donc nécessaire qu'une conversion soit faite quelque part.

Cette conversion peut avoir lieu à deux niveaux : soit au moment de l'impression, et c'est alors le rôle du fichier LaserWriter, soit au moment du dessin, et c'est le rôle de l'application. Seules les applications les plus récentes, comme *Cricket Draw, FreeHand, Illustrator* ou *LaserPaint*, savent construire des fichiers Postscript directement imprimables. C'est en fait leur but final, et la représentation QuickDraw n'est là que comme support d'affichage.

La conversion Quickdraw-Postscript se fait page par page. Il en résulte donc un programme que l'imprimante peut comprendre. Il lui reste donc à l'exécuter : c'est la seconde partie du processus d'impression. Comme Postscript est un langage interprété, (c'est-à-dire décodé au fur et à mesure de son exécution), cette phase prend un certain temps, fonction de la complexité de la page. Finalement, le programme Postscript construit une image de la page à imprimer dans la mémoire de l'imprimante.

C'est ici qu'intervient la dernière partie de l'impression : un faisceau laser, modulé selon l'état de la mémoire, et donc suivant ce qui se trouve sur la page, est envoyé sur le tambour de l'imprimante, altérant la poudre d'encre qui le recouvre. Seules les particules altérées se déposent ensuite sur le papier qui passe alors sur le tambour, puis sont définitivement fixées sur le papier par chauffage.

C'est ainsi, en résumé, que s'opère l'impression laser. Dès lors, on comprend pourquoi il arrive que certaines pages mettent longtemps à sortir (conversion en Postscript compliquée, interprétation longue), alors que le second exemplaire de la même page sort aussitôt derrière (la page est déjà en mémoire).

Normalement, Postscript est transparent à l'utilisateur, c'est-à-dire que ce dernier ne le "voit" jamais. Et c'est heureux, car ce n'est pas un langage facile d'accès, du moins si on veut l'approfondir un peu. Le but n'est pas ici d'en faire un cours, mais simplement de comprendre quel est le rôle de Postscript, et comment faire pour utiliser au mieux ses possibilités.

D'une imprimante à l'autre

Postscript est donc un langage de description de page. Sa principale force est qu'il est indépendant de l'imprimante utilisée, et qu'il imprime toujours à la résolution maximale de cette imprimante, quelle qu'elle soit (à condition, bien sûr, qu'elle comprenne Postscript elle-même). La LaserWriter d'Apple, comme vous le savez sans doute, a une résolution de 300 points par pouce (on dit "dpi", pour Dots per Inch). D'autres imprimantes comme la VaryTyper, donnent 600 dpi ; certaines photocomposeuses, en particulier les Linotronic 100 et 300 ont reçu une interface Postscript, nommée RIP, qui permet à un Mac d'imprimer directement sur elles. On obtient alors des résolutions de 1250 à 2540 dpi, c'est-à-dire celle de l'impression des livres et magazines de qualité.

Sans rien modifier au document, simplement parce que telle ou telle imprimante est connectée, la résolution, et donc la finesse, est multipliée par des facteurs considérables. C'est l'un des points forts de Postscript.

Dans tous les sens

Les possibilités de Postscript sont très grandes ; rotations, distorsions, mises à l'échelle, niveaux de gris, trames, sont quelques unes de ses caractéristiques. L'ennui, c'est que l'écran ne peut pas suivre toutes ces manipulations, en tout cas pas avec la finesse qui sera obtenu à l'impression : sa résolution à lui reste de 72 dpi, soit environ quatre fois moins qu'une impression Laser classique (et plusieurs dizaines de fois moins qu'une photocomposeuse).

L'affichage à l'écran des effets spéciaux permis par Postscript n'est donc pas entièrement WYSYWYG : d'une part la résolution est moindre, et d'autre part QuickDraw permet moins de manipulations que Postscript (mais en contrepartie il est beaucoup plus rapide). Postscript est donc la première grande infraction aux règles WYSYWYG du Mac ; mais cette infraction est dans le "bon sens", puisque ce qu'on obtient est finalement meilleur que ce que l'on voit.

Et si on imprime sur une Laser des images Paint, qui ont une résolution de 72 dpi, que se passe-t-il ? Tout simplement, la résolution de base est conservée, et l'image apparaît "en escaliers", tout comme sur l'ImageWriter. C'est pourquoi il faut éviter au maximum de se servir d'images Bitmap lorsqu'on imprime au laser. La même remarque vaut pour les polices de caractères Bitmap, par rapport aux polices laser. Nous y reviendrons.

En fait, une option d'impression (finition) permet de "lisser" les escaliers laissés par QuickDraw dans la page Postscript, et d'obtenir tout de même une qualité acceptable lorsqu'on imprime du Bitmap.

Le format EPSF

Comme nous l'avons déjà dit, les logiciels "laser" comme *Illustrator* ou *FreeHand* produisent directement des programmes Postscript, lesquels sont en fait de purs fichiers TEXT.

> ☞ Vous pouvez le vérifier en ouvrant un document Illustrator dans un traitement de texte ; vous verrez à quoi ressemble un programme Postscript.

Pourtant, on peut exporter ces images vers des logiciels de mise en page, où non seulement elles s'impriment parfaitement, mais aussi où elles s'affichent à l'écran. Or un fichier TEXT n'a jamais affiché la moindre image...

L'astuce vient d'un nouveau format, apparu à la suite de l'explosion des imprimantes à Laser : l'EPSF (Encapsulated Postscipt Format). Les fichiers EPSF sont composés de deux parties : l'une, au format PICT, est l'image écran, approximation QuickDraw de l'image Postscript ; l'autre, texte ASCII, est le programme Postscript lui-même. Sans entrer dans le détail, il s'agit d'un fichier TEXT comprenant une ressource PICT (voir Chapitre 14).

Et c'est vraiment très malin, car le logiciel de mise en page dans lequel on importe un fichier EPSF prendra la partie PICT pour l'afficher, mais la partie Postscript pour l'imprimer...

Les fichiers Laser

Afin de pouvoir imprimer sur une LaserWriter, deux fichiers doivent se trouver dans le dossier système :

LaserPrep

Dans le cas où vous imprimez sur imprimante Laser, vous avez besoin, en plus du "driver" d'impression LaserWriter, du fichier Laserprep qui permet d'initialiser l'imprimante.

Dans le cas d'un réseau, LaserPrep doit se trouver au moins dans l'un des dossiers systèmes des Mac présents. Il est impératif de lancer la première impression (depuis l'allumage ou le redémarrage de la Laser) depuis le Mac qui détient LaserPrep, afin que l'imprimante puisse être initialisée.

Pour les possesseurs d'ImageWriter, ce fichier n'est pas nécessaire.

LaserWriter

C'est le "driver" d'impression Laser. C'est lui qui transcrit les ordres Quickdraw que l'application émet lors de l'impression en ordres Postscript compréhensibles par l'imprimante. Sa présence est indispensable dans le dossier système de tous les Mac qui doivent imprimer sur une Laser.

> Attention ! LaserWriter et LaserPrep vont par paire. LaserPrep initialise la Laser en lui envoyant un "dictionnaire", qui sera utilisé ensuite par LaserWriter. Si vous tentez d'imprimer avec une version de LaserWriter non compatible avec celle du LaserPrep qui a effectivement initialisé la Laser, vous obtiendrez un message vous demandant de réinitialiser la Laser. Il faut alors l'éteindre et la rallumer (pas très bon !)

Faites la police dans les polices !

Il nous faut revenir à présent sur les polices de caractères. En effet, les textes ne s'imprimeront pas sur une imprimante laser véritablement comme vous les voyez à l'écran. Dans le système Macintosh, il existe deux sortes de polices de caractères : les polices Bitmap (Quickdraw), et les polices Laser (Postscript). Rappelons que les termes police, fonte et jeu de caractères sont équivalents.

Les polices Bitmap ou QuickDraw

La première catégorie est constituée de ce que l'on appelle "les polices Bitmap" ou encore "Polices Quickdraw". Leur caractéristique principale est d'être constituées de caractères Bitmap (voir chapitre 5), à la résolution de 72 dpi. Si vous imprimez une police Bitmap avec une imprimante à laser, vous perdez une bonne partie de la qualité donnée par cette dernière (voir toutefois "Les options d'impression", ci-dessous), puisque la résolution d'une Laser est de 300 dpi. Le cas est encore pire si vous imprimez sur ue photocomposeuse à 2500 dpi ! Donc, les fontes Bitmap sont à éviter lorsqu'on imprime sur une Laser. Ce sont, pour les plus connues :

New York

Geneva

Chicago

Monaco

Venice

Les polices Laser

La seconde catégorie comprend les polices vectorisées ou polices *Postscript*. Autant avec une police Bitmap, l'imprimante laser ne "sait" pas qu'elle imprime des caractères mais seulement des points qui n'ont aucun lien entre eux, autant une police vectorisée "sait" que ce qu'elle inprime constitue un caractère.

Comment cela est-il réalisé ? Les caractères de la police sont décrits sous forme de courbes mathématiques qui se traduisent au niveau de l'impression par un tracé parfait, net comme un tirage sortant de chez l'imprimeur. L'imprimante ne trace plus des points sans rapport logique entres eux mais bel et bien des courbes qui suivent le programme de description du tracé. Cette définition permet d'employer toujours la résolution maximale de l'imprimante en service ; elle permet également d'obtenir n'importe quelle taille à partir d'une seule description (c'est Postscript qui fera la transformation). En d'autres termes, les fontes Laser sont toujours imprimées parfaitement, quelle que soit la taille demandée par rapport à celle(s) qui se trouvent dans le Système.

La description complète de ces polices et de leur tracé est stocké dans plusieurs endroits possibles :

🍎 Dans la mémoire morte (ROM) de l'imprimante. Le manuel "Guide de l'utilisateur des Laser SC, NT et NTX" donne la liste complète des polices stockées dans chaque imprimante. A titre d'exemple, voici quelques une des polices Laser les plus utilisées :

Avant Garde

Bookmann

Courier

Helvetica

New Century Schlbk

Palatino

Times

Zapf Chancery

🍎 Dans des fichiers spéciaux placés dans le dossier Système. Ces fichiers sont des polices supplémetaires, disponibles dans le commerce. On parle alors de polices *téléchargeables*. Si vous voulez utiliser de telles polices, il ne faut pas oublier d'installer les versions écran correspondantes dans le Système (ou à l'aide d'un utilitaire comme Suitcase ou Font/DA Juggler plus, voir Chapitre 6).

🍎 Dans le disque dur de l'imprimante, si elle en possède un (cas de la LaserWriter NTX).

Quand vous travaillez, vous avez donc tout intérêt à vous servir des polices de caractères "reconnues" par l'imprimante Laser : c'est une garantie de netteté. Mais pour pouvoir utiliser ces polices, il faut impérativement qu'une version écran (bitmap) soit présente dans le Système, sinon elle n'apparaît pas dans le menu **Caractères**, et vous ne pourriez pas la choisir.

> ☛ En fait, dans ce cas une seule taille est nécessaire dans le Système, car les tailles Laser sont calculées par l'imprimante à partir de la description vectorisée. Il est donc inutile d'encombrer le Système avec de multiples tailles (à moins que vous ne vouliez un affichage parfait à l'écran).

Quand le vectorisé se substitue au Bitmap

La différence de qualité entre une police Bitmap et une fonte vectorisée est telle que le Mac a prévu une substitution automatique lorsque vous vous servez de certaines polices Bitmap. Mais, comme nous allons le voir, cette possibilité est à double tranchant.

Si, dans le dialogue d'impression, vous laissez la case **Substituer les caractères** cochée, le Système convertira automatiquement tout caractère Geneva en Helvetica, New York en Times, et Monaco en Courier, de façon à tirer le meilleur parti de l'impression Laser. Cela semble assez logique.

Mais les ennuis viennent d'un autre côté : Geneva est beaucoup plus large que Helvetica, New York est plus grand que Times ; la différence est moins sensible sur le couple Monaco-Courier, mais elle existe. Conséquence : la mise en page ne correspond plus sur le papier avec ce qu'elle était à l'écran. Tout le principe du WYSIWYG part en fumée…

Il y a des cas où ce n'est pas très gênant ; mais en règle générale, on apporte un soin particulier à la présentation de ses textes, et il est fort désagréable de voir celle-ci bousculée.

> Attention ! Les problèmes sont particulièrement aigüs sur *Mac Draw,* car, en cas de substitution de caractères, les textes tapés se décalent et les alignements des lignes ne sont plus valables. Il faut donc désactiver la substitution mais le résultat de l'impression est moins joli.

La conclusion de tout ceci, c'est qu'il faut, dans toute la mesure du possible, n'utiliser que des polices laser lorsqu'on imprime laser. Logique, non ?

Comment construire le document

Lorsque vous créez votre document, vous devez tenir compte d'un certain nombre de facteurs, sous peine d'obtenir des résultats décevants. Mais correctement maniée, la LaserWriter produira des documents de qualité quasi-professionnelle.

La principale limitation de la LaserWriter est son incapacité à imprimer une feuille plus grande que l'A4 (21x29,7cm). Et dans ce format, elle ne peut jamais imprimer jusqu'au bord du papier. Il reste donc toujours une marge blanche d'environ 1cm tout autour de la page. Il est important de conserver cette particularité à l'esprit lors de l'élaboration du document, car si les applications vous laisseront généralement placer des éléments n'importe où, tout ce qui sort de la zone d'impression sera ignoré. Notez que cette marge peut être diminuée dans les options d'impression.

Un autre point mérite d'être souligné. Les logiciels de mise en page permettent maintenant souvent de définir un format de page quelconque. Cela ne veut pas dire que vous pouvez mettre un papier quelconque dans l'imprimante. Si le format de page est plus grand que celui du papier, chaque "page" du document sortira en plusieurs feuilles ; il faudra ensuite procéder à un montage physique des ces feuilles pour reconstituer les pages. Cette opération peu commode (puisqu'il y a toujours des marges blanches qu'il faut couper), est parfois facilitée par la présence de marques de découpe ou de pliage.

Le format d'impression LaserWriter

Le dialogue **Format d'impression** de la LaserWriter est le suivant :

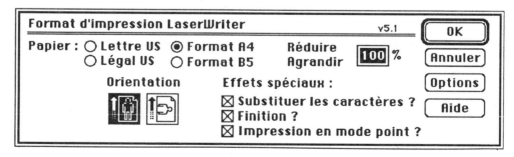

Ici, les possibilités sont un peu plus nombreuses.

🍎 Nous retrouvons les boutons-radio pour définir le format du papier ;

🍎 Nous retrouvons également les icônes **Orientation** pour indiquer si on désire une impression normale ou à l'italienne.

 Le champ d'édition **Réduire-Agrandir** permet de demander une réduction ou un agrandissement au pourcent près. Vous pouvez demander n'importe quelle valeur entre 25 et 400%. Il y a là une puissance rarement exploitée à fond.

 Dans les **Effets spéciaux**, nous avons déjà parlé de **Substituer les caractères**. **Finition**, qui sert à améliorer l'aspect des polices et des graphiques Bitmap. Si vous avez des polices Bitmap ou des images Paint dans votre document, il faut cocher ces options ; en revanche l'impression est un peu plus longue. N'oubliez donc pas de la désactiver si ce n'est pas le cas. **Impression en mode point** sert à accélérer l'impression des images bitmap, mais il est possible que certains documents ne s'impriment pas correctement. Dans ce cas, supprimez cette option.

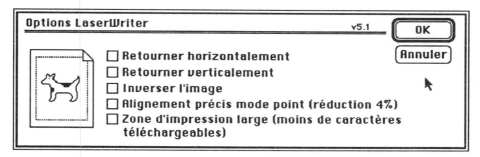

 Enfin, un bouton **Options** donne accès à un second dialogue :

- **Retourner horizontalement** le document ;

- **Retourner verticalement** le document ;

- **Inverser l'image** (en négatif) ;

> ☞ Ces trois options combinées permettent, en imprimant sur transparent, de produire directement les films destinés soit à un projecteur mural, soit aux machines offsett. Toutefois, il faut savoir que les grandes zones noires sont mal rendues sur LaserWriter ; on utilisera donc cette possibilité seulement si on tire une épreuve sur photocomposeuse.

- **Alignement précis en mode point** donne une réduction de 4%, ce qui donne 288 points par pouce, soit exactement 4 points sur la page pour un pixel d'écran : les images Paint s'impriment au mieux ;

- **Zone d'impression plus large** permt de diminuer les marges minima de l'impression; mais cette opération réserve une grande partie de la mémoire de l'imprimante, qui pourra donc télécharger moins de polices à la fois.

Tout comme avec l'ImageWriter, et peut-être même plus qu'avec elle, vous devez choisir dans la mesure du possible vos options d'impression avant de créer le document, sous peine de devoir refaire une partie de sa mise en page.

Imprimer

Comme toujours, la demande d'impression elle-même est très simple : il suffit de choisir **Imprimer** dans le menu **Fichier**.

Le dialogue d'impression LaserWriter est le suivant :

```
┌────────────────────────────────────────────────────────────┐
│  LaserWriter  "LW++ ROMs 47.0"              v5.1  ┌────────┐ │
│                                                   │   OK   │ │
│  Copies [1]    Pages : ⦿ Toutes ○ De : [    ] à : [    ]   │
│                                                   ┌────────┐ │
│  Page de titre : ⦿ Aucune   ○ Première  ○ Dernière│Annuler │ │
│                                                   ┌────────┐ │
│  Chargement :  ⦿ Automatique   ○ Manuel           │  Aide  │ │
└────────────────────────────────────────────────────────────┘
```

Vous pouvez demander un nombre quelconque de copies, mais souvenez-vous que chaque impression coûte cher, et qu'il vaut souvent mieux photocopier qu'imprimer en de nombreux exemplaires.

Si vous désirez certaines pages seulement, indiquez leur numéro dans les cases **de...à.** Ces cases ne tiennent pas compte de l'éventuel numéro de la première page.

> Attention ! En cas de chargement manuel, aucune alerte n'intervient à l'écran. Lorsque la lumière orange s'allume sur l'imprimante, vous pouvez insérer la feuille suivante.

Par contre, des messages vous indiqueront si le papier vient à manquer, ou si d'autres problèmes surgissent (voir chapitre 10).

Si le message "**A bitmap version of the font "Geneva"** (ou autre) **is being created, since no printer font is available**", cela veut dire que votre document contient quelque part une police bitmap, et que la **Substitution** est activée. Vous pouvez avoir intérêt à la rechercher et à la changer pour une fonte Laser.

L'IMPRESSION DE FOND

Même si vous ne vous servez que d'un seul programme, ou si vous n'avez qu'un Mégaoctet de mémoire centrale, le MultiFinder peut vous être très utile, par ses possibilités d'impression de fond.

Que se passe-t-il lorsque vous imprimez en tâche de fond ? Le principe est assez simple. Comme nous venons de le voir, une impression Laser se déroule en deux temps :

 Le document doit être transcrit en Postscript, le langage que comprend l'imprimante. Cette conversion est effectuée par le fichier LaserWriter (aidé de LaserPrep ou Aldus Prep dans le cas de Page Maker). Elle se fait page par page, mais la conversion d'une page est très rapide.

 Dans un second temps, le fichier Postscript obtenu est envoyé à l'imprimante, qui doit l'interpréter avant de pouvoir sortir la page physiquement. Cette phase est beaucoup plus longue.

Le principe de l'impression de fond est de convertir d'un coup toutes les pages à imprimer, et de stocker les fichiers Postscript obtenus sur le disque de démarrage. La main est ensuite rendue à l'utilisateur, tandis que les fichiers en attente sont envoyés tranquillement à l'imprimante, au rythme de cette dernière.

Le temps d'immobilisation de l'ordinateur est donc réduit à quelques secondes, même pour un document important.

Du fait de ce principe, l'impression de fond n'est possible qu'avec la LaserWriter mais il existe des logiciels semblables pour l'ImageWriter, que l'on appelle Spoolers; des spoolers existent aussi pour la Laser, lorsqu'on ne veut ou ne peut pas se servir du MultiFinder. Nous en parlerons au Chapitre 8.

PrintMonitor Backgrounder

Backgrounder et PrintMonitor

L'impression de fond n'est disponible que sous MultiFinder, et est rendue possible par la présence de deux fichiers dans le dossier système : *Backgrounder* et *PrintMonitor*. Elle peut être rendue active ou inactive, par l'intermédiaire du Sélecteur (menu).

En effet, lorsque vous avez choisi LaserWriter dans ce dernier, une ligne supplémentaire apparaît (si PrintMonitor est présent) :

Impression de fond :   ○ Oui   ◉ Non

Si vous cliquez sur **Oui** (**On** en anglais), l'impression de fond est activée, tandis que si vous cliquez sur **Non** (**Off**), elle est désactivée.

Au moment d'imprimer, tout se passe normalement. Le dialogue d'impression habituel se présente, puis l'ordinateur vous rend la main très vite. Rien n'empêche alors de demander une autre impression ; celle-ci sera mise dans la file d'attente, et sera imprimée lorsque son tour viendra.

A ce moment, l'application PrintMonitor est automatiquement lancée. Vous pouvez d'ailleurs la faire passer au premier plan, comme n'importe quelle autre application, par l'une des méthodes données au Chapitre 5.

PrintMonitor possède ses propres menus, et une fenêtre.

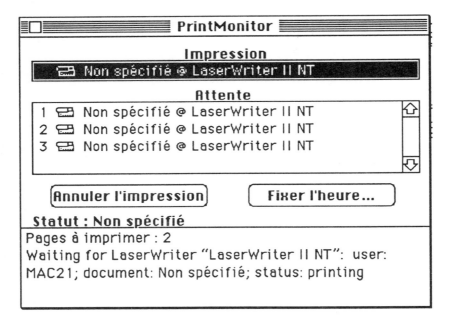

Cette fenêtre est divisée en trois parties.

 Le haut indique le document en cours d'impression.

 Le milieu liste tous les documents en attente d'impression. Chaque document possède un numéro dans la file d'attente ; les documents sont imprimés dans l'ordre de ces numéros. Vous pouvez changer cet ordre en faisant glisser un nom sous un autre : les numéros sont automatiquement réajustés (il faut les "saisir" par la petite icône).

Juste dessous, il y a deux boutons, dont le libellé change suivant le document sélectionné au dessus.

- Si vous avez sélectionné le document en cours d'impression, le bouton de gauche indique **Annuler l'impression**, ce qui est clair par soi-même. Toutefois, il se peut que quelques pages du document continuent à sortir après avoir cliqué ce bouton, si ces pages ont déjà été envoyées à l'imprimante.

- Si vous avez sélectionné l'un des documents en attente, le bouton indique **Supprimer de la liste**. Cela permet d'annuler l'impression du document.

Le bouton de droite permet de fixer l'heure à laquelle vous voulez imprimer un document. Cela donne la possibilité d'imprimer un long document à une heure où l'immobilisation de l'imprimante ne gêne personne. Dans la liste des documents en attente, un petit réveil signale ceux dont l'heure d'impression a été fixée.

> Attention ! Bien que la LaserWriter possède un dispositif de contrôle du bourrage du papier, il peut être dangereux de laisser une impression se dérouler sans surveillance. L'intérieur de la Laser est très chaud, et les risques d'incendie en cas d'incident ne sont pas nuls.

Vous pouvez aussi remettre l'impression d'un document indéfiniment.

 Le bas de la fenêtre donne des renseignements sur le nombre de pages à imprimer, et le statut courant de l'imprimante.

> ☛ Si plusieurs LaserWriter sont connectées au réseau, vous pouvez indiquer sur laquelle vous voulez imprimer. Rien n'oblige à imprimer tous les documents sur la même imprimante. Il suffit de le demander dans le Sélecteur avant de lancer l'impression.

Les documents en attente sont placés dans un dossier "En Attente", à l'intérieur du dossier système. Si vous éteignez le Mac avant que toutes les impressions soient terminées, elles reprendront automatiquement au prochain redémarrage sous MultiFinder.

> Attention ! Si une erreur se produit à l'impression, il se peut que vous ayez une bombe... plus grave, la bombe se reproduit à chaque redémarrage, puisqu'à chaque fois, Print Monitor tente de relancer l'impression interrompue. Pour sortir de ce guêpier, redémarrez sans MultiFinder, (donc sans impression de fond), en maintenant la touche commande enfoncée durant le redémarrage. Jetez ensuite à la poubelle le contenu du dossier Attente.

Chapitre 8

Gagner du temps

Nous allons vous présenter ici une série d'utilitaires et d'accessoires de bureau qui permettent réellement, à notre avis, de gagner du temps, ou de simplifier les manipulations, ce qui revient au même. Tout choix procède forcément d'une démarche subjective ; il existe des centaines de logiciels pour Mac, tant chez les éditeurs que dans le domaine public ou le Mac Honor System (ShareWare).

Il se peut d'ailleurs, et c'est même probable, qu'au moment où vous lirez ces lignes, des produits encore plus performants soient apparus sur le marché. Cela ne retire rien à ceux que nous avons choisi de vous présenter.

En tout état de cause, les présentations qui suivent ne constituent en aucune façon des publicités ; ce ne sont pas non plus des modes d'emploi, mais une simple information sur ce qui existe et ce que l'on peut faire avec un Mac. Sauf indication contraire, tous les logiciels présentés sont copyrightés ; vous devez donc les acheter si vous voulez les utiliser.

SOURIS CONTRE CLAVIER : LE BON CHOIX

Avant de passer en revue ces logiciels, il n'est pas mauvais de revenir quelques instants sur le couple clavier-souris. Certes, tout utilisateur Mac a l'habitude de se servir de la souris. Notre petit rongeur fait la joie des débutants, et devient très vite un prolongement naturel de la main, pour attraper les objets à l'écran.

Tout a été conçu dès la genèse du Mac pour qu'un maximum d'opérations puisse se faire sans l'aide du clavier.

Mais lorsqu'on devient un peu plus expérimenté, on s'aperçoit qu'il n'est pas toujours pratique de devoir quitter le clavier pour aller manier la souris. C'est la raison pour laquelle les raccourcis clavier ont été apportés à de nombreuses applications. Il ne faut pas les négliger, car ils peuvent vous faire gagner beaucoup de temps.

Malheureusement, il y dans ce domaine moins de règles d'uniformité que dans les autres facettes du Mac. Certes Copier (Commande-C), Couper (Commande-X), et coller (Commande-V) sont quasi-universels. On trouve aussi souvent Commande-P (plain=standard), B (bold=gras), I (italic=italique), U (under-lined=souligné), O (outline=relief), S (shadow=ombré) pour les styles de texte, à moins que ces commandes n'aient été traduites pour correspondre aux initiales françaises.

D'autres, Commande-A (tout sélectionner), Commande-S (Save=Enregister) ou Commande-Q (Quit=quitter) sont relativement courantes.

Il n'en reste pas moins vrai que l'on peste souvent contre l'absence de raccourci pour la commande que l'on utilise fréquemment ! Il est vrai que cette commande n'est peut-être pas celle dont se sert tout le temps votre voisin... Il n'est certes pas possible aux programmeurs des grosses applications d'attacher un raccourci clavier à chaque commande.

Alors la situation est-elle bloquée ? Non ! Comme d'habitude, le Mac apporte sa petite solution aux gens très pressés. Vous pouvez rajouter autant d'équivalents claviers que vous voulez à n'importe quelle application. Et cela par au moins deux moyens différents, selon que vous serez "riche" ou "pauvre", et bricoleur ou non.

Si vous avez quelques centaines de francs à dépenser, courez acheter Quickeys. Ce petit bijou vous permettra —entre mille autre choses— de créer tous les raccourcis clavier que vous souhaitez. Vous trouverez une description complète de QuicKeys ci-dessous.

Si l'on a pas de tête, il faut avoir des jambes... Dans notre cas, si vous ne voulez pas acheter QuicKeys (vous avez tort !), vous allez devoir charcuter votre application. Pour le bricoleur Macintosh, le tournevis s'appelle *ResEdit*. Vous en trouverez une description succinte dans le chapitre 14, "Le Coin des curieux".

QuicKeys

Si vous utilisez un Mac depuis quelque temps, vous avez sûrement pesté contre l'obligation de se servir de la souris dans bon nombre de cas. Vous avez aussi certainement déploré l'absence de macro-commandes, pour appliquer un traite-ment répétitif plusieurs fois. Tout cela et bien plus, QuicKeys vous le donne, en définissant des équivalents-clavier.

Vous l'avez sûrement compris au fil des pages qui précèdent, QuicKeys est notre utilitaire favori. Il permet une quantité impressionnantes de choses, pour une encombrement fort réduit, et une rapidité foudroyante.

Quickeys est un accessoire qui se place, devinez... dans le Tableau de bord ! Mettez-le dans le dossier système, redémarrez pour plus de sûreté, et voilà.

Dès lors, QuicKeys apparaît comme un article supplémentaire dans le Tableau de bord. On peut tout de suite juger du soin apporté à son élaboration : sa fenêtre comporte deux menus, dont un à "étages". L'un servira à définir les raccourcis, l'autre à les supprimer ou les trier.

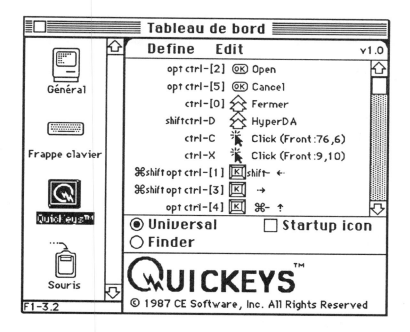

Avec Quickeys, vous pouvez créer onze types de raccourcis clavier différents. Les plus évidents sont la frappe automatique de texte, ou le choix dans un menu ; les clics ou glissements de souris sont aussi parmi le premiers utilisés : il peuvent être relatifs à la fenêtre active (nommément ou non), à l'écran, ou même au document !

Mais cela ne s'arrête pas là. Décidément très malin, QuicKeys permet de définir des combinaisons de touches pour toutes les actions de tous les instants : une simple frappe simulera un clic dans les flèches de défilement (faisant défiler l'écran d'une ligne), dans la barre de défilement (une page), ou vous emmènera directement au début ou la fin de ce document ; et cela, quelle que soit la taille ou la position de la fenêtre. D'autres commandes activeront la fenêtre du dernier plan, ou celle du second plan : finies les fenêtres perdues, et le temps passé à les "chercher". Agrandir ou fermer la fenêtre active sont encore d'autres possibilités. Tout cela est particulièremeṅt utile avec le MultiFinder, où les fenêtres sont souvent nombreuses.

Ce n'est déjà pas mal, mais Quickeys peut faire encore beaucoup plus. Chercher et cliquer un bouton de nom déterminé, redéfinir des touches de commande ? Rien de plus simple. Mais là où QuicKeys révèle toute sa puissance, c'est dans sa capacité d'enchaîner les raccourcis, grâce à l'option "Séquence".

Vous arrive-t-il de faire des fautes de frappe, et particulièrement d'inverser deux lettres ? La plupart des traitements de texte ignorent cela, et bien peu proposent une commande pour les remettre à l'endroit. C'est ici que Quickeys vole à votre secours. Il suffit de définir quatre commandes :

 La première appuie sur flèche-à-gauche et sur majuscule en même temps, pour sélectionner le caractère à la gauche du curseur ;

 La seconde appuie sur Commande-X pour couper ce caractère ;

 La troisième appuie sur flèche-à-droite pour passer après la seconde lettre ;

 Et la dernière appuie sur Commande-V pour recoller la lettre à la bonne place.

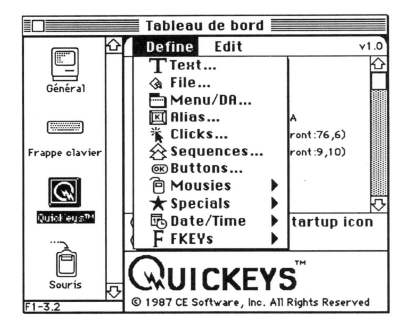

Il ne reste plus qu'à enchaîner ces commandes au sein d'une séquence, et à lui donner une combinaison de touches. Lorsque vous inversez deux lettres, il suffit de placer le curseur entre les deux et de frapper la combinaison choisie pour que tout rentre dans l'ordre.

QuicKeys reconnaît non seulement tous les claviers (à partir du Mac Plus), mais sait aussi détecter l'appui de la touche **Control** (oui, oui, **Control**) sur le clavier du SE et des touches de fonction sur le clavier étendu.

Mais avec **Control** (qui n'interfère jamais avec les applications), **Commande**, **Option**, **Majuscule** et **Verrouillage majuscule**, ensemble ou séparément, vous avez déjà plusieurs centaines de combinaisons : sans doute plus que vous ne pourrez en retenir (Commande-espace donne d'ailleurs la liste des raccourcis actifs). Il y a encore d'autres raffinements : les raccourcis peuvent être "universels", ou spécifiques à l'application en cours, que Quickeys reconnaît tout seul. Il est même possible d'avoir plusieurs jeux de raccourcis, et de les charger à volonté depuis le disque.

Un dernier mot : QuicKeys n'est pas du domaine public, bien qu'il ne soit pas protégé. Il est vendu avec DialogKeys, autre utilitaire qui permet de se passer entièrement de la souris dans les dialogues (tous les boutons sont accessibles par le clavier). Vous trouverez QuicKeys chez tous les bons revendeurs.

DES UTILITAIRES...UTILES !

Les spoolers

Un spooler est un programme qui permet de récupérer la main durant une impression, afin de bloquer l'ordinateur moins longtemps. L'impression de fond (voir Chapitre 7), livrée en standard avec le MultiFinder est en fait un spooler. Mais l'impression de fond ne fonctionne qu'avec le MultiFinder, et de surcroît avec la LaserWriter.

Si vous imprimez souvent, un spooler est très rentable : finies les attentes interminables pour la moindre feuille !

Il existe des spoolers du commerce pour l'ImageWriter (comme SuperSpool), ou pour la LaserWriter, si vous ne voulez ou ne pouvez pas utiliser le MultiFinder, comme *SuperLaser Spool* ou *TOPS Spool* (uniquement pour LaserWriter et LaserWriter Plus) :

Voici ce que vous devez attendre d'un Spooler :

 Qu'il ne soit pas engorgé dès le premier document de grosse taille que vous lui envoyez ;

 Que si vous l'utilisez en réseau, il soit capable de gérer les files d'attente d'impression ;

 Qu'il puisse recevoir des documents à imprimer de toutes les personnes du réseau ;

 Qu'il offre la possibilité de modifier la file d'attente d'impression, soit en donnant des priorités différentes aux utilisateurs (SuperlaserSpool), soit en intervenant directement sur la file elle même (TOPS Spool) ;

 Qu'il propose différentes options de suppression d'une impression, alerte sur début et sur fin d'impression.

Ces utilitaires sont vraiment très pratiques, et leur achat constitue un bon investissement.

Switcher : toujours d'actualité

Si vous avez des problèmes avec MultiFinder, ne serait-ce qu'à cause d'un manque de mémoire, voici Switcher. Peut-être l'utilitaire le plus extraordinaire du marché au moment où il est apparu, Switcher est disponible chez les revendeurs Apple.

Son but est de construire un super-logiciel, en assemblant diverses applications selon les besoins. Un simple clic suffira à passer de l'une à l'autre, réduisant le temps perdu à quelques secondes seulement. A la différence du MultiFinder, une seule application est affichée à l'écran à la fois. Le Finder n'est pas automatiquement ouvert sous Switcher, ce qui donne d'autant plus de place pour les autres applications. Mais cela n'empêche pas de l'ouvrir si vous le désirez.

Installation

Switcher nomme "Liasse" la collection d'applications ouvertes ensemble. A son lancement, il présente donc une liasse vide.

Pour installer une application, faites un double clic sur une des cases de la liasse. Le dialogue standard viendra vous permettre de choisir l'application voulue.

▤□▥▥▥▥▥▥▥▥▥ **Liasse Switcher** ▥▥▥▥▥▥▥▥▥

Double-clic pour installer une application...

Double-clic pour installer une application...

Double-clic pour installer une application...

Double-clic pour installer une application...

La taille mémoire allouée dépend de l'application. Mais vous pouvez modifier la place mémoire rservée, en choisissant d'abord **Configurer puis installer...** dans le menu **Switcher**.

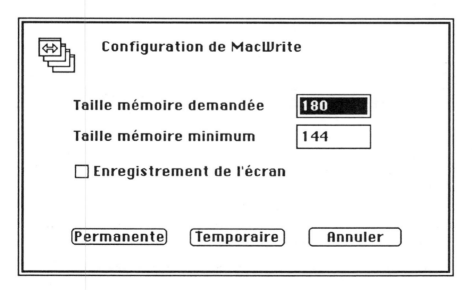

Configuration de MacWrite

Taille mémoire demandée ▮180▮

Taille mémoire minimum 144

☐ **Enregistrement de l'écran**

(Permanente) (Temporaire) (Annuler)

La **Taille minimum** est celle en dessous de laquelle un logiciel ne peut être installé. La **Taille demandée** peut varier en fonction de la dimension des documents devant être manipulés.

Grâce à la fenêtre **Informations Switcher**, vous pouvez voir quelle proportion de mémoire est utilisée sur l'espace alloué à une application. Elle s'obtient en choisissant **Afficher informations Switcher** dans le menu **Fichier**.

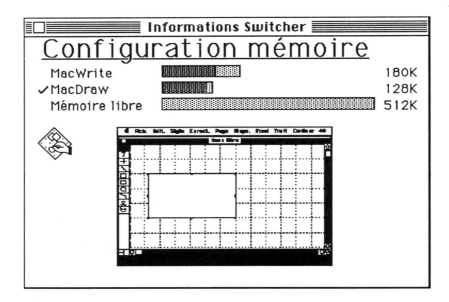

Lorsque vous avez installé au moins une application, il apparaît une double flèche en haut à droite de la barre des menus. C'est en cliquant sur elle que vous commuterez d'une application à l'autre.

🍎 En cliquant entre les deux flèches, vous revenez dans la fenêtre Switcher. Ce résultat peut être également obtenu en choisissant Switcher dans le menu 🍎 (ne fonctionne pas toujours) ;

🍎 Depuis la fenêtre d'informations, il est immédiat de revenir dans une des applications : cochez son nom en cliquant dessus, puis cliquez sur la représentation de son écran, en dessous ;

🍎 Depuis la liasse, un double-clic sur une application rend aussitôt celle-ci active.

Enregistrement de l'écran

Dans la fenêtre de configuration, se trouve une case **Enregistrement de l'écran**. Lorsque vous cochez celle-ci, la fenêtre informations présentera une mini-représentation de l'écran courant de cette application. Le retour dans cette application sera également plus rapide, mais vous utilisez 22 K de plus.

Vous pouvez obtenir le même résultat en cliquant sur l'icône du petit Mac correspondant à l'application dans la liasse Switcher.

200K

Icône signalant que l'écran est enregistré et que l'application occupe 200K.

350K

Icône signalant que l'écran n'est pas enregistré et que l'application occupe 350K.

Lorsque le Finder est installé dans la liasse, vous pouvez y revenir pour démarrer une application. Normalement, lorsque vous quitterez l'application ainsi démarrée, vous reviendrez dans le Switcher. Toutefois le Finder aura disparu de la liasse. Cependant, il est impossible d'ouvrir une application déjà présente dans la liasse.

Les options Switcher

La façon dont Switcher opère peut être modifiée en choisissant **Options** dans le menu **Switcher** :

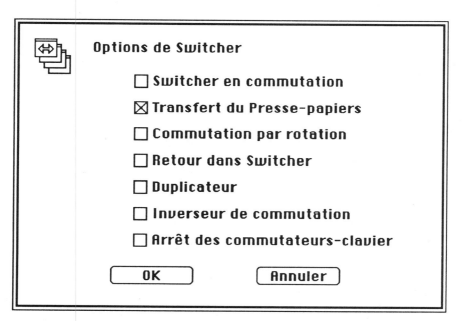

Chaque option est une case à cocher, ce qui signifie que toutes les combinaisons possibles sont permises.

● **Switcher en commutation** : Switcher fait partie des applications installées ; la liasse viendra donc à son tour dans la commutation ;

● **Transfert du Presse-papiers** : très importante, cette option donne un Presse-papiers commun à toutes les applications de la liasse. Cela permet un transfert quasi-immédiat de données entre ces applications. Toutefois, la commutation est un peu moins rapide que lorsque chaque application a son Presse-papiers personnel ;

● **Commutation par rotation** : L'écran d'une application "chasse" celui de la précédente lors d'une commutation. Utile pour se souvenir dans quel ordre les applications se succèdent. Lorsqu'on désactive cette option, l'écran de l'application suivante "remplace" le précédent, laissant parfois des défauts d'affichage sans gravité (il suffit de faire défiler le document pour les éliminer) ;

> Attention ! Si votre écran est plus grand que celui du Mac SE, il faut désactiver cette option.

● **Retour dans Switcher** : après l'installation de chaque nouvelle application, on revient dans la liasse ;

● **Duplicateur** : Il est normalement impossible d'installer deux fois la même application dans une liasse. Cependant, cela se révèle utile avec les applications mono-fenêtre pour ouvrir deux documents différents en même temps. En cochant cette option, Switcher accepte de réinstaller une application déjà présente. Sachez toutefois que cette opération peut être dangereuse pour vos documents et même pour la disquette. Switcher vous prévient, mais vous laisse faire à vos risques et périls. Soyez extrêmement prudents avec cette possibilité ;

● **Inverseur de commutation** : fait tourner l'écran dans l'autre sens lors d'une commutation ;

● **Arrêt des commutateurs clavier** : Switcher comporte quelques raccourcis clavier :

- Commande-^ et Commande-$pour commuter.

- Commande-\ pour revenir à Switcher.

-Commande-Majuscule-Option-. (point) pour sortir des applications épineuses. Ces commandes peuvent varier avec le type de votre clavier.

Vous pouvez donc supprimer ces commandes clavier si elles correspondent à des raccourcis de l'une des applications installées.

Sauvegarde

On peut enregistrer la liasse courante comme n'importe quel autre document pour réinstaller d'un coup toutes les applications qu'elle comporte à sa prochaine utilisation.

Layout

Layout

Layout est un petit programme qui agit sur la manière dont le Finder affiche ses informations. Avez-vous remarqué par exemple que si vous donnez des noms un peu longs à vos documents, ces derniers se recouvrent l'un l'autre lorsque vous alignez les icônes ?

Layout vous permet de définir la grille d'alignement du Finder : vous pouvez écarter ou rapprocher les icônes, et surtout leur donner un décalage vertical, de manière à ce que les noms n'interfèrent plus et restent lisibles.

Mais ce n'est pas tout ; en fait Layout donne un paramétrage complet du Finder. Vous pouvez spécifier une police et une taille de caractère à utiliser, indiquer la taille de la fenêtre par défaut, définir les distances entre les colonnes donnant le nom, la taille, le type et la date dans les présentations par nom, taille, date ou type. Le tout sur un Finder bien déterminé.

Notez qu'au cas où vous ne trouveriez pas ce programme, vous pouvez faire presque la même chose en éditant la ressource LAYO du Finder à l'aide de ResEdit (voir Chapitre 14).

Keeper

Keeper

Un petit utilitaire génial. Utilisable seulement avec l'écran d'origine, il conserve en mémoire l'écran du Finder, ce qui a pour effet d'accélérer considérablement son affichage lorsqu'on quitte une application.

Lancez-le normalement par un double-clic. Après quelques instants de travail, le bureau réapparait. Keeper est alors installé sans qu'il y paraisse pour toute la session de travail.

Keeper et Switcher ne font pas bon ménage (pas plus qu'avec le MultiFinder, mais à quoi servirait-il ?). Si Keeper est en service, il faut redémarrer avant de lancer Switcher sous peine de graves problèmes.

RamStart

Voici à présent un Ramdisque du domaine public. La procédure d'installation de Ramsart est très simple :

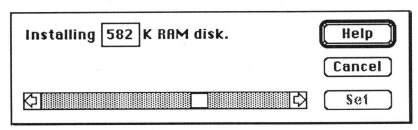

 Copiez Ramstart sur une disquette de démarrage, dans un dossier où vous rassemblerez tous les éléments que vous désirez voir copiés dans le Ramdisque ;

 Notez la taille de ce dossier ;

 Démarrez Ramstart. Celui-ci se souvient de la dernière taille qui lui a été allouée et commence à copier les éléments du dossier ;

 Si la taille affichée ne convient pas, modifiez-la tout de suite en déplaçant l'ascenseur jusqu'à la taille désirée. Cliquez ensuite sur **Set** : le processus recommencera avec la bonne taille ;

 Si le dossier contient un Système et un Finder, le Ramdisque créé deviendra Maître et le disque de démarrage sera automatiquement éjecté.

DES ACCESSOIRES...INDISPENSABLES !

Nous avons expliqué au Chapitre 4 comment le Font/DA Mover permet d'installer ou de retirer des accessoires de bureau ou des polices de caractères dans le Système.

Mais cette méthode n'est pas sans inconvénients. D'abord, de nombreuses manipulations du Font/DA Mover tendent à fragmenter le Système sur le disque, ce qui est source de bombes possibles.

Ensuite, si le nombre des polices n'est pas limité (théoriquement), celui des accessoires de bureau l'est : vous ne pouvez en installer que 15 par cette méthode.

Comme toujours avec le Mac, il existe des logiciels pour pallier cette situation.

Suitcase™   Font/DA Juggler™ Plus

SuitCase et Font/DA Juggler PLus

Les deux programmes que nous allons vous présenter sont difficiles à classer. Ce ne sont pas des applications, car on ne peut pas les démarrer depuis le Finder. Ce ne sont pas de véritables accessoires de bureau, car pour les installer, il suffit de les placer dans le dossier système. En définitive, ils s'apparentent plus aux INITs dont nous dirons un mot en fin de chapitre. Dès qu'ils sont placés dans le dossier système, ils apparaissent dans le menu au prochain redémarrage.

Disons tout de suite que SuitCase et Font/DA Juggler s'excluent mutuellement, car ils ont pratiquement le même but : ouvrir des fichiers d'accessoires ou de polices de caractère sans toucher au Système, donc sans passer par le Font/DA Mover.

Les avantages ? il y en a beaucoup. Bien entendu, ils suppriment les inconvénients cités ci-dessus, liés à l'utilisation du Font/DA Mover. Mais en plus, SuitCase et Font/DA Juggler permettent tous deux :

 de gagner de la place sur disque : d'une part, ils sont petits (surtout SuitCase qui ne mesure que 13 Ko), et d'autre part, ils permettent de débarrasser le système de tous les accessoires et toutes les polices non obligatoires (c'est la dernière fois que vous ouvrirez le Font/DA Mover !) ;

🍎 D'ouvrir un fichier de police ou d'accessoires depuis une application ; donc plus besoin qu'ils soient tous installés avant. Ces fichiers peuvent être sur un autre disque, ce qui résout encore une fois les problèmes épineux de place lorsqu'on travaille sur disquettes ;

🍎 D'ouvrir automatiquement deux fichiers particuliers : si vous placez vos polices dans un fichier nommé *Fonts* et vos accessoires dans un fichier *DAs* et si vous mettez le tout dans le dossier système, ces derniers sont ouverts au démarrage. On se retrouve donc avec ses polices et accessoires favoris disponibles à tout instant. Le nombre d'accessoires contenus dans *DAs* n'est pas limité.

🍎 Font/DA Juggler donne aussi la liste des polices, directement affichées dans leur propre caractères, dans tous les styles disponibles.

Si d'aventure votre Système se "plante" il sera très rapide de le remplacer, sans devoir le re-personnaliser. En plus de cela, Font/DA Juggler sait gérer les sons, qui peuvent remplacer le sempiternel Bip dont le Mac vous gratifie à chaque erreur. Il est également capable d'ouvrir au démarrage n'importe quel fichier qu'on lui aura indiqué, pas seulement DAs ou Fonts, et dont il mémorise l'emplacement.

Les deux programmes sont compatibles avec le MultiFinder, et sont disponibles chez tous les revendeurs.

DeskPaint

Voici un accessoire de bureau vraiment épatant : c'est un vériable Macpaint dans le menu 🍎.

Il permet d'ouvrir un document Paint ou TIFF (compressé ou non). Toutes les fonctions de dessin sont présentes, lignes, formes, trames, pinceau, texte, etc. Des fonctions de texte existent également puisqu'il est possible de déterminer toutes les tailles de caractères possibles entre 1 et 127 (du moins en théorie).

Le plus intéressant, c'est que vous pouvez bénéficier de toutes ces fonctions tout en restant à l'intérieur d'une application. Sans quitter celle-ci, vous pouvez donc ouvrir non seulement les documents produits par Deskpaint, mais aussi ceux de toutes les applications du même type (Mac Paint, Full Paint).

La sauvegarde des documents est possible en formats Mac Paint et TIFF. A noter que la palette des motifs de remplissage disponibles est bien fournie. Ce logiciel -pardon, cet accessoire de bureau- satisfera tous ceux qui ont souvent besoin de faire un croquis ou de reprendre une illustration, car ils ne seront plus obligés de quitter l'application en cours. Seul défaut, la place mémoire utilisée par ce logiciel est relativement importante (60Ko plus l'image, qui peut être très grosse).

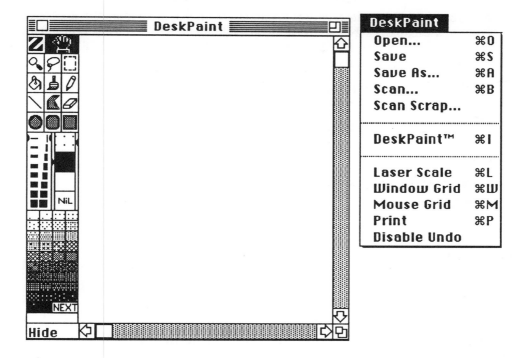

Art Grabber

Un accessoire très pratique pour les possesseurs de Mac Plus et SE. Il est par contre inutilisable sur Mac II. Il permet de visualiser n'importe quel document de type Mac Paint et d'en capturer une partie dans le Presse-Papiers. C'est un outil qui fonctionne où que vous soyez, même à l'intérieur d'une application.

Quand vous l'appelez, deux choses apparaissent : une fenêtre montrant le contenu du Presse-Papiers s'il s'agit d'une image et un menu intitulé **Grabber**. La fenêtre sert à visualiser les documents Paint (on ne peut en voir qu'un seul à la fois) et le menu offre les commandes suivantes :

 Ouvrir un document (**Open**), qui amène le dialogue standard pour choisir le document à visualiser ;

 Visualiser la page entière (**Show page**) ;

 Transférer le Presse-Papiers dans la fenêtre (**Clipboard**) ;

 Rouvrir le précédent document (**ReOpen**).

Art Grabber ne permet pas de modifier l'image.

Caméra

C'est l'accessoire indispensable à ceux qui utilisent le Mac pour bâtir des cours sur logiciels ou veulent faire des manuels d'utilisateur. Caméra permet de créer une sauvegarde de tout l'écran sous la forme d'un document MacPaint après un temps fixé (entre 1 et 60 secondes).

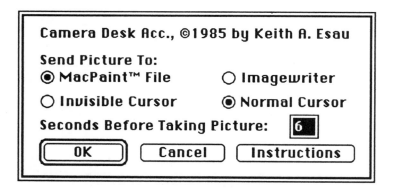

Cela ressemble à la séquence de touche Commande-Majuscule-3 (sauvegarde d'écran en format MacPaint); mais cette dernière n'est pas utilisable lorsqu'un menu est déroulé ou lorsque vous n'avez pas la main. Camera possède l'avantage de réaliser le document MacPaint après un délai réglable, ce qui permet d'atteindre l'état d'écran souhaité au moment du déclenchement de la photo. Les différentes copies d'écran données à titre d'exemple dans ce livre ont été réalisées à l'aide de Caméra.

Camera possède en outre des options qui permettent d'envoyer le résultat vers une ImageWriter, et/ou de supprimer le curseur sur l'écran.

Attention ! Camera ne peut marcher sur Macintosh II que dans des conditions bien particulières : Camera ne fonctionne normalement pas sur un écran couleur. En fait, il suffit d'appeler l'option "Moniteur" du tableau de bord et de positionner le nombre de couleurs à 2 (donc de se mettre en noir et blanc). L'image obtenue sera du type MacPaint et sous le format "paysage" (certains disent "à l'italienne"). Les utilitaires de dessins vous permettront de redresser tout ou partie de l'image si vous le désirez, *DeskPaint* par exemple).

Il arrive que le système se "plante" lorsque certaines INITs (voir plus loin) sont actives. Enregistrez toujours votre travail avant de faire une photo.

Attention ! N'essayez pas Caméra si vous avez déjà installé Font/DA Juggler : il ne fonctionnera pas dans tous les cas de figure et la plupart du temps, bloquera le Mac. Si d'aventure vous essayez quand même, vous n'aurez plus qu'à redémarrer

DiskTop

DiskTop ou le Finder en permanence, pourrait-on dire. Cet accessoire de bureau est extrêmement utile puisqu'il vous donne le Finder à portée de la souris à tout moment, sans pour cela être sous le MultiFinder (et donc consommer de la mémoire).

☐ **Name**	**Type**	**Creator**	**Data**	**Resource**	**Modified**
12c	ZSYS	MACS		6K	3.08.88
Accessoires	dahd	macs		6K	8.10.87
ajout	DFIL	DMOV		194K	12.07.88
Album	ZSYS	MACS		149K	4.08.88
AppleTalk ImageWriter	PRER	IWRX		42K	13.05.87
Backgrounder	ZSYS	MACS		5K	9.12.87
Démarrage Finder	FDOC	MACS		1K	2.08.88
Finder	FNDR	MACS		101K	17.07.88
FKey /Sound Mover™	APPL	FSMv		28K	10.01.88
Font Resolver™	APPL	FRlv		21K	10.01.88
Font/DA Utility™	APPL	FDUt		22K	10.01.88
Frappe clavier	cdev	keyb		5K	8.10.87

DiskTop

Copy — Move

Delete — Rename

Find — Sizes

HFS
7028K Used 36%
12841K Free 64%

☐ PM
Eject
Drive

📁 **Dossier Syst...**

Quand vous appelez DiskTop, la fenêtre qui apparaît ressemble au Finder, avec les icônes des disques en ligne. Des boutons permettent de trouver un fichier (**Find**) d'après des critères multiples (nom, taille, type), et de renommer (**Rename**) ou effacer (**Erase**) un disque.

Un double-clic ouvre les disques, et la fenêtre montre alors son contenu, dans lequel on se déplacera comme dans les dialogues d'ouverture/sauvegarde. Les éléments sont présentés, classés par nom, avec la mention de leur type, créateur (voir chapitre 6), taille des parties Data et Ressource (voir Chapitre 14), et date de modification. Dès qu'un ou plusieurs fichiers sont sélectionnés, les fonctions suivantes sont directement accessibles :

DiskTop						
Name	Type	Creator	Data	Resource	Modified	
12c	ZSYS	MACS		6K	3.08.88	
Accessoires	dahd	macs		6K	8.10.87	
ajout	DFIL	DMOV		194K	12.07.88	
Album	ZSYS	MACS		149K	4.08.88	
AppleTalk ImageWriter	PRER	IWRX		42K	13.05.87	
Backgrounder	ZSYS	MACS		5K	9.12.87	
Démarrage Finder	FDOC	MACS		1K	2.08.88	
Finder	FNDR	MACS		101K	17.07.88	
FKey/Sound Mover™	APPL	FSMv		28K	10.01.88	
Font Resolver™	APPL	FRlv		21K	10.01.88	
Font/DA Utility™	APPL	FDUt		22K	10.01.88	
Frappe clavier	cdev	keyb		5K	8.10.87	

Buttons: [Copy] [Move] [Delete] [Rename] [Find] [Sizes]
HFS 7028K Used 36% 12841K Free 64%
□ Dossier Syst...
▭ PM [Eject] [Drive]

- **Copy** : copie de fichier(s) d'un disque à l'autre;

- **Move** : déplacement d'un élément d'un dossier dans un autre ou d'un disque dans un autre (prudence !)

- **Rename** : changement du nom d'un ou plusieurs fichiers ;

- **Delete** : destruction de fichier(s) ;

- **Size** : donne la taille totale des éléments sélectionnés.

Toutes les fonctions de base du Finder sont représentées. Cet accessoire permet donc de gagner beaucoup de temps.

HyperDA

Hypercard en accessoire de bureau ou presque : telle est la vocation de HyperDA. Avec cet accessoire de bureau, vous pouvez ouvrir une pile Hypercard et vous y promener comme si vous étiez réellement dans Hypercard ; lancer des impressions de cartes ; naviguer de carte en carte avec les fonctions de déplacement propres à Hypercard. Enfin, la fenêtre de recherche de Hypercard peut être activée et utilisée exactement comme dans ce dernier.

```
┌─────────────────────────┐
│ HyperDA                 │
├─────────────────────────┤
│  Open Stack...          │
│  Close Stack            │
│ ....................... │
│  Page Setup...          │
│  Print Card...    ⌘P    │
│ ....................... │
│  First            ⌘1    │
│  Prev             ⌘2    │
│  Next             ⌘3    │
│  Last             ⌘4    │
│ ....................... │
│  Find...          ⌘F    │
│  Window           ⌘W    │
│ ....................... │
│  Quit HyperDA           │
└─────────────────────────┘
```

Le plus fort, c'est que vous pouvez **Copier** tout texte ou graphique présent dans la pile, pour le transférer dans l'application en cours. A cette fin, un article du menu HyperDA place la pile examinée dans une fenêtre que l'on peut déplacer, facilitant ainsi les aller-retour avec l'application pour les possesseurs de petits écrans.

Les limitations ? bien entendu il y en a : d'une part, vous ne pourrez rien modifier dans la pile ; en d'autrè termes, vous pouvez copier tout ce que vous voulez, mais pas question de coller quoi que ce soit : la pile ne peut pas être modifiée. De plus, seuls les ordres Hyertalk les plus simples sont compris, ce qui fait que tous les boutons ne fonctionneront pas correctement, et que vous ne pourrez pas passer de messages compliqués dans la fenêtre Message.

Mais tel qu'il est, HyperDA rend de très grands services aux amateurs d'HyperCard (et ils sont nombreux).

Bref, c'est un outil qui se substitue fort agréablement à Hypercard en offrant toutes les possibilités de navigation d'Hypercard. Il n'y a pas en revanche (il ne faut tout de même pas être exigeant) toutes les possibilités d'édition et de manipulation des cartes (création, suppression, outils de dessins). HyperDA est donc un Hypercard réduit aux fonctions de visualisation (Browsing).

SmartScrap et Sélecteur d'Album

Ici, deux accessoires de bureau équivalents : Smartscrap et le sélecteur d'Album. Ces instruments sont précieux pour les grands utilisateurs de l'Album. On peut ainsi penser à ceux qui aiment conserver leurs images ou dessins à portée de souris ; ou à ceux qui, par nécessité, sont obligés d'avoir en permanence sous la main le logo de leur société, des textes de présentation standard, etc...

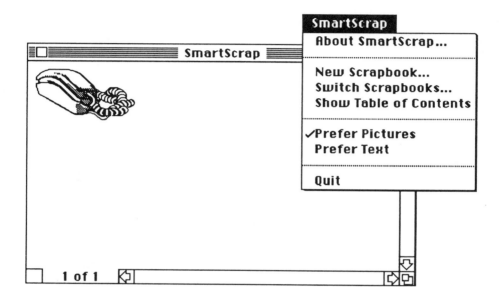

Si vous êtes dans ce cas, votre Album doit ressembler davantage à un fourre-tout (du moins par la taille) qu'à un simple Press-Book !

SmartScrap et Sélecteur d'Album permettent de créer non pas un, mais plusieurs Albums avec des noms différents et sur des supports différents. Vous pouvez ainsi vous créer des bibliothèques de logos, dessins, motifs classés par catégories et sur des disques ou dans des dossiers différents. Sans aller si loin, vous pouvez simplement répartir vos données dans plusieurs Albums. Il suffira d'ouvrir le bon au moment adéquat.

Encore et encore . . .

Les accessoires disponibles sont innombrables : calculatrices, calendriers, utilitaires, et même applications entières sous le menu pomme. Citons par exemple :

🍎 La calculatrice réplique exacte de la *HP-12C* et qui possède toutes les fonctions de celle-ci. Hélas, elle ne fonctionne pas sur Mac II ;

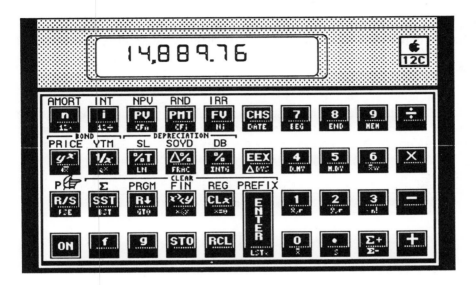

> Attention ! Vous trouverez des calculatrices de tous formats et avec toutes les fonctions possibles et imaginables. Certaines sont même capables d'imprimer ! Néanmoins, vérifiez avant de les installer que le pavé numérique est actif, sinon vous devrez tout introduire à la souris en cliquant touche après touche. La calculette donnée en standard avec le Mac fonctionne pour cela tout à fait correctement.

🍎 Le *Mock package* qui, sous la forme de quatre accessoires, propose toutes les fonctions d'un intégré : traitement de texte (Mock Write), tableur et graphes (Mock Chart), gestion des communications (Mock Terminal), gestion d'imprimante (Mock Printer) ;

🍎 Le logiciel de dessin (très puissant) *Canvas* qui propose une option permettant de l'installer en tant qu'accessoire sous la pomme ;

🍎 *Disk Tools II* possède les fonctionnalités de Disktop décrit plus haut ;

🍎 *Coordinates* crée dans la barre de menu deux compteurs qui affichent en permanence les coordonnées de la souris dans une unité choisie à l'avance (centimètres, pixels etc. . .) ;

🍎 *LaserStatus* qui donne toutes les informations sur le statut courant de la LaserWriter, télécarge les polices, etc.

🍎 JoliWrite, véritable traitement de texte en accessoire de bureau. Il possède même des fonctions de mise en majuscule ou en minuscule de textes, qui manquent dans de nombreuses applications réputées : le copier coller peut vous faire gagner beaucoup de temps…

LES INITS

Les INITs (pour Initialisation) sont de petits fichiers qui servent à réaliser des actions au démarrage ou en cours de fonctionnement du Macintosh. Les INITs sont apparus il y a déjà longtemps : autant dire que tous les Macintosh sont capables maintenant de lancer une INIT. Elles sont en général toutes plus intéressantes les unes que les autres.

L'icône des fichiers INIT n'est pas standard. La plupart du temps, elle ressemble à une icône document de petite taille. Souvent, le nom est évocateur et fournit le renseignement (TimeInit, Modem Init etc.), mais ce n'est pas toujours le cas.

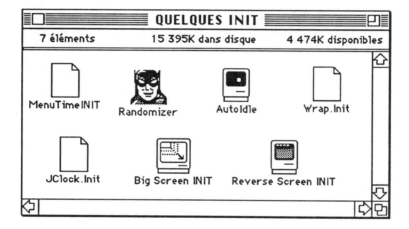

Pour utiliser une INIT, il suffit de la placer dans le dossier système et de redémarrer le Macintosh. Au démarrage, entre autres tâches, le Mac va chercher dans le dossier système les fichiers de type INIT et va les exécuter un à un, suivant un ordre a priori imprévisible pour le non-programmeur. En réalité, l'ordre suivi ne dépend que de données internes aux fichiers INITs. Exécuter une INIT veut donc dire lire le petit fichier qui la constitue et exécuter le programme qu'elle contient.

On peut classer les INITs suivant deux catégories : celles qui exécutent une action immédiate (affichage de l'heure, initialisation d'un modem, etc.) et celles qui ont pour fonction d'agir quand se produit un événement donné.

Prenons un exemple : vous voudriez que chaque fois que le curseur arrive en haut de l'écran, au lieu de buter sur la ligne noire, il revienne par le bas. Une telle INIT existe, c'est *Wrap Init*.

La liste des INITs existant sur le marché est longue. On peut néanmoins mentionner les plus utiles d'entre elles :

🍎 les INITs les plus courantes concernent la fonction (qui existe par ailleurs dans le tableau de bord) d'extinction de l'écran au bout d'un temps fixé. Il en existe de nombreuses versions. Citons par exemple l'init *Autoidle* qui éteint l'écran au bout d'environ 5 minutes. Sur l'écran se promène alors par bonds aléatoires l'icône de l'application qui est utilisée à ce moment là. L'intérêt est de préserver les points luminescents de l'écran, qui s'usent à la longue si l'image reste fixe trop longtemps ;

> Attention ! L'utilisation de ce type d'INIT peut être néfaste. En effet, certaines applications se "plantent" dans les traitements qu'elles sont en train d'effectuer si l'INIT se déclenche à ce moment là. Des tests s'imposent (*Pyro*, par exemple ne pose aucun problème ; le téléphone arabe fonctionne aussi très bien sur le sujet).

🍎 les INITs d'affichage de l'heure dans la barre de menu sont nombreux : citons le *MenutimeInit* et le plus connu *JClock. Init*. Ces INITs ont le désagréable inconvénient de s'installer à l'extrême droite de la barre de menu, même si l'application utilise déjà par ailleurs tout l'espace disponible. Il en résulte un mélange des menus qui peut être parfois redoutable. Attention, certaines d'entre elles ne fonctionnent pas sur Macx II. A noter que le JClock. init se neutralise en cliquant 2 fois sur l'heure dans le menu ;

🍎 *Reverse Screen Init* peut avoir un avantage pour ceux que l'écran blanc fatigue : il inverse tout l'écran au démarrage et l'écran du Mac se retrouve avec des fenêtres noires ;

🍎 *Big screen Init*, fort connu, permet de paramétrer la taille de l'écran du Mac à volonté. On peut en particulier agrandir l'écran du Mac et, pour se déplacer sur la page plus grande que l'écran, on peut utiliser un pointeur en forme de main. A conseiller pour les amateurs de grands documents qui ne veulent pas acheter un grand écran ou aux utilisateurs de logiciels de PAO.

INITiez-vous...

Enfin citons une INIT particulièrement artistique puisqu'elle permet, au lieu du motif uniforme du fond de l'écran, de mettre à volonté un écran contenant. . . ce que vous voulez. Il s'agit de *Randomizer* ; en prime il exécute un son au démarrage.

Comment fonctionne-t-il ?

Vous devez disposer dans votre dossier système deux dossiers intitulés *SCREENS* et *SOUNDS*. Dans ces dossiers, vous l'avez deviné, vous placerez respectivement des images de type *Startupscreen* et des sons de type *Startupsound*. Au démarrage, le *Randomizer* prendra de manière parfaitement aléatoire un son du dossier Sounds et l'exécutera. De la même manière, il prendra de manière aléatoire un écran du dossier Screens et l'affichera. L'image ainsi sélectionnée reste en fond d'écran tant que votre session n'est pas achevée. Bien sûr, si vous ne mettez qu'un seul écran dans le dossier Screens ou un seul son dans le dossier sounds, Randomizer ne peut prendre que l'unique occupant du dossier. Vous pouvez par ce moyen avoir votre image favorite perpétuellement en fond d'écran.

Il faut avouer que beaucoup d'INITs sont souvent avantageusement remplacées par des fichiers Tableau de bord, qui sont en général paramétrables et assurent de manière plus souple les mêmes fonctions. Malgré tout, certaines INITs restent très originales.

La plupart des INITs sont des logiciels du domaine public. Pour vous les procurer, demandez à votre revendeur favori, à vos amis Macmaniaques, ou achetez les disquettes que proposent les revues spécialisées. Si vous êtes abonnés à Calvacom, vous pouvez, entre autres fonctions, télécharger des INITs.

Chapitre 9

Le Mac en réseau

VOUS AVEZ DIT RESEAUX ?

Etre efficace avec Mac, c'est également connaître les "assemblages" de Mac, autrement dit les réseaux, qui sont maintenant très présents dans la vie des entreprises. On ne peut donc passer le phénomène sous silence : plusieurs Mac peuvent se connecter sur les mêmes périphériques, les partager, et les utiliser de façon tout à fait optimale. Mais que l'on ne s'y trompe pas : la gestion d'un réseau n'est pas un travail d'approximation. C'est pourquoi le sujet est moins propice aux astuces de toutes sortes ; dans ce chapitre ne seront donc développées que les notions de base sur les réseaux Mac et leurs principaux domaines d'utilisation. Il est plus important de bien connaître ce que sont les réseaux et ce qu'ils font, que la recherche de la finesse, beaucoup plus difficile à manipuler, surtout lorsqu'on n'est pas tout seul sur le système.

Pourquoi les réseaux ?

Tout utilisateur se trouve un jour ou l'autre devant une de ces situations :

 Il travaille en entreprise, et nul doute que le responsable du budget, même s'il désire acheter un Mac pour chaque personne d'un service (ce que nous vous souhaitons), refusera absolument d'acheter des disques durs de 40Mo ou une imprimante Laser pour chacun ;

 Ses collègues de bureau se déplacent sans arrêt pour venir lui prendre ses feuilles de calculs ou ses fichiers d'adresse amoureusement stockés sur son disque dur ;

 Il désire utiliser une application dont il ne dispose pas sur son disque ;

 Il voudrait imprimer sur la superbe imprimante Laser récemment arrivée, mais le Mac auquel elle est reliée est toujours occupé.

Dans tous les cas, la solution à ces situations s'appelle le partage. Pour ne pas rester isolé dans son travail sur Mac ni manquer de matériel, il est nécessaire de partager les ressources et de donner accès, si cela est possible, aux données autant qu'aux matériels. Le réseau est donc la solution apportée à l'isolement d'un micro-ordinateur.

La base des réseaux

On pourrait presque écrire une histoire qui débuterait par : "Au commencement était le Macintosh ; même avec une ImageWriter pour compagne, il était isolé". C'est pour cela que les possibilités de monter des réseaux furent intégrées d'origine au Mac.

Les réseaux Macintosh s'appuient essentiellement sur Appletalk (du moins à son origine). Dans ce chapitre, nous traiterons seulement les aspects réseaux Macintosh, connexions inter-réseaux, et connexions avec d'autres micro-ordinateurs. Les passerelles avec le monde des Mainframes seront évoquées au chapitre 11.

Les réseaux s'entourent d'un certain jargon qu'il est utile de préciser avant de songer à utiliser efficacement leurs différentes possibilités.

Réseau physique et réseau logiciel

Un réseau est constitué de deux éléments :

 Le câblage, c'est-à-dire la connectique qui permet de relier les appareils entre eux (câbles et boîtiers de raccordements). C'est le *support physique*.

 Les communications, c'est à dire le *logiciel* qui gère la transmission des informations sur le support physique.

Pour évaluer et détailler les communications sur les réseaux, il faut donc étudier un certain nombre de paramètres :

- Les câblages et les boîtiers ;

- La vitesse de transmission ;

- La configuration du réseau et ses limites.

Les Serveurs

Quand on crée une connexion entre plusieurs ordinateurs, l'important est de partager les périphériques et/ou les fichiers. On définit donc la notion de serveur : on dit qu'un ordinateur est serveur s'il comporte un disque accessible à tous les autres ordinateurs du réseau physique sur lequel il se trouve. Suivant l'utilisation qui est faite du disque, on est amené à distinguer :

- *Le serveur de disques* : c'est un serveur qui permet de partager le disque dur entre plusieurs utilisateurs sur un réseau. Chaque utilisateur "possède" une partie du disque, réservée à son nom, et personne d'autre ne peut y accéder. Il ne peut pas voir les parties de disques réservées aux autres utilisateurs, sauf d'éventuelles parties collectives du disque. Le serveur de disques immobilise le plus souvent l'ordinateur qui supporte le disque dur, mais ce n'est pas obligatoire .

- *Le serveur de fichiers* : c'est un serveur qui permet de partager des fichiers ou des dossiers sur un réseau. Chaque utilisateur peut avoir ses propres fichiers non accessibles à un autre utilisateur mais il a accès à tout le disque. Les fichiers ou dossiers partagés peuvent être sur un disque et immobiliser l' ordinateur qui supporte les fichiers et les dossiers mais ce n'est pas toujours le cas.

Pour les deux cas précédents (serveur de disque et serveur de fichiers) on peut encore opérer une distinction : un serveur localisé sur un disque précis est appelé *serveur partagé* (le même disque est partagé par les utilisateurs) ; mais il est également possible que le disque ou les fichiers soient éclatés sur l'ensemble des ordinateurs présents sur le réseau : on parle alors de *serveur réparti.*

Ponts et passerelles

Les ponts et les passerelles décrivent les relations entre les différentes sortes de réseaux.

- Créer un pont entre deux réseaux, c'est établir un lien entre deux réseaux de même nature et du même type d'environnement. On peut par exemple établir un pont entre deux réseaux de Macintosh.

- Créer une passerelle entre deux réseaux, c'est établir un lien entre deux réseaux de nature différente ou d'environnements distincts. On peut par exemple établir une passerelle entre un réseau de Macintosh et un réseau de PC ou compatibles.

Le sélecteur, navigateur de réseau

Comme pour l'impression, le sélecteur joue un rôle central dans la gestion du réseau Mac. Il sert à indiquer certains paramètres au Macintosh que vous utilisez dans l'ensemble du ou des réseaux auxquels vous êtes connecté. Le sélecteur est utilisé entre autres pour :

🍎 Identifier le Mac sur lequel vous travaillez par rapport aux autres Mac du réseau ;

🍎 Préciser la partie du réseau dans laquelle vous allez travailler si plusieurs serveurs coexistent sur votre réseau ;

🍎 Utiliser un service : serveur de fichiers, courrier électronique, etc., et préciser les paramètres spécifiques au service demandé.

C'est pour cette raison que nous préciserons dans la mesure du possible l'utilisation du sélecteur et ses limites vis à vis de la gestion du réseau.

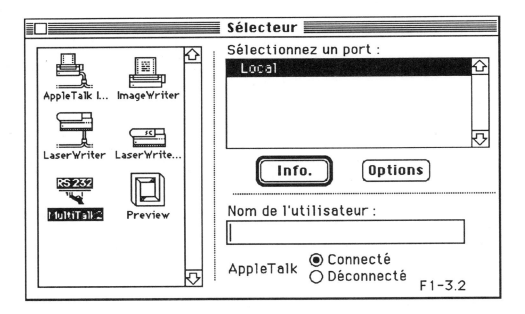

APPLETALK

Appletalk, c'est le gestionnaire de réseau dans le monde Macintosh. C'est donc le logiciel qui exploitera les différents moyens physiques pour pouvoir établir les communications entre les Mac et les différents périphériques existants. Appletalk possède une relation d'amour avec le Macintosh puisqu'il y est directement intégré sous la forme d'une puce. Macintosh et Appletalk peuvent communiquer de manière "intelligente" par l'intermédiaire de ce micro-processeur (un Zilog 8530 SCC pour les amateurs de technique). Les principales caractéristiques d'Appletalk sont les suivantes :

🍎 Le réseau géré par Appletalk est un réseau Bus (en forme de ligne ouverte aux deux bouts), c'est-à-dire que l'ensemble des connexions ne doit former ni une boucle, ni un arbre (pas de branches).

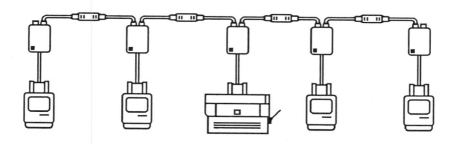

> Attention ! Fermer le réseau Appletalk rend ce dernier complètement inopérant, de même que la réalisation d'un réseau en "Y". Quand vous établissez vos schémas de connexions sur des réseaux particulièrement longs, vérifiez bien que vous obtenez une *ligne* et non une boucle.

🍎 Contrairement à ce que l'on croit habituellement, le nombre de postes gérés par Appletalk, la longueur maximale du réseau, dépendent uniquement du support physique ;

🍎 Le débit de Appletalk ne dépend pas uniquement du support physique mais également du support logiciel ;

🍎 Enfin, pour les passionnés de technique, le réseau Appletalk couvre les couches 1 à 6 de la norme OSI.

LES SUPPORTS PHYSIQUES APPLETALK

Ce sont tous les types de câblages pouvant supporter Appletalk. Chaque type de câble a des applications particulières et correspond donc à des besoins déterminés. On évitera par exemple de réaliser un réseau à base de fibres optiques pour connecter deux Macintosh et une Laser (bien que ce soit tout à fait réalisable, mais très cher pour un si petit réseau).

LocalTalk

Ce sont les câbles commercialisés par Apple et probablement les plus diffusés à ce jour. C'est un support physique idéal pour constituer de petits réseaux.

La connectique

Les éléments nécessaires pour se connecter sont au nombre de trois :

 Le boîtier de raccordement d'un Mac ou d'un périphérique sur le réseau. Il comporte une prise mâle en entrée pour le Mac et deux prises femelles en sortie (une pour l'entrée du réseau, l'autre pour la sortie (sauf en bout de ligne où une seule des deux prises est utilisée).

> Attention ! Ces boîtiers existent en deux versions : une version où la prise mâle est une mini-din 8 broches (prise ronde). C'est le boîtier utilisé par le Mac SE, le Mac II et les nouvelles imprimantes Laser, et une version où la prise mâle est une prise plate à 9 broches. C'est le type utilisé par le Mac Plus, les imprimantes LaserWriter et LaserWriter Plus et les "vieux" Mac 128 et 512. Quand vous montez un réseau, vérifiez bien que vous commandez le bon type de boîtiers.

Mini Din 8 Broches   Prise 9 Broches

 Le câble de raccordement lui-même (bifilaire torsadé, blindage à 80%) associé à des prises mâles micro-din 8 broches.

 Des raccords femelle-femelle

Le kit de connexion se présente sous différentes formes, suivant ce que vous voulez faire :

 Un kit de connexion utilisé pour brancher un Mac ou un périphérique sur un réseau existant. Il se compose du boîtier de connection, d'un câble d'environ 1 mètre et des raccords ;

 Un kit de connexion avec 25 mètres de câble pour la connection d'un Mac éloigné ;

 Un kit "câble" comprenant environ 100 mètres de câble, 26 connecteurs et 4 câbles d'un mètre qui donne tout le matériel nécessaire pour constituer un réseau de plusieurs machines.

Vous devez donc bâtir votre réseau à l'aide de ces éléments, comme un jeu de "mécano". C'est le principal avantage de ce type de réseau : il se monte très facilement.

Les caractéristiques

Les limitations de la connexion LocalTalk sont les suivantes :

 Longueur maximale du réseau : 300 mètres

 Débit : 230,4 Kbits/s

 Nombre maximal de postes sur le réseau : 32. On entend par poste un Macintosh, une imprimante Laser, une ImageWriter munie d'une carte Appletalk et montée sur le réseau, ou encore d'autres composants (ponts, passerelles, boîtiers, etc.).

PhoneNet

PhoneNet est un système de câblage très comparable à LocalTalk au point de vue des performances. Ce système a été développé à l'Université de Berkeley. Son avantage principal est d'utiliser deux principes qui le rendent particulièrement attirant pour un réseau d'entreprise assez important :

 PhoneNet se sert de câble téléphonique ordinaire. Mieux même, si vous le souhaitez, vous avez la possibilité d'emprunter le câble du téléphone du réseau intérieur de votre société : dans un câble téléphonique classique, un certain nombre de fils sont inutilisés et peuvent donc servir au réseau Macintosh par PhoneNet.

 PhoneNet utilise, pour se brancher sur le réseau téléphonique, des connecteurs "à la française" . Il n'y a donc pas de problèmes de connectique (prises spéciales, difficulté à réparer, etc.).

La longueur maximale du réseau, associée à la possibilité d'utiliser le réseau téléphonique, amèneront les sociétés réparties sur plusieurs immeubles proches ou sur un grand nombre d'étages à utiliser ce système. Ce réseau n'est pas plus difficile à installer que LocalTalk et de plus, son coût d'installation est faible.

La connectique

La connectique de Phonenet ressemble par bien des points à celle de LocalTalk. Pour se connecter avec Phonenet, il faut :

 Des boîtiers -presque- identiques aux boîtiers Localtalk. Une entrée mâle sur le Mac avec des possibilités identiques (en micro-din ou 9 broches). Les sorties sont constituées de deux prises femelles destinées à recevoir des mini-connecteurs téléphoniques américains (dénommés boîtiers RJ11).

 Des câbles de jonction munis à une extrémité d'un mini-connecteur RJ11 et à l'autre extrémité d'une prise téléphonique "à la française" (d'autres types de connecteurs sont possibles. En particulier, le connecteur livré d'origine est un RJ11 que votre installateur habituel transformera en connecteur "Made in France") pour branchement sur le réseau.

 Du câble (paire torsadée).

Les caractéristiques

Les caractéristiques de la connexion PhoneNet sont (sans entrer dans les détails trop techniques) les suivantes :

 Longueur maximale du réseau : 900 mètres environ avec la nécessité d'installer des répéteurs.

 Débit :230,4 Kbits/s

 Nombre maximal de postes sur le réseau sans ponts : environ une centaine.

AppleTalk sur fibre Optique

Le "must" de la connexion. Si vous êtes dans de grands locaux très éloignés les uns des autres et que votre réseau comporte de nombreux Mac, alors AppleTalk sur fibre optique vous concerne. Son coût est plus élevé que les précédents, mais les principaux avantages de la fibre optique sont de pouvoir monter des réseaux extrêmement longs avec un câblage insensible aux perturbations électriques (donc en toute sécurité). C'est de plus un support qui va dans "le sens de l'Histoire" puisqu'il est utilisé pour d'autres systèmes. La fibre optique est néanmoins fragile (au moindre coude, la fibre est morte) et doit donc être protégée dans des gaines ad hoc. De manière générale, il faut retenir que la fibre optique est à la fois compliquée à gérer et chère à l'installation : la connexion des fibres est une petite opération chirurgicale pour fixer le boîtier (5000F pièce environ !).

La connectique

Brancher un réseau AppleTalk sur fibre optique est relativement compliqué. Il faut :

 De la fibre optique, mais, comme il existe différents fabriquants et que les différents produits n'ont pas forcément les mêmes caractéristiques, mieux vaut vous en remettre à votre installateur ;

 Des boîtiers spéciaux pour branchement des fibres.

Les caractéristiques

La fibre optique donne des possibilités extrêmement intéressantes. Qu'on en juge:

 Longueur maximale du réseau : 12 000 mètres ;

 Débit : 230,4 Kbits/s ;

 Nombre maximal de postes sur le réseau : environ une centaine.

Lanstar

Le système Lanstar a été développé par Northern Télécom et fonctionne un peu comme le réseau PhoneNet : c'est un support sur paire torsadée qui peut éventuellement utiliser le réseau téléphonique. Il sera employé dans le cas où vous désirez monter un réseau très performant sur le plan de la vitesse de transmission des données, ou sur lequel se trouve un très grand nombre d'éléments (supérieur à 1000 !).

La connectique

Les branchements du réseau Lanstar sont similaires à ceux de PhoneNet :

- Des boîtiers -presque- identiques à ceux de Localtalk. Une entrée mâle sur le Mac avec des possibilités identiques (en micro-din ou 9 broches). Les sorties sont constituées de deux prises femelles destinées à recevoir des mini-connecteurs téléphoniques américains ;

- Des câbles de jonction spécifiques au réseau Lanstar ;

- Du câble (paire torsadée).

Les caractéristiques

Les caractéristiques de la connexion Lanstar sont les suivantes :

- Longueur maximale du réseau : le réseau Lanstar peut prendre la forme d'une étoile ; la longueur maximale est de 600 mètres environ de la connexion centrale à chaque bout de l'étoile ;

- Débit 2,56 Mbits/s ;

- Nombre maximal de postes sur le réseau : environ 1300 (avec des boîtiers relanceurs).

LIAISON AVEC ETHERNET

Ethernet

Oui, Macintosh peut se brancher sur un réseau Ethernet. Pour être plus précis, on peut fort bien monter des Macintosh en réseau sur un réseau Ethernet. Pour la connection, il faut impérativement que chaque Macintosh soit muni d'une carte pour effectuer le passage d'Appletalk (qui est le réseau gérant les Mac) à Ethernet : Ethernet sur Mac, c'est donc à la fois du matériel (dispositif de connexion) et un logiciel. Les avantages de se connecter sur un réseau Ethernet sont multiples ; en particulier le débit est de 10 Mbits/s (à comparer aux 256 Kbits/s du réseau Appletalk). Le nombre d'éléments possibles et la longueur maximale du réseau sont fort intéressants. De plus, un tel réseau est ouvert aux mondes ayant accès à Ethernet...

La connectique

La connectique vers Ethernet est constituée d'une carte spécialisée. Cette carte diffère suivant le Macintosh utilisé :

 Carte EtherPort SE : carte de connexion du Macintosh SE au réseau Ethernet. C'est une carte interne qui supporte les protocoles Appletalk, TCP/IP et DECNET. Possibilités de liaison aux ordinateurs DEC, UNIX et PC.

 Carte EtherPort II : carte de connexion du Macintosh II au réseau Ethernet. C'est une carte Nubus qui s'enfiche sur l'un des slots du Mac II. Elle supporte également les protocoles Appletalk, TCP/IP et DECNET. Possibilités de connections aux ordinateurs DEC, PC et UNIX.

 Boîtier Ether SC : C'est un boîtier utilisable sur les Macintosh Plus, SE et II. Il utilise le port SCSI, et existe en deux versions, suivant que vous les connectez sur du Thin Ethernet (EtherSC) ou du Ethernet Standard (EtherSc2). Possède les mêmes fonctionnalités que les deux cartes précédentes.

Touts ces composants sont commercialisés actuellement (en particulier par P-Ingénierie). En dehors des cartes, il faut :

 Du câble. Il existe deux possibilités : du Thin Ethernet Cable Noir RG58 ou du cable Ethernet Standard coaxial (cable jaune).

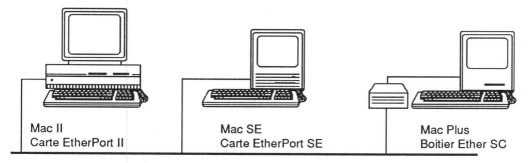

Mac II Carte EtherPort II	Mac SE Carte EtherPort SE	Mac Plus Boitier Ether SC

Thin Ethernet
Cable noir R G58 ou cable jaune

Les caractéristiques

Les caractéristiques de la connexion Ethernet sont les suivantes :

 Longueur maximale du réseau : 2750 mètres avec cable Coaxial, 1450 mètres avec cable TwinWire ;

 Débit : 10 MBits/s ;

 Nombre maximal de postes sur le réseau : environ 250.

CONSTRUIRE UN RESEAU

La construction d'un réseau, ce n'est ni plus ni moins qu'un vaste Mécano dont les éléments sont des Mac, des imprimantes Laser, des Serveurs. La démarche qui suit va donc détailler la constitution d'un réseau en allant du plus simple au plus élaboré, en donnant à chaque pas les principaux produits existants et quelques conseils d'utilisation.

Le réseau "simple"

Au commencement, sur le Macintosh, ne pouvait se brancher qu'une imprimante ImageWriter I, un point c'est tout. Depuis les choses ont bien changé et maintenant les possibilités de connexion sont infinies ou presque. Si vous achetez un Mac Plus, un Mac SE ou un Mac II, le réseau le plus élémentaire consiste à relier une imprimante au Mac. Comme Monsieur Jourdain faisait de la prose sans le savoir, vous faites déjà du réseau par cette simple action. C'est en fait un réseau pour utilisateur isolé...

 Vous possédez une ImageWriter ou une imprimante LaserWriter SC : votre réseau s'arrête là. Les ImageWriter et la LaserWriter SC ne sont utilisables que par un seul utilisateur. Elles ne sont pas partageables. Ces imprimantes se connectent sur le port série du Mac. La liaison est du type série avec du câble standard Apple.

Attention : Il existe un boîtier appelé Multitalk qui permet la connexion d'un réseau AppleTalk avec trois périphériques série (normalement non partageables) et qui deviennent alors partagés. Sur un réseau on peut brancher jusqu'à quatre boîtiers.

L'utilité de ce boîtier réside dans le partage de ressources comme les Modems, l'accès à des sites centraux ou les imprimantes ImageWriter (qui en principe ne sont pas partageables sur Appletalk). Un seul utilisateur se sert du périphérique à un instant donné (mais il n'en a pas un besoin continu). Le partage est donc une solution d'économie d'achat de matériel. Le défaut d'un tel produit, c'est qu'à chaque utilisation du port série du Macintosh, Multitalk vous demande ce que vous allez faire, et vous autorise ou non (suivant les disponibilités matérielles) l'accès au périphérique demandé.

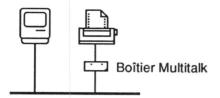

Boîtier Multitalk

 Vous possédez une imprimante LaserWriter ou une LaserWriter Plus, une imprimante LaserWriter NT ou NTX. Là, pas de problèmes : votre réseau peut se constituer. Vous pouvez connecter sur Appletalk des éléments Apple (ou non Apple, voir Chapitre 13), jusqu'à la limite de 32. Les possibilités sont donc très grandes.

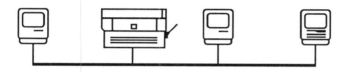

> Attention ! Sur un même réseau vous pouvez connecter plusieurs imprimantes de types différents. Mais, dans ce cas, si vous utilisez plusieurs imprimantes sur le même réseau, il faudra jongler avec le Sélecteur.

Avec des imprimantes de types différents, vous prendrez bien soin de mettre à la disposition des utilisateurs les drivers correspondants (voir Chapitre 7).

> Attention ! Sur un réseau, il est très important, voire vital, que les utilisateurs possèdent tous les mêmes versions du Système, du Finder et du driver d'imprimante. Dans le cas contraire, vous risquez de nombreux ennuis sur votre réseau : blocages subits, bombes à répétitions, plantages réseau etc., ou au mieux impossibilité d'imprimer.

LES RESEAUX A SERVEURS

Votre réseau est peut-être déjà établi avec une ou plusieurs imprimantes et fonctionne très bien comme il se trouve. Mais à présent, vous souhaiteriez pouvoir partager des données entre plusieurs utilisateurs du réseau : soit en allant les prendre sur le disque de votre voisin, soit en faisant "pot commun".

Vous pouvez également mettre simplement à disposition des utilisateurs des disques durs collectifs pour ne pas en acheter un à chaque appareil. La solution que vous utiliserez alors fera appel aux serveurs.

Les serveurs partagés

Les serveurs partagés partagent souvent un même disque dur qui est donc parfaitement localisé. Un Macintosh peut leur être dédié mais ce n'est pas obligatoire. Les serveurs de ce type sont les plus anciens. En général, on peut leur reprocher leur lenteur (gare au serveur partagé où il y a trop de monde !), mais on apprécie la localisation des données, ce qui facilite les sauvegardes et aide à la cohérence du système : on sait où aller chercher ce que l'on désire.

 AppleShare : ce serveur permet de partager les fichiers et les dossiers d'un disque. Il a pour l'instant l'inconvénient d'immobiliser un Macintosh ; il est possible que dans de prochaines versions, il puisse se servir du disque dur de la LaserWriter NTX (s'il y en a une sur le réseau) pour libérer ce poste. C'est un produit Apple. Les dossiers, suivant qu'ils ont un accès public ou privé, ont des icônes différentes. L'accès simultané de plusieurs utilisateurs est possible.

AppleShare

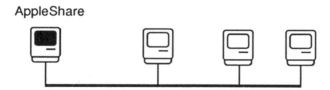

 Symbtalk 3 : ce serveur permet de partager un disque (donc partage de volumes) et en même temps de partager la lecture de logiciels standard du Macintosh et de faire tourner les applications multipostes. Notez que le serveur Symbtalk peut être couplé avec un disque Symbiotic du même fabricant.

 Mac Serve : ce serveur permet de partager un disque dur. C'est l'un des plus anciens produits, mais il est maintenant parfaitement au point, car très bien rôdé. Il possède la particularité de pouvoir partager une Imagewriter.

 Symbshare : ce serveur permet de partager tous les fichiers d'un disque. Le créateur d'un fichier peut choisir parmi les utilisateurs du réseau ceux qui pourront y accéder.

Disque dur

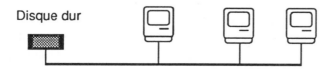

> Attention ! Il existe un produit complémentaire d'AppleShare dénommé LaserShare pour le partage d'une imprimante Laser. Ce produit gère en particulier les priorités d'accès, les tâches et les rapports de la Laser avec le reste du réseau et les files d'attente. Différents postes peuvent ainsi solliciter la Laser et continuer à travailler en toute tranquillité.

Les serveurs répartis

Les serveurs répartis répondent mieux à la tendance naturelle des utilisateurs à garder l'information qui les concerne "sous la main", c'est-à-dire en local sur leur propre disque personnel. Les serveurs répartis autorisent néanmoins l'accès aux fichiers ou aux disques appartenant aux "collègues" éloignés. L'avantage, c'est que chacun gère ses données comme il l'entend, en définissant ses autorisations d'accès. De plus, chacun est responsabilisé (backup, surveillance) vis-à-vis des volumes de son disque. Le désavantage, c'est que ce type de serveur favorise implicitement l'éclatement des données, avec les inconvénients qui s'ensuivent (difficultés des mise à jour, intégrité des données, piratages plus faciles, etc.)

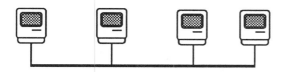

- *Hypernet* : c'est un serveur de fichiers. Il utilise pleinement les avantages des disques SCSI. C'est un serveur réparti sur les différents disques SCSI du réseau. Il permet l'accès simultané au même fichier par plusieurs utilisateurs. Seule ombre au tableau : mot de passe par volume et non par dossier ou par fichier.

- *TOPS* : c'est en même temps un serveur de fichiers et de volumes. C'est la solution idéale pour constituer un serveur réparti. TOPS permet d'accéder à n'importe quel disque du réseau. Son ergonomie est également très grande, car deux accessoires de bureau lui sont associés : un pour contrôler les volumes (montage, dé-montage etc. : Hard Disk Partition) et se positionner sur n'importe quel volume/fichier, et l'autre pour accéder aux fichiers.

L'autre gros avantage de TOPS, c'est qu'il existe une version pour connecter un PC sur Appletalk : TOPS PC 204 (ou la maintenant la Version 2). Il existe également une version de TOPS pour les stations SUN (passerelle vers SUN).

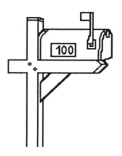

LA MESSAGERIE ELECTRONIQUE

Enfin, l'envoi de messages entre les Macintosh d'un réseau est le summum de ce que l'on peut désirer faire avec un réseau. Si c'est bien utilisé, envoyer des messages coûte moins cher que d'envoyer du papier (qui n'est pas forcément lu). D'un autre côté, envoyer un message sur un Mac que son propriétaire n'allume jamais est peut-être un peu optimiste (à moins que vous ayez adopté cette stratégie afin d'imposer l'usage de la micro dans votre entreprise ?).

La tendance étant à la communication à outrance, il est normal que ce genre de produit fasse son apparition. On en trouve d'ailleurs beaucoup sur le marché. Ces services doivent au moins pouvoir :

- stocker les messages destinés à un destinataire absent (Macintosh éteint) ;

- envoyer des messages de masse (plusieurs destinataires);

- envoyer des messages sur plusieurs réseaux interconnectés.

On trouve donc sur le marché des produits comme :

🍎 *Inbox* : c'est un produit orienté vers les grands réseaux. En cas de réception d'un message, le Mac émet un Bip sonore pendant qu'une alerte défile dans la barre des menus. Les messages sont stockés sur un Macintosh (Mac "Serveur" de messages) en attendant que le destinataire en prenne connaissance, mais ce Mac reste utilisable. Un message Inbox peut aller jusqu'à une trentaine de pages.

🍎 *InterMail* : plutôt orienté vers les petits réseaux. Les messages sont également stockés sur un Macintosh (Mac "Serveur" de messages) en attendant que le destinataire en prenne connaissance. Un message InterMail peut comporter une vingtaine de pages.

Il est possible dans les deux cas de joindre des documents annexes au message et de mettre des mots de passe.

LA SURVEILLANCE

Le panorama était complet, pensiez-vous. En fait non, car il y a encore un mot à dire sur les réseaux : ce que l'on pourrait traduire par "l'œil du maître". Il semble en effet normal de vouloir contrôler les performances du réseau en même temps que le temps de transit des informations sur le système. Il existe à cet effet des utilitaires de surveillance de réseau. Il s'agit principalement :

 De vérifier le bon fonctionnement du réseau ;

 De mesurer les performances du réseau suivant le nombre d'utilisateurs qui y sont connectés ;

 De vérifier le nom des utilisateurs du réseau et leurs priorités.

Il existe dans ce domaine plusieurs logiciels ; parmi les plus intéressants, citons entre autres l'accessoire de bureau *Checknet* fourni avec le réseau Symbtalk, *Traffic Watch* de Farrallon et surtout le logiciel *InterPoll* , très puissant dans les fonctions de diagnostic.

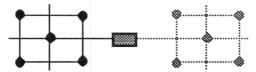

LES PONTS ENTRE RESEAUX

Etablir un pont entre deux réseaux Appletalk n'est pas une tâche insurmontable. Elle consiste à mettre en communication deux réseaux Appletalk dans le but de partager des données, des applications, des messageries. Les supports physiques des deux réseaux peuvent être radicalement différents.

Les solutions existantes pour effectuer ces liaisons ne sont pas très nombreuses. Pour connecter deux réseaux AppeTalk de même support physique entre eux, vous pouvez utiliser :

 Le boîtier *Interbridge* (actuellement non distribué en France, mais disponible aux USA).

 Sans aller chercher la solution si loin, *InterTalk* de P-Ingénierie ou *Symbridge* de Symbiotic effectuent la liaison de deux réseaux Appletalk.

LES PASSERELLES

Les passerelles constituent la touche finale des connections réseau possibles. C'est le grappin jeté vers les autres types de réseaux. Elles seront détaillées dans le chapitre consacré aux relations entre le Mac et les autres mondes (Chapitre 11). On peut néanmoins mentionner dans l'immédiat la passerelle Appletalk-Ethenet :

 Pour connecter deux réseaux de support physique ou logiciel différents (par exemple un réseau Ethernet avec un réseau Appletalk), vous utiliserez le boîtier *FastPath* qui existe en deux versions : FastPath 2 pour du câble Ethernet Standard ;

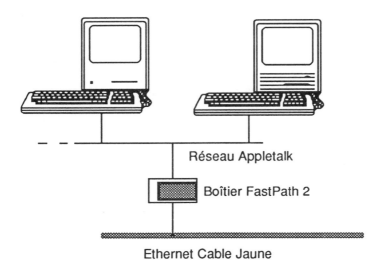

Réseau Appletalk

Boîtier FastPath 2

Ethernet Cable Jaune

 et FastPath 3 pour du câble Thin Ethernet.

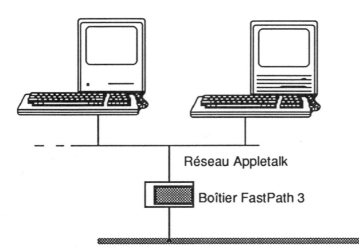

Réseau Appletalk

Boîtier FastPath 3

☞ Par ce boîtier, on peut connecter une imprimante Laser (qui est un réseau Appletalk à elle toute seule !) sur un réseau Ethernet.

Attention ! Les cartes et boîtiers évoqués au début du chapitre (Cartes EtherPort SE, Etherport II et boîtier Ether Sc) sont utilisés pour un seul Mac. C'est un système qui permet de le connecter sur un réseau Ethernet à titre "indépendant". Les boîtiers FasthPath sont très différents : ils interconnectent des réseaux de Mac groupés sur des réseaux Appletalk.

Chapitre 10

Les Problèmes

LA BOMBE

Il n'y a pas grand chose à faire quand la bombe surgit : généralement, tout le travail effectué depuis la dernière sauvergarde sera perdu. Les précautions sont donc à prendre avant son apparition, par un enregistrement régulier, et particulièrement avant d'entreprendre une action demandant de la mémoire. Copier une grande partie d'un document ou d'une image, imprimer, ouvrir un accessoire de bureau, lancer une application sous MultiFinder ou Switcher, déclencher un calcul ou une compilation sont autant d'opérations qui réclament de la mémoire. Elles présentent toutes un risque potentiel de bombe. Bien sûr, la saturation n'est pas la seule cause de bombes; les logiciels eux-mêmes ne sont pas exempts de bugs.

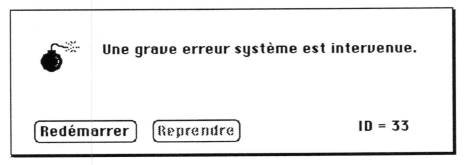

Attention : Le bouton **Reprendre** qui figure dans la bombe est le plus souvent grisé, donc indisponible. Si par bonheur il ne l'était pas, empressez-vous de le cliquer. L'application semble alors continuer de fonctionner normalement. Mais en fait, la bombe a pu causer des dégâts internes, et le Système est dans un état instable. Enregistrez votre travail et redémarrez aussitôt.

La même remarque vaut lorsque, sous MultiFinder, le Mac vous indique que "Le système a inopinément mis fin à l'application" (voir ci-dessous)!

> ☛ Lorsque la bombe apparaît, vous pouvez presser le bouton d'interruption. C'est le bouton du fond sur l'interrupteur double qui se place sur le côté gauche du Mac Plus ou SE (droit sur Mac II), et que nous vous engageons vivement à installer. Une fenêtre se présente alors, munie d'un simple signe ">". Tapez G40F6D8, et miracle, vous revenez au Finder (en principe, mais cela ne fonctionne pas toujours). Cela n'a pas grande utilité, puisque de toutes façons, il vaut mieux redémarrer. Mais si vous travailliez avec un Ramdisque, vous pourrez récupérer le contenu de celui-ci.

PERTES DE MEMOIRE

Les problèmes de mémoire sont à la fois les moins graves que vous rencontrerez mais les plus irritants s'ils se reproduisent trop souvent, car ils entraînent presque systèmatiquement la bombe. Ils peuvent être évités en prenant quelques précautions élémentaires ou en prohibant des utilisations non rationnelles de l'espace mémoire.

Le Macintosh dispose en standard de 1 mégaoctet de mémoire vive, que vous pouvez utiliser à différentes fins. En effet, vous devez y loger:

 Une partie du Système, toujours présente ;

 Une partie de l'application en cours ;

 Tout ou partie du document de travail ;

 La mémoire cache si elle est activée ;

 Le Ramdisque si vous en utilisez un ;

 Le Finder lorsque vous êtes sous MultiFinder (ou dans le Finder lui-même) ;

 Plus quelques autres bricoles : accessoires, INITs, utilitaires, tâches de fond.

On comprend aisément que si vous gérez mal la répartition des ressources mémoire, vous risquez l'explosion (de la bombe !). Il est donc bon de savoir ce que l'on va faire exactement avec son Macintosh et la manière dont on va l'utiliser.

Finder et système

En ce qui concerne le Finder, vous ne pouvez guère agir sur l'occupation de la mémoire. Le bureau prend une taille à peu près constante de la mémoire, soit environ 100 Ko, et le système environ 150-180 Ko. Au total, vous occupez entre 250 et 300 Ko de mémoire pour l'ensemble Système et Finder. Le Finder disparaissant de la mémoire lorsque vous lancez une application, le reste est suffisant pour faire tourner n'importe quelle application du marché.

Vous pourrez facilement utiliser *Switcher* (voir chapitre 5) : deux ou trois applications de taille moyenne se logent facilement dans la mémoire restante. Par exemple, vous utiliserez sans problèmes *Ready Set Go!* , *MacDraw* et *Word* simultanément.

Si vous vous mettez en Multifinder, vous utilisez respectivement 140 Ko pour le Finder et environ 250 Ko pour le système (plus en cas de nombreuses polices ou accessoires). Au total vous occupez donc entre 400 et 450 Ko pour l'ensemble système et MultiFinder et il ne vous reste de la place que pour une grosse application (par exemple *Excel*) ou de quoi faire tourner deux ou trois petites applications. Vous pouvez par exemple faire tourner sans trop de risque *Word*, *MacPaint* et *MacDraw* sous Multifinder, mais il est difficile d'envisager mieux. Dans le cas où vous ne disposez plus assez de place, vous vous heurterez souvent au message suivant (accepter n'est pas sans risques) :

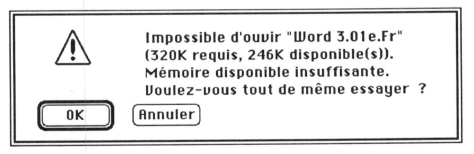

Pire encore, si vous parvenez à saturer la mémoire, vous pourrez sortir brutalement d'une application :

Là, rien à faire, tout travail effectué depuis la dernière sauvegarde est perdu.

On peut donc en déduire que, à moins de disposer d'une extension mémoire, l'utilisation du Multifinder en standard est à proscrire pour des applications trop grosses ou professionnelles. Hypercard, par exemple, ne fonctionne pas correctement sous Multifinder, malgré les possibilités de réduire la taille mémoire allouée. Si néanmoins vous utilisez le MultiFinder, vous ne pourrez pas installer tout ce que vous désirez ou vous risquez des sorties intempestives. Au mieux, le système vous prévient de l'impossibilité de travailler :

Mémoire insuffisante pour HyperCard.
Désactivez la mémoire-cache (au Tableau de bord) ou
le MultiFinder (Fixer le démarrage, menu Rangement).

[OK]

☞ L'astuce, si on peut considérer qu'il s'agit d'une astuce, consiste à ne pas utiliser le Multifinder en standard pour les grosses applications. Par grosses applications, il faut entendre les applications de volume supérieur à 200 Ko ou qui travaillent en mémoire vive. Il faut préférer l'utilisation du Finder associé à Switcher. Vous y gagnez au point de vue place mémoire.

Au niveau Système, vous pouvez agir sur les fichiers INITs : ils prennent chacun quelques Kilo-octets. Il ne faut donc pas en abuser ; certes, ils sont souvent amusants ou impressionnants, mais ils sont consommateurs de mémoire et rarement véritablement utiles.

Mémoire cache

Utiliser la mémoire cache, c'est réserver un espace mémoire qui va de 32 Ko (taille minimale) à une limite qui dépend de la mémoire totale (384 Ko avec 1 Mo), à l'aide du Tableau de bord.

Cette mémoire est utilisée par le Système comme un *tampon* d'entrée-sortie : il s'agit d'une place réservée par le Système pour stocker les morceaux d'applications, les parties de documents, ou même les accessoires de bureau les plus utilisés quand vous travaillez.

Le Système gère la mémoire cache par un comptage statistique des accès disque, et conserve en mémoire les secteurs les plus souvent lus.

Si, par exemple, vous travaillez sur *MacWrite* et que vous changez souvent de police de caractères, les différentes polices utilisées seront chargées directement dans la mémoire cache pour éviter au Système de devoir les lire sur le disque à chaque utilisation. Elle est également utilisée dans le processus d'impression puisqu'elle fait office de tampon d'impression en l'absence de véritable spooler.

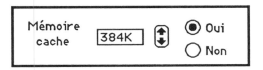

La mémoire cache est donc un outil fort utile s'il est manié avec précautions. Il faut éviter de la surdimensionner, il ne resterait plus de place pour travailler ; trop petite, elle ne sert à rien. Une taille de 100 Ko semble raisonnable (plus si vous avez une extension mémoire).

> Attention ! Dans certains cas limites, la mémoire cache peut avoir des conséquences néfastes : si vous sauvegardez régulièrement vos documents, il se peut que votre document ne soit pas enregistré sur disque mais dans la mémoire cache. En cas de problèmes, (bombe, panne de courant, etc..) votre document censé être sauvegardé sur disque se trouve en réalité en mémoire cache, dont le contenu disparaît intégralement dans le "plantage".

C'est une des raisons pour lesquelles la mémoire cache n'est pas toujours recommandée. Lorsqu'elle est active, vérifiez que le disque tourne lors d'un enregistrement (à l'oreille pour une disquette, ou en surveillant la lumière rouge pour un disque dur) : c'est la garantie que les données sont effectivement écrites dessus. Au besoin, faites un **Enregistrer sous...**, et cliquez "Remplacer".

> Attention ! Lorsque vous activez, désactivez ou modifiez la mémoire cache, la modification ne prend effet qu'au lancement d'une application. Tant que vous restez sur le bureau (ou dans une application), les changements sont inopérants.

L'utilisation de la mémoire cache n'est pas réellement souhaitable sous Multifinder. En principe, la mémoire cache n'est pas source de problèmes pour l'utilisateur. Seule la contention créée par une taille de mémoire cache trop grande est à craindre.

Ramdisque

Le Ramdisque a déjà été évoqué (Chapitre 3). Le Ramdisque est particulièrement conseillé au possesseurs de Macintosh Plus et qui n'ont pas de disque dur ni de lecteur externe.

En cas de bombe alors qu'un Ramdisque est actif, vous pouvez essayer de presser le bouton d'interruption (le plus au fond sur l'interrupteur que le Mac porte sur le côté, et taper G 40G6D8. Avec un peu de chance, vous reviendrez au Finder, où le Ramdisque sera intact.

L'inégalité des applications devant la mémoire...

On doit considérer qu'effectivement, les applications sont inégales devant la mémoire. Il existe en effet deux types d'applications :

 Les applications qui se chargent quasiment intégralement en mémoire pour travailler. C'est le cas par exemple du Finder, ou de *Ready set Go!* En cours d'utilisation, ces applications ne feront pas ou peu d'accès au disque pour charger un morceau de programme nécessaire au travail demandé. Ce sont les applications préférées de l'utilisateur de petites configurations, puisqu'il n'aura pas à faire de multiples jongleries avec ses disquettes pour travailler. Le revers de la médaille, c'est que ces applications ont besoin de mémoire.

 Les applications qui ne sont pas chargées intégralement et qui sont peu gourmandes en mémoire. A chaque besoin d'un morceau de programme non présent en mémoire, ces applications font un accès disque. *Word 3* ou *MacWrite* en sont des exemples. C'est avec elles que les Ramdisque ou la mémoire cache prennent tout leur sens.

Les problèmes que vous rencontrerez avec les applications à chargement partiel (on dit la *segmentation*) seront la lenteur de fonctionnement, et parfois des crashes si le chargement de telle ou telle partie de programme s'est mal passé.

...et celle des documents

Le problème précédent est identique pour les documents : ils peuvent également être fragmentés suivant l'application qui les pilote. Cela vous obligera aussi à gérer la mémoire suivant l'application que vous utilisez. Ainsi, vous devez savoir qu'il y a des applications qui conservent le document de travail intégralement en mémoire et d'autres qui ne chargent que la partie sur laquelle vous travaillez, le reste étant stocké sur disque. Voici quelques exemples des deux catégories :

 Celles qui conservent le document en intégralité en mémoire : *MacPaint, Ready Set Go!, Excel, Mac 3D*. Elles sont plus rapides (pas d'accès disque), mais la taille du document est limitée par la mémoire disponible. Mettez une ou deux images digitalisées dans *Ready Set Go!*, et vous verrez que le nombre de pages possibles devient très réduit...

 Celles qui ne conservent en mémoire que la partie "travaillée" : *MacWrite, Word, Mac Draw*. Elles sont plus lentes, mais le document n'est limité que par la place libre sur le disque.

DES PROBLEMES DE DISQUES

Les médias, ce sont les supports que vous utilisez pour stocker vos données, c'est-à-dire les disquettes et les disques durs. Ils ne sont pas sujets aux mêmes types de problèmes : une disquette d'environ 800 Ko ne se traite pas de la même manière qu'un disque contenant 20 Mo et la réparation ne se fait pas avec la même appréhension sur les deux supports. Néanmoins, la plupart des problèmes peuvent s'y poser avec la même acuité.

Les disquettes

Disquette coincée

Seul le Mac a le droit de faire sortir une disquette d'un lecteur. Si vous essayez de la tirer vous même hors de son lecteur, vous pouvez endommager irrémédiablement ce dernier.

En temps normal, vous éjectez une disquette de différentes façons :

 Sur le Finder, vous pouvez la sélectionner et demander **Ejecter** (menu **Fichier**), taper Commande-E, ou la mettre à la poubelle ;

 Dans une application, le mieux est de demander **Enregistrer sous...**, de cliquer **Ejecter**, puis d'**Annuler**.

Par ces méthodes, le Mac sait que vous avez éjecté la disquette.

Dans certains cas, cela ne fonctionne pas. Vous pouvez alors taper Commande-Majuscule-1 ou 2 pour éjecter la disquette contenue dans le lecteur interne ou externe. Mais il vaut mieux réserver cette commande à des cas d'urgence, car dans ce cas, le Mac ne "sait" pas que la disquette est éjectée (en d'autres termes, elle est toujours montée).

> Attention ! De toutes façons, n'insérez jamais une disquette éjectée par cette méthode dans un autre Mac (voir chapitre 3).

En conséquence, ne travaillez jamais simultanément avec deux Mac sur une même disquette, même avec des documents différents.

Enfin, si une disquette ne veut vraiment pas s'éjecter, redémarrez le Mac en maintenant le bouton de la souris enfoncé : toutes les disquettes insérées sortiront d'elles-mêmes.

> Attention ! N'employez pas de trombone pour faire sortir une disquette ; si cette manière était admise par les anciens lecteurs 400 K, elle abîme les lecteurs 800 K.

Dépassement de capacité

Vous pouvez remplir vos disquettes à volonté -il est même conseillé de s'obliger à les remplir : pourquoi perdre de la place?- mais là comme partout il faut de la mesure. En effet, lors de chaque modification du contenu d'une disquette, le système met à jour le Desktop, fichier contenant les icônes et autres informations sur le contenu du disque. Si vous remplissez vos disquettes avec excès, vous risquez quelques petits ennuis : la mise à jour du Desktop devient impossible, faute de place. Et quand vous éjecterez votre disquette, le système déclarera :

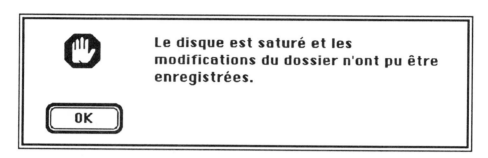

Pire encore ! Si vous avez vraiment trop rempli votre disquette, si elle est pleine à craquer de documents ou de logiciels, vous pourrez altérer le Desktop. A ce moment là, chaque fois que vous essayerez de lire la disquette, le Système prévient :

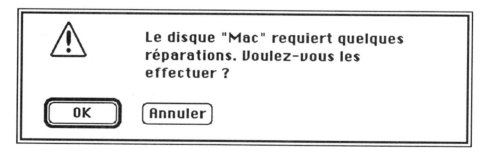

Vous avez tout intérêt à accepter les réparations. Lorsqu'elles sont effectuées, le disque redevient lisible normalement. Mais gare, si vous ne récupérez pas quelques Ko, à la prochaine utilisation, même punition... Donc, n'encombrez pas vos disquettes et surveillez leur remplissage.

Les problèmes à l'enregistrement

Il peut se produire des problèmes lors de l'enregistrement des documents. Malheureusement, les applications sont souvent avares de détails sur la nature des ennuis, et le plus souvent, seule une alerte peu claire ou ambiguë est affichée.

Dans un premier temps, lorsque des problèmes surgissent, essayez d'**Enregistrer** votre document **sous** un autre nom, et de préférence sur un autre disque. Vous y réussirez généralement, car les difficultés viennent la plupart du temps du disque ou du document lui-même.

Examinons les cas les plus fréquents :

 Le plus simple se produit si vous essayez d'enregistrer votre document sur un disque protégé en écriture. Cela arrive plus souvent que vous ne le pensez, car le dialogue de sauvegarde ne précise pas toujours ce détail (!). Mac Paint et Mac Write par exemple le signalent lisiblement :

Vérifiez donc si le disque est verrouillé : Cliquez **Enregistrez sous…**, éjectez le disque concerné, déverouillez-le en déplaçant la petite tirette de manière à boucher le trou, puis réinsérez-le. Tentez alors l'entregistrement.

Vous pouvez aussi éjecter directement le disque depuis le document par Commande-Majuscule-1 . Déverouillez-le, mais ne le réinsérez pas, attendez au contraire que le Mac le réclame.

 Une autre cause de problèmes provient du fait que vous aviez ouvert un document verrouillé ; vous travaillez dessus, puis vous voulez l'enregistrer pour conserver les modifications. Là aussi, les applications réagissent différemment, de manière plus ou moins explicite : *MacPaint*, par exemple, déclare clairement :

Ce qui ne l'empêche d'ailleurs pas de vous demander, après la commande **Fermer** ou **Quitter**, si vous voulez enregistrer les modifications!

MacWrite, lui, n'autorise aucune modification (essayez de modifier un document venant d'un disque verrouillé..). Il affiche directement l'alerte suivante à la première frappe de touche:

Le document ou le disque est verrouillé. Veuillez le déverrouiller et recommencer.

OK

---

* De même, si vous tentez d'enregistrer sur un disque où la place est insuffisante, une alerte vous le signale (en principe, car il y a des applications qui... mais ne soyons pas mauvaise langue!). Enregistrez alors sur un autre disque par la commande **Enregistrer sous...**

* Dans de nombreuses applications, l'enregistrement d'un document libère de la place en mémoire. Donc, si le Mac vous informe que "La mémoire est bientôt saturée", enregistrez votre travail.

A quelle application se rapporte mon document ?

Normalement, l'icône du document doit vous renseigner : la plupart des programmes du commerce ont des icônes personnalisées, et créent des documents dotés d'une icône particulière .

Il y a pourtant des cas (rares) où les documents perdent leurs icônes propres, et sont affichés avec l'icône standard. Cela se produit lorsque le Desktop a été altéré. Les icônes originales des documents reviendront toutes seules au fur et à mesure que vous insérerez les disques contenant leurs applications.

Un autre moyen de savoir à quelle application se rapporte un document est de **Lire les informations**. Malheureusement, le Finder n'y donne le nom de l'application à laquelle appartient un document que si le disque contenant celle-ci a été inséré depuis le dernier retour au bureau. A moins d'insérer successivement tous vos disques, et de lire les informations à chaque fois, ce qui serait pour le moins fastidieux, cette méthode ne permet donc de retrouver l'application d'un document "orphelin" que si l'on a un disque dur!

Les documents les plus difficiles à identifier sont les fichiers du **Tableau de bord** et les INITs. Leur icône les assimile à des applications, tandis que les informations les qualifient de "document", sans autre précision.

Face à une telle icône, on peut tout simplement essayer de lancer le document : si l'application créatrice se trouve sur le disque, elle démarrera. Sinon, le Finder répondra :

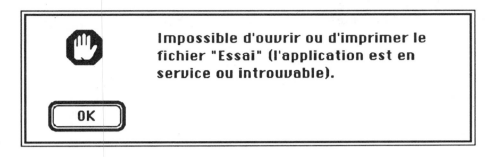

Les disques durs

Les problèmes des disques durs sont identiques à ceux des disquettes, exceptés les problèmes liés à l'enregistrement sur un disque verrouillé : un disque dur ne se verrouille pas. Par contre, les problèmes de capacité et de saturation sont exactement identiques. Néanmoins, il est beaucoup plus rare de saturer un disque dur qu'une disquette, bien qu'un disque dur ait toujours une fâcheuse tendance à se remplir très, très vite !

Les disques durs sont beaucoup plus fragiles que les disquettes et sont donc plus vulnérables aux pannes de courant ou aux inconvénients d'un transport brutal. En conséquence, les problèmes que vous aurez avec les disques durs, en dehors de ceux déjà mentionnés, seront généralement plus soudains qu'avec les disquettes.

Les problèmes les plus fréquents sont de plusieurs sortes :

 Votre disque est le disque de démarrage contenant le Système et l'application de démarrage (généralement le Finder). Vous allumez le Macintosh et, à votre effroi, le Finder n'apparaît pas : l'écran reste gris, exhibant l'icône d'une disquette avec un point d'interrogation clignotant. Par contre, le Macintosh démarre normalement avec une disquette système, et vous voyez apparaître l'icône du disque dur avec tous ses fichiers : cela signifie que le Système est endommagé. Remède : recopier un Système en bonne santé sur le disque dur (d'où l'intérêt d'en garder une copie). Notez que ce genre d'ennui peut aussi se produire avec les disquettes systèmes.

 Le pire des cas se produit lorsqu'il est impossible de faire apparaître l'icône du disque dur, quelle que soit la manière utilisée pour démarrer. Vérifiez d'abord les connexions, s'il s'agit d'un disque externe. Si tout va bien de ce côté, la situation est grave. A la suite d'un incident quelconque, vous avez endommagé un ou plusieurs secteurs de votre disque, qui contiennent les octets de lancements du disque (*boot blocks*). La *table d'assignation* peut, elle aussi, avoir été endommagée (la table d'assignation est la partie du disque dur qui contient la description des noms, localisation des fichiers qu'il contient). Dans ces cas extrêmes, il faut faire appel à des outils spécialisés qui vous permettront de retrouver vos fichiers ou, du moins, tout ce qui en est récupérable.

 Le Mac commence à démarrer normalement, affiche le traditionnel "Bienvenue", puis déclare "Impossible de lancer le Finder". Cela veut dire que l'application sur laquelle le démarrage est fixé (généralement le Finder, mais le message est le même sinon) est absente ou abîmée .

S.O.S.Disque

S.O.S. Disque

SOS Disque est un outil livré avec le Mac, sur la disquette Utilitaires. Son utilité est extrême en cas de crash de disque (ou de disquette), car ses possibilités sont nombreuses :

 Il identifie les volumes et en particulier les disques SCSI ;

 Il identifie les disques dont l'icône n'apparaît pas sur le bureau ;

 Il vérifie : si vous avez un doute sur l'un de vos disques, n'hésitez pas à le faire contrôler par S.O.S. Disque.

 Il répare dans la mesure du possible tous les disques. Une option permet même d'activer un mode "Réparation automatique au lancement de S.O.S. Disque" ;

Une fois lancé sur un disque, S.O.S. Disque (dont le mode d'emploi est donné dans le manuel "Guide des utilitaires", joint à votre Macintosh") fournit différents diagnostics :

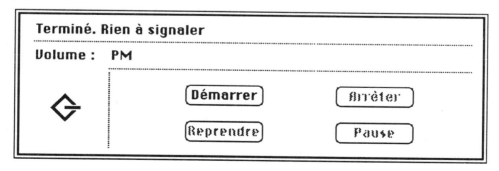

 Votre disque n'a absolument rien. Tout va bien.

🍎 Un message vous prévient que le disque nécessite des réparation que vous pouvez décider de réaliser ou non. Dans le cas où l'option de réparation automatique est activée, ce message n'apparaît pas, et la réparation est effectuée d'office. La réparation remet votre disque d'aplomb si c'est possible, ce qui n'est pas toujours le cas. Le message "Impossible d'achever la réparation" peut vous avertir que tout ou partie du disque est gravement endommagée. Dans ce cas, avant de réinitialiser le disque, il faut essayer d'autres utilitaires de "recollage" (par exemple Disk Express, voir ci-après).

🍎 Le pire des cas se produit quand la réparation n'est pas envisageable. Le message "Impossible de vérifier l'état du disque" sonne le glas de vos espérances. Le disque devra sous doute être réinitialisé.

> Attention ! Si votre disque dur contient des informations vitales, ne tentez rien, et rapportez-le chez votre revendeur ; en effet un technicien peut parfois récupérer des données sur un disque qui paraît inutilisable.

DiskExpress

DiskExpress

C'est un utilitaire au moins aussi précieux que S.O.S. Disque, puisque vous disposez avec ce logiciel des mêmes types de contrôles. En plus, certaines options d'optimisation de l'espace disque et des fichiers sont réellement très utiles. Les fonctions de ce logiciel sont les suivantes:

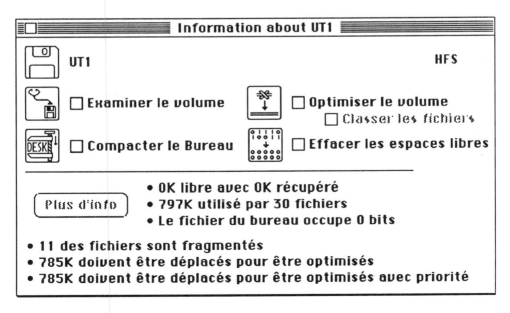

 Examen du volume et réparation si des problèmes sont détectés. Partant du principe que deux vérifications valent mieux qu'une, cette option doit être utilisée en complément de celle de S.O.S. Disque, si cette dernière échoue.

 Compactage du bureau (c'est-à-dire du Desktop déja évoqué précédemment). Le bureau est reconstruit (mais vous perdez les données que vous avez pu taper dans la fenêtre **Lire les infomations**).

 Optimisation du volume du disque. C'est l'option la plus intéressante du logiciel : il faut savoir que tous les fichiers (applications, documents, etc.) sont stockés sur les disques en plusieurs morceaux à des emplacements qui ne sont pas forcément consécutifs. Un document de traitement de texte, par exemple, peut être découpé de telle manière que les premières pages sont stockées sur le bord du disque alors que la fin est stockée au centre. On dit que le fichier est *fragmenté*. La fragmentation permet d'utiliser des espaces qui seraient trop petits pour contenir le document entier. A l'utilisation, vous ne vous apercevez de rien, puisque c'est le Système qui "recolle" les morceaux à la relecture ou en modification. Seulement, plus le document est fragmenté, plus le temps de reconstruction est long et plus la structure du disque devient anarchique.

Par ailleurs, sur un disque mal structuré, on perd de la place. Optimiser le volume consiste donc à recoller les morceaux du mieux possible pour tous les fichiers du disque : on gagne ainsi de la place et du temps. L'opération de restructuration peut prendre assez longtemps. Elle n'est, en principe, pas dangeureuse pour le disque, à moins qu'une malencontreuse coupure de courant ne vienne tout interrompre, auquel cas il faudra réinitialiser le disque. Soyez donc sûr d'avoir fait une sauvegarde totale du disque avent l'opération. Une option supplémentaire permet de classer les fichiers.

 Effacement des espaces libres. Quand vous supprimez un fichier du disque en le jetant à la corbeille, le Système ne détruit pas réellement le fichier octet par octet : cela prendrait trop de temps (il faut détruire tous les morceaux, voir le point précédent). Au lieu d'effacer tout, le système va détruire dans la table d'assignation du disque le nom du fichier détruit : détruire ce nom signifie implicitement "la place prise jusqu'a présent par ce fichier est maintenant libre, on peut écrire par dessus".

Vous voyez donc que si la référence du fichier est détruite, le fichier lui-même est en réalité toujours totalement présent sur le disque (il est donc parfois possible de le récupérer, voir ci-dessous). L'option d'effacement des espaces libres réalise une remise à blanc réelle des espaces disques inutilisés. Elle permet de disposer alors d'un disque épuré des éventuels logiciels bug-gés ou ayant contenu des virus par exemple, et donne l'assurance que personne ne pourra plus récupérer les fichiers effacés (confidentialité)..

RECUPERER UN DOCUMENT JETE A LA POUBELLE

Le Mac, et tout spécialement le Finder, prend la peine de vous demander confirmation lorsque vous jetez une application à la poubelle. Par contre, lorsqu'il s'agit d'un document, aucune alerte n'intervient. Nous avons vu (chapitre 5) à quel moment la poubelle se vide. Mais si, par malheur, vous avez jeté inopinément un document important, et que la poubelle soit vidée, ne pleurez pas encore toutes les larmes de votre corps, car tout n'est pas perdu !

Personne n'est à l'abri d'une erreur de manipulation. L'un de nous à même jeté par mégarde à la poubelle 20 pages du présent ouvrage, avant d'en avoir fait la moindre copie de sauvegarde ! ! !

Comme nous venons de le dire, un fichier jeté n'est pas effacé réellement du disque ; seul son emplacement dans la table d'assignation est marqué comme libre.

Donc, la première chose à faire, ou plutôt à ne pas faire, c'est éviter d'écrire sur le disque. N'enregistrez plus aucun document, arrêtez de travailler (du moins avec ce disque). S'il s'agit d'un disque dur, redémarrez avec une disquette système.

Tout d'abord, certains utilitaires savent récupérer automatiquement les fichiers détruits : c'est le cas de *Mac Zap*, de *Mac Tools*, et de *First Aid 2.0*. C'est à eux qu'il convient de s'adresser en premier lieu (tout en faisant attention de ne rien écrire sur le disque concerné). Si la récupération échoue, et en l'absence de technicien confirmé, vous pouvez tenter la manœuvre décrite ci-dessous.

> Attention ! La manipulation que nous allons vous indiquer servira surtout si le document jeté est essentiellement composé de texte ; s'il est d'une autre nature, demandez à un technicien de le faire pour vous, car il faudra dans ce cas connaître les formats exacts de stockage.

Il vous faut un utilitaire spécial, nommé *Fedit Plus*. Lancez-le, et ouvrez le disque concerné. Demandez **Open volume**, menu **File**. Ensuite, essayez de vous souvenir d'un mot très caractéristique du texte perdu, et qui, si possible, ne figure dans aucun autre document du même disque. Vous allez demander à Fedit de trouver ce mot en explorant un à un tous les secteurs du disque : Demandez **ASCII Search** (recherche ASCII), et tapez votre mot ou tournure de phrase (32 caractères maximum). Cliquez le bouton **Find string** (trouver la chaîne).

Au bout d'un temps plus ou moins long, suivant la taille du disque et l'emplacement du fichier, Fedit trouve ce que vous lui avez demandé (sinon, vous vous êtes trompé de mot, ou vous avez écrit sur le disque avant l'opération, et écrasé vos données ; dans ce cas, il n'y a plus rien à faire). Ne vous inquiétez pas si le texte paraît un peu bizarre, Fedit ne sait pas afficher les accents, et remplace tous les caractères accentués par des points.

En cliquant dans l'ascenseur horizontal, déplacez-vous jusqu'au début du texte, et notez le numéro du "Sector" où il commence. Ensuite, toujours avec l'ascenseur, allez cette fois à la fin du texte, et notez de nouveau le numéro du secteur où elle se trouve.

A ce niveau, vous pouvez avoir la malchance que votre document ait été fragmenté sur le disque. Dans ce cas, il faudra essayer de trouver un mot se trouvant dans toutes les parties fragmentées, pour reconstituer le puzzle. Pas facile, mais la prochaine fois, vous irez moins vite avec la poubelle !

Demandez **Multiple Sectors Read** (menu **Special**). Indiquez le numéro du premier secteur, et le nombre de secteurs à lire (différence entre le début et la fin). Ces secteurs vont être lus dans des *buffers* (tampons), que vous pourrez ensuite écrire dans un fichier, recréant ainsi le texte perdu.

Laissez 0 pour le premier buffer, et cliquez OK. Les secteurs correspondants sont lus et placés dans autant de buffers qu'il y a de secteurs lus. Si le fichier est fragmenté, repérez la suite, et placez-la dans les buffers suivants. Lorsque tout le texte est dans les buffers, demandez **Create File**, pour créer le fichier qui recevra votre texte. Donnez-lui un nom, et cliquez OK. Il ne reste plus qu'à demander **Write sectors to File...** (menu **Special**), pour écrire le texte dans le fichier. Indiquez le nombre total de buffers à écrire.

> Attention ! Ne faites cette commande que lorsque tout le texte est retrouvé, sinon vous risquez d'écraser la suite au moment de l'écriture.

C'est presque fini. Il reste à indiquer que votre nouveau fichier est de type TEXT, ce que vous ferez à l'aide de la commande **File Finder attributes** (menu **Display**), après l'avoir ouvert à l'aide de **Open File** du menu **File**. Quittez Fedit : miracle, sur le bureau se trouve une nouvelle icône d'un document texte, que vous pourrez ré-inclure dans un traitement de texte.

Et voilà...Ouf !

TRAITEMENT ANTI-VIRUS

Objets inanimés, avez-vous donc une âme ? Dans le cas des micro-ordinateurs et en particulier du Macintosh, on peut se poser la question puisque maintenant, votre ordinateur favori peut tomber malade ! Les virus sont apparus depuis début 1988. Ce sont de petits programmes, aussi astucieux que néfastes, qui se logent dans le fichier Système, dans le Finder, dans les applications ou ailleurs, et qui ont deux propriétés principales :

 Ils se reproduisent (si, si, comme les vrais...) de disquettes en disquettes, tout en ne refusant pas de se fixer sur les disques durs. Leur propagation peut difficilement être enrayée, et leur détection est relativement complexe.

 Le but des virus est, en général, de détruire. Ils sont programmés pour se déclencher sur un événement donné : changement de date, heure fixée, séquence de touches particulière, etc.

Mais plus grave, les virus peuvent aller jusqu'à détruire le contenu de tous les disques qui sont à leur portée à ce moment-là. Il peuvent se déclencher avec ou sans dialogue préalable. Un des virus les plus répandus demande à l'utilisateur "I want a cookie !" (Je veux un petit gâteau !) . Si cela vous arrive, frappez au clavier sans trembler "get cookie" et le virus se rendormira, jusqu'à une prochaine fois. Ne faites surtout pas retour chariot sans lui répondre, sinon c'est le début de l'apocalypse pour vos disques. De manière générale, devant tout dialogue un peu bizarre apparaissant brusquement à l'écran , méfiez-vous et réfléchissez avant de répondre. De toutes façons, sachez que redémarrer le Macintosh à ce moment-là ne changera rien au problème : le virus reviendra quasiment tout de suite. Il y a peu de chances que vous puissiez le désactiver avant.

Les virus viennent le plus souvent de logiciels piratés ou du domaine public. Si vos logiciels sont d'origine, vous ne risquez en principe rien, bien qu'on ait vu des éditeurs contaminés vendre -à leur insu- des produits malades. Pour une entreprise, le problème est plus difficile à traiter, car, même si elle achète ses logiciels, peut-elle vraiment contrôler tous les utilisateurs, plus ou moins devenus amateurs de Macintosh ?

Le moyen actuel le plus sûr de se prémunir des virus, c'est le vaccin (logique non ?). Ils sont prévus pour prévenir tous les virus qu'ils détectent. Cela ne signifie d'ailleurs pas qu'ils parviennent à identifier tous les virus existants, et encore moins ceux à venir. Il existe de nombreux programmes vaccins. Par exemple le "Vaccine" affiche une petite seringue dans la barre de menu et est activé en permanence ; Anti Virus est une application qui doit être lancée ; d'autres sont paramétrés dans le Tableau de bord. Mais, tout comme les microbes deviennent réfractaires aux antibiotiques, les virus Mac apprendront sûrement à déjouer les vaccins.

Notez que les programmes de dépannage des disques comme S.O.S. Disque et Disk Express ne peuvent absolument rien contre les virus.

Le problème reste donc entier. Si vos données sont d'une importance vitale, faites en régulièrement plusieurs copies de sauvegarde. On n'a pas encore vu de virus s'infiltrer tout seul dans l'armoire ou la boîte de rangement !

Pour être plus prudent, il ne faut jamais copier directement une nouvelle application, qu'elle soit achetée "légalement", ou importée d'une autre disquette, sur le disque dur. Démarrez sur une disquette, dont vous aurez pris soin de noter la taille du Système et du Finder, à l'octet près (lire les informations). Si vous avez un disque dur, déconnectez-le, ou mettez son icône à la poubelle. Lancez ensuite l'application plusieurs fois de suite, travaillez un peu avec.

Après avoir quitté, vérifiez que le Système et le Finder n'ont pas changé de taille. Si la taille est modifiée, l'application est suspecte, car une application saine ne doit théoriquement pas y toucher.

AntiVirus© 1.1

INDICATION
Traitement des disques contre le virus "nVIR"

P•INGÉNIERIE

POSOLOGIE
Une seule application est suffisante pour traiter un disque contaminé.
Dans un but préventif, appliquer une à trois fois par mois.

PRECAUTIONS D'EMPLOI
Ne pas appliquer sur le disque de démarrage du Macintosh, ni sur le disque
contenant ce médicament. Il faut donc démarrer le Macintosh et ouvrir
AntiVirus à partir d'un disque différent de celui que l'on désire traiter.

Nécessite un Macintosh ayant des ROM 128K ou plus.

**La distribution et l'utilisation de ce médicament à des fins
non commerciaux sont libres.**

[Quitter]   [Continuer]

LABORATOIRES P-INGENIERIE – 10, rue Mercœur – 75011 Paris

Philippe Cloche   Imad Alosstaz   Phillippe Coanet

Enfin, les plus méticuleux iront compter avec ResEdit (voir chapitre 13) le nombre de ressources du Système, du Finder et de l'application après et avant le lancement. Toute différence est suspecte. Quant à la présence d'une ressource nVIR, elle démontre l'infection.

Si jamais vous trouvez une ressource nVIR dans l'une de vos applications, il est fort probable que les autres sont infestés aussi. N'essayez pas de le vérifier, car ResEdit lui-même est alors contaminé, et il souillerait les applications à tester. Il faut, comme indiqué ci-dessus, redémarrer avec un Système/Finder/ResEdit propre, et vérifier une à une les applications. Toute application contaminée doit être détruite impitoyablement. Et tant pis pour les logiciels protégés qui ne supportent qu'un nombre limité d'installations…

Soyez donc prudent, la menace arrive presque toujours par des disquettes "passées" par un ami.

LES PROBLEMES A L'IMPRESSION

L'impression d'un document, même si elle est exécutée sur Macintosh, n'est pas une opération simple et exempte de problèmes. Quand vous imprimez, la chaîne d'opérations qui se déroule est complexe (voir Chapitre 7) et les incidents qui peuvent se produire sont aussi nombreux qu'imprévus. En cas de problème, le plus simple consiste à remonter la chaîne d'impression et de vérifier qu'à chaque niveau tout est correct. Quand vous imprimez il y a trois possibilités :

 Vous ne réussissez pas à imprimer votre document. L'imprimante reste désespérément muette ;

 Vous réussissez à imprimer mais le résultat n'est pas celui attendu ;

 Le résultat obtenu est conforme à ce que vous souhaitiez. C'est heureusement ce qui se passe le plus souvent !

Vous ne réussissez pas à imprimer

Prenons la chaîne d'impression élément par élément.

Le sélecteur

Tout d'abord, le sélecteur. Pièce maîtresse de la chaîne d'impression. Il est utilisé pour   choisir le support d'impression, contrôler Appletalk ou visualiser à l'écran le résultat d'une impression (avec Preview). Par conséquent, quand votre impression échoue, il faut contrôler sur le sélecteur :

 L'imprimante est-elle sélectionnée ? Dans le cas d'une Laser (ou d'une ImageWriter avec carte Appletalk), vous devez non seulement cliquer sur le type d'imprimante voulu, mais encore en sélectionner une dans la liste (même s'il n'y en a qu'une). Si vous êtes sur un réseau, assurez vous que l'imprimante sélectionnée est celle que vous désirez : nombreux sont ceux qui attendent leur "papier" devant l'imprimante du 2ème étage pendant qu'il sort tranquillement au 3ème... Une mauvaise sélection est la cause la plus fréquente d'absence d'impression.

 La bonne connexion du réseau Appletalk : doit être positionné sur "**Connecté**" pour tout Macintosh placé sur un réseau. Pour les imprimantes LaserWriter SC et Image Writer connectées à un seul Mac, il n'est pas nécessaire d'activer le réseau Appletalk.

> Attention ! il n'est pas sûr que vous puissiez modifier la configuration d'Appletalk à tout instant. Celui-ci peut en effet être utilisé par d'autres éléments. Vous pouvez être amené à déconnecter certains de ceux-ci pour pouvoir imprimer :

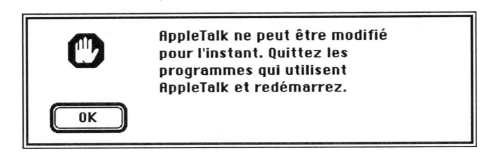

 Il se peut même que votre Système ne soit pas à jour, et ne contienne pas le driver Appletalk :

 Avec l'ImageWriter, le port choisi est-il celui auquel l'imprimante est effectivement reliée ?

L'imprimante voulue n'apparaît pas

Si vous imprimez sur imprimante Laser, avez-vous les fichiers LaserWriter et Laserprep dans votre dossier système ?.

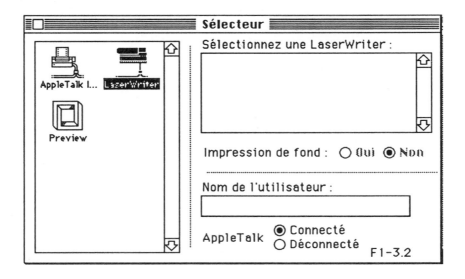

Pour les possesseurs d'ImageWriter, ces fichiers ne sont pas nécessaires, mais ils leur faut par contre le driver ImageWriter.

Si les fichiers sont présents, les icônes apparaissent dans le sélecteur. Si l'imprimante Laser ne s'affiche pas dans la liste, c'est soit que cette dernière n'est pas sous tension (ou pas encore chaude), soit que les connexions Appletalk sont défectueuses. Un des problèmes les plus fréquents est celui des câbles d'imprimantes.

Le réseau Appletalk est un "Bus", ce qui signifie que le réseau n'est pas une boucle fermée. Bien souvent, les problèmes d'impression viennent simplement d'une déconnexion sur le réseau (quelqu'un s'est pris les pieds dans le fil ...) ou d'un mauvais branchement (le bus ne doit pas finir dans le vide). Rappelons à titre indicatif le branchement correct des câbles :

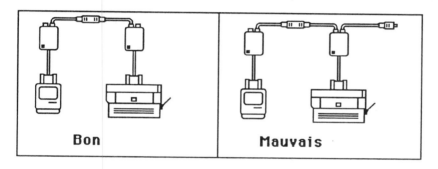

Les drivers

> Attention ! LaserWriter et LaserPrep vont par paire. Si vous tentez d'imprimer avec une version de LaserWriter non compatible avec celle du LaserPrep qui a effectivement initialisé la Laser, vous obtiendrez une alerte.

Cela signifie que toutes les versions de LaserPrep/LaserWriter ne sont pas les mêmes sur tous les Mac du réseau. Le remède est simple : homogénéisez les versions, redémarrez la Laser, et tout rentrera dans l'ordre.

> Attention ! le problème peut aussi apparaître si un des postes imprime avec *Page Maker*. En effet, ce dernier possède son propre LaserPrep, qu'il nomme Aldus Prep. Si vous avez des problèmes d'impresion avec Page Maker, cliquez le bouton **Change...** dans le dialogue d'impression, et le bouton **Apple** dans le nouveau dialogue qui apparaît. Vous utiliserez ainsi LaserPrep au lieu d'Aldus Prep, et tout fonctionnera correctement.

L'imprimante

L'imprimante est bien sûr très souvent la cause principale d'une absence d'impression. Les quelques questions suivantes vous aideront à faire un check-up des raisons qui peuvent l'empêcher d'imprimer :

Pour les imprimantes laser :

🍎 Y a-t-il du papier dans le bac ? Le bac à papier étant de capacité limitée, il se vide très vite. Dans ce cas, le Macintosh signale cette absence par un "Bip" régulier avec parfois (mais pas toujours) un message à l'écran (**Printer is out of paper**).

🍎 Le câble est-il bien branché sur l'imprimante ? En particulier pour les imprimantes Laser, votre cable d'arrivée peut fort bien être branché sur le port série (utilisé par ailleurs pour imprimer sur d'autres types de matériels) au lieu du port Appletalk.

🍎 Y a-t-il encore de l'encre dans la cartouche (toner) ? On a toujours tendance à tirer sur les cartouches d'encre. Même si l'absence d'encre ne peut pas arrêter une impression, il est bon de la changer à temps. Généralement, quand vous commencez à avoir de grandes traînées noires sur vos documents, il est largement temps de la changer.

🍎 N'y a t-il pas une feuille coincée dans l'imprimante ? Un utilisateur inélégant peut parfois avoir laissé traîner les résidus d'une impression qui s'est mal passée (papier coincé dans le rouleau). La lampe rouge, témoin de bourrage, est alors allumée. Pour remettre l'imprimante en état, il faut alors l'ouvrir, retirer le papier et la redémarrer

L'ImageWriter, quant à elle, doit être :

🍎 Branchée ;

🍎 Connectée au port (Imprimante ou Modem) sélectionné ;

🍎 Allumée (non, ne riez, pas, cela arrive d'attendre devant une imprimante éteinte…) ;

🍎 "Sélectée" : le voyant Select doit être allumé.

L'appication et le document

Il peut arriver que l'application, soit parce qu'elle est "buggée", soit parce que le document est trop gros par exemple, ne puisse imprimer. Dans ce cas, il vaut mieux réessayer en découpant (si cela est possible) le document. Par sécurité, redémarrez même tout le système, y compris l'imprimante.

Souvenez vous aussi que les spoolers (et l'impression de fond) ont besoin de place sur le disque ; s'il n'y en a pas assez, l'impression échoue.

Vous réussissez à imprimer, mais le résultat n'est pas celui attendu...

Nous entrons là de plain-pied dans le domaine du gâchis de papier. Il arrive très souvent que le résultat d'une impression ne soit pas à la hauteur des espérances. Pour obtenir toujours ce que vous désirez, rappelez vous des points suivants à vérifier avant toute impression :

🍎 Les dimensions du document à imprimer : en général, le papier au format A4. Il peut être de format A5 pour des enveloppes (peuvent rentrer dans le bac des imprimantes Laser).

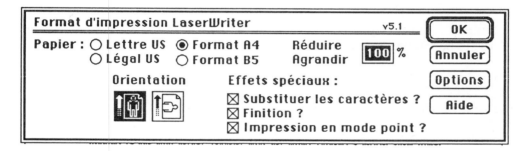

Attention ! Certains logiciels n'ont pas les dialogues de formatage des impressions standard. Le format de page peut être paramétré à volonté; mais cela ne change pas le format du papier. Au besoin, plusieurs feuilles serviront à imprimer une page, qui devra être construite avec de la colle. La LaserWriter a toujours un format maximum A4.

🍎 L'orientation de l'impression. Elle se fera soit dans le sens de la hauteur (portrait) soit dans celui de la largeur (paysage ou "à l'italienne"). Même si dans un logiciel, vous avez dimensionné votre feuille en A4 horizontal, l'impression peut se faire en vertical : Ragtime est un bon exemple de logiciel où il faut fixer et la taille de la feuille et la taille de la zone d'impression.

🍎 La substitution des caractères est l'une des sources de problèmes les plus fréquents. Il a déjà été vu (Chapitre 7) que lors de l'impression, l'imprimante Laser peut être amenée à substituer une des polices qu'elle rencontre : par exemple, si vous utilisez la police "New York", à l'impression elle sera transformée d'office en "Times", si la case corespondante du dialogue d'impression est cochée. Dans ce cas, comme les lettres n'ont pas le même espacement dans les deux polices, votre texte n'aura plus la même allure imprimé qu'à l'écran.

En particulier, ce problème est flagrant dans MacDraw : les zones textes placées sur un dessin MacDraw sont entièrement modifiées. Si vous aviez aligné plusieurs zones textes sur un dessin, à l'impression, elles ne le sont plus du tout. Pour éviter ces inconvénients, il suffit de retirer l'option **"Substituer les caractères"** et ne vous servir que des polices Laser.

> Attention ! Il est extrêmement important que vous utilisiez un jeu de caractères récent pour les polices Helvetica et Times, si vous imprimez sur LaserWriter II NT ou NTX. En effet, Apple a livré sans le dire plusieurs versions de ces polices dans le Système des Mac. Seules les dernières versions ont une largeur égale à celle de la version Postscript qui se trouve dans l'imprimante. Si vous n'avez pas une paire Ecran-Laser cohérente de Times et d'Helvetica, vous aurez des décalages entre l'écran et l'impression. A l'inverse, il peut être nécessaire de se servir d'une ancienne fonte pour imprimer sur une LaserWriter ou LaserWriter Plus.

Certains problèmes peuvent provenir du dialogue d'impression lui même, qui par ses possibilités peut donner des résultats variés :

```
┌────────────────────────────────────────────────────────────┐
│ LaserWriter  "LW++ ROMs 47.0"              v5.1    ╭──────╮  │
│                                                    │  OK  │  │
│ Copies [1]   Pages : ◉ Toutes  ○ De : [    ] à : [ ] ╰──────╯ │
│                                                   ╭────────╮ │
│ Page de titre : ◉ Aucune   ○ Première  ○ Dernière │Annuler │ │
│                                                   ╰────────╯ │
│ Chargement :  ◉ Automatique   ○ Manuel            ╭────────╮ │
│                                                   │ Aide   │ │
│                                                   ╰────────╯ │
└────────────────────────────────────────────────────────────┘
```

🍎 Vous pouvez avoir fixé un nombre de copies erronés.

🍎 Si vous avez laissé, même involontairement, le chargement sur **manuel**, l'imprimante attend désepérément que vous la nourrissiez pour imprimer toutes vos pages.

🍎 Vous avez peut-être demandé l'impression de pages qui n'existent pas : si le numéro de la première page n'est pas 1, il est facile de se tromper, car le dialogue d'impression n'en tient pas compte.

Vous pouvez parfois rencontrer d'autres problèmes, dûs à des causes diverses : en général, le Mac vous envoie une boîte de dialogue pour vous aiguiller.

Quelques problèmes particuliers

🍎 Des problèmes d'applications : le meilleur exemple est fourni par MacDraw. Si vous concevez un document avec Mac Draw, et que le sélecteur est positionné sur ImageWriter, vous risquez quelques belles crises de nerf à l'impression définitive : en effet si, après avoir achevé le document, vous décidez de l'imprimer sur une imprimante Laser, votre dessin va s'imprimer sur quelques pages de plus que ce que vous aviez prévu.

L'explication est la suivante : sur ImageWriter, les feuilles sont utilisables dans leur quasi-totalité. Par contre, la Laser laisse une marge de 15 mm, au delà de laquelle elle ne peut pas imprimer. Mac Draw tient compte de cette particularité et redimensionne tout le dessin en fonction de l'imprimante choisie.

> ☛ Si vous prévoyez de réaliser la version finale d'un document sur une imprimante donnée, afin d'éviter de tout repaginer, travaillez avec le sélecteur positionné sur le type d'imprimante que vous allez utiliser (même si cette imprimante n'est pas physiquement connectée au Macintosh). Dans le cas où le problème se pose quand même, il suffit d'utiliser l'option "Réduire/ Agrandir" dans le dialogue de formatage d'impression et de demander un taux d'environ 95%.

 Ce sont certains problèmes dûs à la version du Système en service, qui peut être incompatible avec les drivers d'impression, voire tout bonnement avec la fonction demandée. Dans ce cas, vous obtiendrez des messages "rares" :

Impossible d'imprimer le catalogue (fichier System trop ancien). Vous devez utiliser la version 4.0 du System (ou postérieure).

    OK

 Quand vous êtes sur le bureau, vous avez la possibilité avec le menu **"Fichier"** d'imprimer plusieurs documents.

> Attention ! ne croyez pas vous en tirer à si bon compte, et aller déjeuner pendant que vos documents s'impriment à la file. Ce serait trop beau. Pour une raison assez peu logique, le dialogue d'impression est en effet présenté entre chaque document à imprimer. Si personne ne clique OK, rien ne s'imprimera...

Mais attention à ne pas en sélectionner trop à la fois :

Impossible d'ouvrir ou d'imprimer tous ces éléments en même temps.

    OK

En outre, si vous êtes sous Multifinder, vous pouvez imprimer en même temps plusieurs types de documents, toujours en respectant le nombre de documents maximum (le nombre de documents est limité par la taille mémoire). Par contre, si vous êtes sous le Finder, vous ne pouvez imprimer qu'un seul type de documents à la fois :

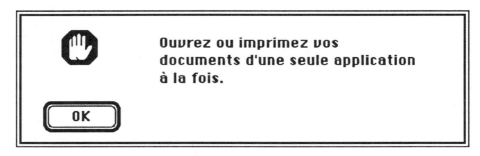

Ouvrez ou imprimez vos documents d'une seule application à la fois.

OK

LE CLAVIER

Il est possible, surtout sur le Macintosh Plus, d'avoir des problèmes avec le clavier : au démarrage, tout semble se passer normalement mais, à l'usage, vous vous rendez compte que les touches du clavier sont toutes décalées. Si cela vous arrive, vous pourrez simplement :

 Dans le tableau de bord, activer l'option "Frappe clavier" et replacer les bons paramètres.

 Redémarrer après extinction totale du Macintosh. En général cela suffit à résoudre le problème. Si cela se reproduit, recommencer.

 Eviter d'utiliser d'anciennes versions du Système.

Vous pouvez aussi essayer de redémarrer sur un disque contenant un Système français avec clavier correct, puis basculer sur celui du disque incriminé (double-clic sur son Finder, avec Commande et option). La configuration-clavier est verrouillée dans la mémoire jusqu'au prochain redémarrage.

Chapitre 11

Le Mac II et la couleur

L'ENVIRONNEMENT COULEUR

Le Mac II est actuellement le seul des micro-ordinateurs de la gamme Macintosh à offrir la possibilité d'utiliser la couleur. Il faut savoir que pour obtenir la couleur, le coeur du Mac (pour les connaisseurs, il s'agit de Quickdraw) a été repensé. De nouveaux programmes de gestion ont été ajoutés afin de gérer la couleur, non pas, comme cela se faisait auparavant, avec un nombre de couleurs limité, mais avec des possibilités étendues adaptées aux écrans "dernier cri". Ainsi, avec les modifications implantées, le Mac II peut utiliser un ou plusieurs écrans de différentes tailles, de possibilités différentes. Il peut même utiliser plusieurs écrans en même temps. En fait, tous les Mac contiennent en eux-mêmes les possibilités suivantes :

 Le traitement des textes écrits en couleur ;

 Le traitement de la couleur sur des documents au format PICT (voir le Chapitre 6).

Ces possibilités ne sont pas encore exploitées sur le Mac Plus ou le Mac SE. Aux Etats Unis, cependant, certains fabricants proposent des écrans couleurs pour ces appareils, mais à un prix très élevé. Vous pouvez même remplacer purement et simplement l'écran d'un Mac SE ou d'un Mac Plus par un écran de même dimension mais en couleurs. Dans ce cas, il faut démonter entièrement l'appareil. Le Mac II, seul, utilise pleinement les fonctions couleurs. Les principales caractéristiques de la gestion de la couleur sur Mac II sont les suivantes :

 Toutes les opérations qui fonctionnaient sur le système noir et blanc restent valables ;

 Les fonctions de gestion de la couleur incluent la possibilité de colorier les icônes, les curseurs, les motifs de fond ;

 Le gestionnaire de couleurs du Mac peut créer jusqu'a 2^{48} couleurs différentes ;

 Il est possible de créer des fenêtres, des menus, des dialogues, des fenêtres d'édition en couleur ;

 Le plus important : ce qui est géré en couleurs par le Mac ne dépend pas du matériel utilisé. Vous pouvez utiliser l'écran couleur que vous désirez, à la définition que vous voulez : vous retrouverez tout ce que vous aurez créé d'un écran à l'autre, d'un Mac à l'autre sans problèmes.

> Attention ! La notion de couleur ne s'applique pas uniquement aux teintes de l'arc en ciel mais aussi à toutes les nuances de gris qui ne sont pas gérées sur un Mac SE ou un Mac Plus. Ces deux appareils fonctionnent en noir et blanc. Le Mac II peut fonctionner avec des écrans monochromes comportant des nuances de gris. L'écran standard Apple peut ainsi travailler avec 16 nuances de gris.

La couleur est partout

La couleur sur Mac II peut porter sur tous les éléments habituels de votre environnement. Ce sont :

 Les icônes ;

 Les barres de menus ;

 Les fenêtres ;

 Les applications ;

 L'impression.

Chacun de ces éléments peut être mis en couleurs sous les seules conditions de supporter le mode couleurs et de disposer du bon outil pour activer ce dernier. En effet, même si vous disposez d'un écran couleur acheté à prix d'or, il vous faudra un ensemble d'accessoires pour obtenir la couleur sur les différents éléments du bureau. Ainsi, vous ne pourriez pas forcément colorier les barres de menus, si vous ne disposez pas du fichier adéquat pour le faire.

Les différents modes

Les différents modes couleurs sont réglés par le tableau de bord et les fichiers **"Moniteur"** et **"Couleur"**. L'étude de ces deux éléments permet donc de décrire les différents modes couleur utilisables sur votre Mac II.

Moniteur

Ce fichier permet de régler à volonté la nature de l'affichage noir et blanc ou couleur et le nombre de couleurs utilisées.

Il s'adapte au moniteur en service ainsi qu'à ses possibilités graphiques (nombre de couleurs affichable).

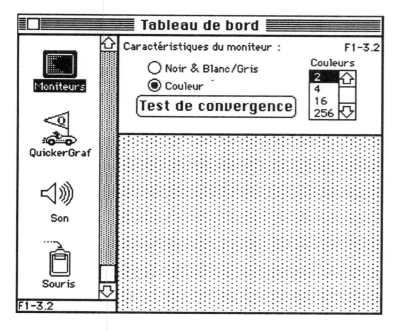

🍎 Si vous possédez un moniteur monochrome, vous ne pourrez afficher bien sûr que des nuances de gris ou du noir et blanc. Curieusement, vous pouvez choisir **Couleur** dans les "caractéristiques du moniteur" mais cela ne changera rien à l'affaire, votre écran restant désespérément noir et blanc. Evitez de choisir cette option avec un moniteur monochrome, tout d'abord parce que cela n'est d'aucune utilité pratique, ensuite parce que l'affichage sera moins rapide (bien que ce ne soit pas réellement perceptible) que sur l'option "Noir & Blanc". Vous pouvez choisir 2 (noir et blanc), 4, 16 "couleurs" (nuances de gris) affichables à l'écran. La différence principale entre ces possibilités étant la beauté de l'image et la rapidité d'affichage à l'écran ;

> ☛ Le meilleur moyen de savoir sur un écran monochrome si on est en noir et blanc ou en nuances de gris est de regarder le menu . L'apparence de la pomme vous renseigne tout de suite : elle est striée (nuances de gris) ou résolument noire (noir et blanc"). Vous pouvez également regarder si vous avez un menu intitulé **"Couleur"** à l'extrême droite de la barre des menus. S'il n'y en a pas, vous êtes en noir et blanc.

 Si vous possédez un écran couleur,s vous disposez non seulement de toutes les options de l'écran monochrome mais en plus des couleurs. Vous pouvez choisir 4, 16, ou 256 couleurs (si votre moniteur le permet). Bien sûr, plus vous prenez un nombre de couleurs élevé, plus l'affichage est ralenti (il y a plus de travail à faire…). Le Mac s'adapte automatiquement aux possibilités de votre écran.

Le test de convergence sert uniquement au réglage du moniteur : il fait apparaître une mire. Les boutons situés à l'arrière du moniteur permettent alors le réglage vertical et horizontal de l'image comme sur une télévision.

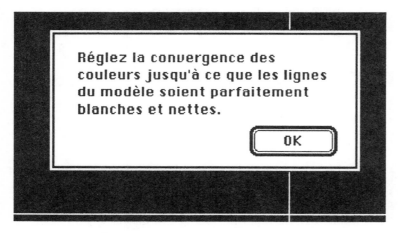

> Attention ! Vous remarquerez que quand vous utilisez le mode couleur, le Tableau de bord général est modifié : le fond de l'écran peut non seulement être changé en choisissant de motif, mais en plus,une petite palette apparaît pour en fixer la couleur. Vous pouvez ainsi obtenir un fond d'écran de la couleur de votre choix, avec n'importe quel motif.

> ☛ Il n'est pas forcément intéressant de travailler en couleurs. Si vous utilisez Hypercard, les éventuels effets visuels (Wipe left, Iris Open, etc…) présents dans vos piles sont inopérants avec la couleur ou le mode monochrome à plus de 2 couleurs.

> Si vous désirez vraiment avoir des effets visuels, **vous devez** passer en noir et blanc. La même remarque est valable si **vous** voulez faire des sauvegardes d'écrans sous format **Mac Paint** (Commande-Majuscule-3).

Couleur

Le fichier couleur sert à paramétrer les couleurs de certains éléments du **bureau.** En général, quand vous sélectionnez une zone texte, elle apparaît en blanc **sur** fond noir. Avec "Couleur", fini le noir : vous pouvez choisir la couleur du **fond** sur laquelle apparaîtra une sélection. En particulier, quand vous cliquez **sur une** icône, le texte de l'icône s'affichera alors en noir sur fond de la couleur choisie. Ce fichier n'est donc, on le voit, pas d'une importance primordiale, **mais il** améliore de beaucoup la présentation sur un écran couleurs. Ce qui le **rend** intéressant, c'est surtout le fait qu'il utilise "la roue des couleurs".

La roue des couleurs

Quand vous appelez l'option "Couleur", vous remarquez l'apparition d'une **mire** en forme de cible -ou roue- avec divers rectangles de paramétrages. Cette **mire** est en réalité la manifestation la plus tangible de la couleur sur le Mac II. **Elle** est incluse à l'intérieur de son fichier système. Elle peut être utilisée par **tous les** programmes qui servent à fixer ou paramétrer la couleur (par exemple, elle **est** utilisée par **Kolor**, voir plus loin).

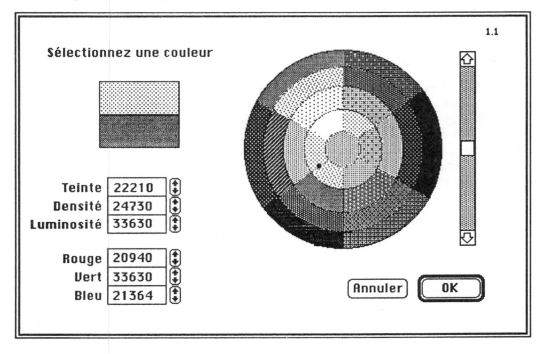

On remarque des zones de réglage des teintes de bases RGB (Red, Green, Blue c'est-à-dire Rouge, Vert, Bleu) qui peuvent chacune varier de 0 à 65535. Avec toutes les combinaisons de ces trois couleurs de base, on peut obtenir toutes les couleurs composées possibles. Avec les trois couleurs à 65535 vous obtenez du blanc (centre de la cible), tandis qu' à 0 vous obtenez du noir. L'ensemble des trois compteurs de couleurs correspond à un point situé sur la cible qui détermine une couleur. On peut soit taper des valeurs directement dans les trois zones soit cliquer directement sur la cible et ainsi modifier la position du point pour obtenir une nouvelle couleur.

La luminosité se règle sur la barre de défilement sur le côté ou en tapant une valeur directement dans la zone adéquate (entre 0 et 65535). 0 représente le plus foncé, alors que 65535, le plus clair possible.

La teinte (valeur également entre 0 et 65535) représente la couleur choisie (vert, rouge, bleu etc...). Pour fixer les idées, pour faire varier uniquement la teinte sans bouger la densité et la luminosité, il suffit de se déplacer sur un cercle de la roue.

La densité représente la variation à l'intérieur d'une même couleur (entre 0 et 65535). Pour faire varier uniquement la densité sans changer la teinte ni la luminosité, il suffit de se déplacer sur un rayon de la roue.

Le rectangle situé à gauche de la fenêtre est divisé en deux partie : la partie du bas représente la couleur active (mémorisée) alors que la partie du haut représente la couleur que l'on a éventuellement choisie et qui n'est pas validée tant que l'on a pas répondu "OK". Pour ne pas valider un changement de couleur, vous pouvez cliquer dans le rectangle du bas (celui du haut prend alors la même couleur) ou bien sûr cliquer sur "Annuler".

Activer la couleur

L'utilisation ou non de la couleur sur Mac II se décide par le biais des éléments du tableau de bord vus précédement. Par contre, l'utilisation réelle de la couleur, sa mise en œuvre dans l'environnement du Mac II est réalisée par d'autres outils. Certains d'entre eux sont du domaine public. D'autres sont de véritables petits logiciels qui s'adaptent aux différents écrans existant sur le marché (ou qui fonctionnent sur tous les types d'écrans), en améliorant même parfois leur utilisation (accélération d' affichage)

Le menu Couleur

C'est un menu qui apparaît dans la barre de menu du Finder. Il apparaît bien sûr uniquement si votre moniteur est identifié comme un moniteur couleur ou en nuances de gris. Grâce à ce menu, vous pouvez régler la couleur des icônes du bureau. Huit couleurs sont possibles.

Général

Général vous est déjà familier, puisqu'il s'agit du fichier principal du Tableau de bord. A l'aide de Général, vous pouvez fixer la couleur du fond d'écran: adieu les fonds d'écran en noir et blanc. Vous pouvez maintenant fixer le fond avec la ou les couleurs de votre choix. Tous les fonds sont possibles et vous pouvez dessiner votre propre motif.

Les accessoires Menu couleur, Moniteur, Couleur, Général, sont livrés en standard avec le Mac et ne permettent pas en réalité un contrôle total de l'environnement couleur du Mac. On trouvera dans le domaine public (ou vendus à des prix modestes) des accessoires qui permettent un paramétrage beaucoup plus fin. Ces accessoires sont généralement des fichiers qui se placent dans le dossier système et s'utilisent de la même manière que Couleur ou Moniteur. Ce sont des fichiers reconnus et utilisés par le tableau de bord (fichiers de type "CDEV".

> Attention ! Les écrans que vous pourrez acheter sont tous livrés avec un fichier CDEV de fonctionnement servant à fixer leur mode de fonctionnement.

Parmi tous les fichiers CDEV existant sur le marché, certains très répandus apportent tout ce que l'on peut désirer pour exploiter au mieux la couleur. On retiendra par exemple :

Color Cursor

Color Cursor

Comme son nom l'indique, il s'agit d'un petit outil qui vous donnera un curseur en couleur. Il est même adapté aux circonstances, puisqu'il se teinte des couleurs d'Apple. Ce fichier est un Init c'est à dire qu'il se place dans le dossier système (voir Chapitre 8). C'est un outil du domaine public.

QuickerGraf

Quickergraf

Il s'agit d'un fichier du tableau de bord que vous pouvez activer à volonté. C'est un accélérateur d'affichage : l'affichage des couleurs est jusqu'à 5 fois plus rapide qu'en standard.

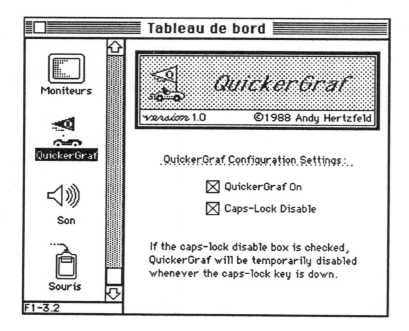

Il est possible en outre d'effectuer avec un utilitaire (QuickBenchMark) joint à cet outil un test de l'écran (rapidité d'affichage, convergence, etc.). Le résultat du test est présenté sous forme de chiffres qui vous aident à apprécier les performances de votre écran. De plus, vous pouvez l'utiliser pour comparer les rapidités d'affichage dans les différents modes. Cet outil est du domaine public.

Kolor

Kolor

C'est un fichier du tableau de bord extrêmement puissant, qui est vital pour celui qui veut un contrôle total de son environnement couleur. Kolor est utilisé pour fixer la ou les couleurs de tous les éléments présents sur le bureau : barres de menus, fenêtres, alertes. Tout est possible : à conseiller donc.

Colorizer

Outil identique au précédent mais encore plus puissant. Développé par Palomar Software. Il se place également dans le dossier système et est reconnu par le tableau de bord.

Les applications

Les applications ont des comportement inégaux face au mode couleur. Il y a celles qui ne fonctionnent qu'en noir et blanc (la majorité), celles qui incluent des fonctionalités couleur mais qui ne les affichent pas à l'écran (les documents peuvent être tirés par ailleurs en couleurs), enfin celles qui jonglent avec les couleurs et les affichent (insolemment).

Les applications "noir et blanc"

La majorité des applications fonctionne actuellement en noir et blanc, mais cela ne durera pas. La tendance actuelle des éditeurs est de sortir presque systématiquement une version couleur de leurs logiciels. Si la version n'est pas sur le marché, elle le sera bientôt. Dans bien des cas, la couleur n'apporte pas forcément un plus. Inutile donc de chercher systématiquement le logiciel couleur.

> Attention ! Certains éditeurs sortent parfois deux versions différentes de leurs logiciels. Si vous achetez un logiciel, vérifiez bien qu'il est adapté à votre machine et en particulier, précisez bien à votre vendeur si vous possédez ou non un moniteur couleur et vérifiez ce qu'il vous vend ! Il est stupide d'acheter du noir et blanc alors que pour le même prix, la couleur était possible. L'inverse est encore plus cruel, puisque, dans la plupart des cas, le logiciel ne pas alors pas fonctionner du tout. Par exemple, le logiciel "More" existe en version N&B et en version Couleur.

Les applications qui reconnaissent la couleur

Il y a des applications, qui sans fonctionner en couleur sont tout de même capables de la traiter : elles disposent de fenêtres de paramétrage, sans pour autant afficher la couleur choisie. En fait, vous choisissez la couleur mais vous ne la voyez pas (dans ce cas on ne travaille plus en *WYSIWYG*). Le meilleur exemple de ce type d'application est donné par le logiciel *XPRESS* qui, bien que gérant la couleur, ne l'affiche pas. Par contre, à l'impression, il est capable de "séparer les couleurs", de manière à produire un exemplaire des tirages couleur Magenta , Cyan, Jaune, Noir (le noir donne du relief tirage couleur) que l'imprimeur, auquel vous cionfierez ces épreuves, réunira pour produire le document final.

Les applications qui fonctionnent en couleur

La liste des applications fonctionnant en couleur est suffisamment conséquente pour ne pas être exhaustive. Pour avoir des précisions sur les meilleurs logiciels couleur, le mieux est de consulter votre revendeur habituel. Parmi les best-sellers des produits courants, en voici quelques uns qui supportent la couleur ou pour lesquels une version couleur existe : Ragtime, Pagemaker, Mac Draw (version II), Mac Project II, More, 4ème Dimension, VideoWorks et Wingz. Dans les logiciels de dessin, le choix est encore plus vaste : Graphist Paint Color, Pixel Paint, ATG Paint sont quelques uns des logiciels existant. En logiciel de présentation, Powerpoint et Cricket Draw fonctionnent également en couleur.

> ☛ Hypercard ne fonctionne normalement pas en couleur. Néanmoins, sous réserve d'y introduire des ressources externes, il est possible de colorier certaines piles. Pour plus de précision, consulter le livre de F. RINALDI, "La programmation en HyperTalk", chez le même éditeur.

COPIER / COLLER

Peu de chose à dire sur le Couper/Coller. L'Album reçoit sans difficulté tous les documents en couleurs. Tant que vous transférez des images couleurs d'un logiciel couleur à un autre logiciel couleur, pas de problème. Tout est transféré sans restriction, y compris les couleurs. Si maintenant vous transférez un document en couleur dans une application fonctionnant en noir et blanc, les couleurs seront pour la plupart transformées en des tons gris foncé, voire noirs. Vous perdrez toutes les nuances de l'image couleur. Attention donc à l'utilisation que vous allez faire des documents en couleurs. La même remarque vaut vis-à-vis de l'impression laser puisque vos documents présents en couleurs à l'écran donneront pour la plupart un horrible "papier" noirâtre.

COMMENT IMPRIMER EN COULEUR

Là est bien le problème, puisqu'il ne sert à rien dans la plupart des cas de disposer de la couleur si on n'a pas les moyens d'impression adéquats. A l'heure où nous écrivons, on trouve sur le marché :

 Des imprimantes Laser non Postscript. Elles ne sont pas réellement chères à l'achat mais par contre, comme elles nécessitent un papier spécial, l'investissement initial se trouve considérablement alourdi par l'achat régulier de ce papier. On y regarde alors à deux fois avant d'imprimer, ne serait-ce qu'une page. Le désavantage est encore plus grand quand on sait que ces imprimantes ne peuvent pas fonctionner en noir et blanc avec du papier normal.

❖ Des imprimantes Laser Postscript. Extrêmement chères à l'achat (plus de 200 000 F !) elles utilisent également du papier spécial. Le résultat est impressionant, mais il faut avoir de très bonnes raisons pour acheter des imprimantes de ce prix.

☞ Si vous avez réellement besoin d'impression couleur, le mieux à l'heure actuelle consiste à s'adresser aux imprimeur professionnels. Vous leur remettez votre disquette avec vos documents à imprimer. Les photocomposeuses dont ils disposent vous assureront des tirages parfaits pour un coût tout à fait abordable. C'est réellement très intéressant si le logiciel utilisé permet la séparation des couleurs (voir plus haut).

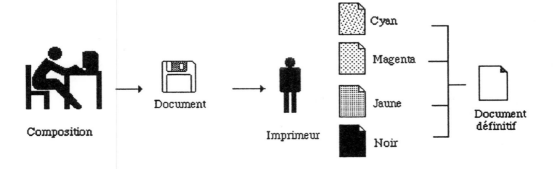

❖ L'ImageWriter d'Apple peut imprimer en couleurs, à condition de l'équiper d'un ruban spécial. La qualité d'impression est celle d'une imprimante à aiguilles et n'est donc pas très adaptée aux magnifiques rendus des couleurs que l'on peut obtenir sur le Mac II, mais néanmoins dans certains cas cela peut suffire.

❖ D'autres imprimantes couleur à aiguilles peuvent être utilisées avec des résultats inégaux. Pour s'en servir, il faut disposer du bon "driver" d'imprimante que vous demanderez également à votre revendeur favori, en fonction de l'imprimante acquise. Informez-vous au préalable de leurs réelles possibilités.

On peut donc considérer, à l'heure actuelle (Septembre 88), que l'impression couleur de grande diffusion n'existe pas encore. Quelques modèles d'imprimantes couleur existent mais ils ne sont pas très abordables. L'utilisation de la couleur sur Mac II ne peut donc être vraiment exploitée pleinement que dans les arts graphiques ou comme point d'entrée à un plus gros système d'impression professionnel.

PRESENTATION MAC

Pour sortir des documents couleur, il n'est pas forcément nécessaire de sortir à tout prix du papier. Dans certains cas, une diapositive ou un grand écran seraient l'idéal -surtout pour une présentation- C'est un élément du dernier pari d'Apple : le Desktop Présentation. La couleur du Mac II peut être "sortie" par des moyens photographiques ou d'affichage (rétroprojecteur, etc.). Pour celà consultez le Chapitre 12 sur les extensions.

Chapitre 12

Les Extensions

Le Mac est un micro-ordinateur, certes, mais il est bien plus que cela encore : il peut collecter et traiter des informations en provenance d'appareils de toutes natures ou encore en piloter certains. Cela va du scanner pour digitaliser des images au boîtier de commande d'un rétro-projecteur, en passant par la carte d'accélération. C'est ce qui en fait la force. La possibilité de s'adapter avec, toujours, la facilité de diriger grâce l'interface graphique et la souris. On peut donc imaginer le Mac comme le pivot de tout un ensemble de systèmes. Etre efficace, c'est aussi savoir tout ce qui est possible et dans quelles conditions, savoir ce qui est envisageable ou pas. Les principales extensions que vous trouverez actuellement sont les suivantes :

 Les cartes accélératrices ou d'extension mémoire ;

 Les cartes de contrôle d'écran, de manettes de jeux, etc.

 Les écrans ;

 Les scanners et digitaliseurs d'images;

 Les boîtiers de numérisation des sons ;

 Les développeurs de diapositives et commande de rétro-projecteur ;

 Le CD-ROM

JOUEZ AUX CARTES

Quelles cartes ?

L'idée de mettre des cartes dans un ordinateur Apple n'est pas nouvelle. Elle existait déjà auparavant avec la famille des Apple II et III et le nombre des cartes que l'on pouvait connecter à ces appareils était très grand. A l'origine du

Mac, l'envie était étouffée d'entrée puisque, à la différence de ses cousins illustres, le Mac était fermé. Très vite cependant, de petits génies du fer à souder et de l'intégration trouvèrent des solutions en insérant des cartes ou en bricolant des puces soit pour accélérer la vitesse de traitement, soit pour augmenter la capacité mémoire : en effet, les Mac d'origine étaient non seulement d'une capacitée limitée en mémoire mais étaient aussi un peu lents (surtout à cause des unités de disquettes). Maintenant, le problème ne se pose en apparence plus : les Mac SE, Mac Plus et Mac II ont tous au moins 1 Mo de mémoire vive et la rapidité des lecteurs de disquettes a été notablement accrue. Quelles sont les diverses cartes, et que peut-on en faire ?

Les cartes s'installent donc sur les Mac SE et sur le Mac II puisqu'ils sont "ouverts", c'est à dire qu'ils disposent d'un ou plusieurs "slots" d'extension. Cela n'empêche pas le Mac Plus d'avoir des cartes bien à lui.

Cartes d'extension mémoire

L'augmentation de la mémoire est la plusq fréquente préoccupation. Avec l'arrivée du Multifinder, d'applications de plus en plus gourmandes, il est devenu souvent impératif d'accroître la taille mémoire. Vous trouvez donc un certain nombre de cartes qui vous permettent de porter la mémoire à 2,4 voire 8 Mo :

- Mac Plus : extensions de 2,4 Mo. Par exemple, le Kit d'extension Apple à 2 Mo, les cartes Mach 2 et Mach 4, Mac Mega Plus de P-Ingénierie ;

- Mac SE : extension de 2, 4 Mo. Par exemple, également le Kit d'extension d'Apple (ne mobilise pas le Slot du Mac) ;

- Mac II : tout un ensemble de cartes allant de 2 à 8 Mo. Il existe d'ailleurs d'ores et déjà une version du Mac II commercialisée avec 4 Mo de Ram en standard (ce Mac II possède également un microprocesseur 68030). Citons également la carte Mac II de P-Ingénierie qui fait monter la mémoire du Mac par barettes de 256 K jusqu'a 8 Mo.

> Attention ! Il est nécessaire de compter d'entrée dans une configuration une carte d'extension d'au moins 1 Mo si vous voulez utiliser Hypercard sous MultiFinder. Pour l'le lancer avec d'autres applications, porter la mémoire à 4 Mo peut même être parfois nécessaire.

Cartes accélératrices

Certes, le Mac est une machine rapide grâce à son processeur 68000. Cependant si vous êtes exigeant (en particulier si vous avez des applications de calculs) il peut parfois vous sembler "se traîner" quelque peu. Il existe bien sûr une pléthore de cartes d'accélération. Ces cartes sont basées soit sur un 68000, soit sur son puissant successeur, le 68020. Celui-ci est parfois accompagné d'ailleurs d'un "assistant", le co-processeur arithmétique 68881 (qui est dans le Mac II). Certaines cartes sont parfois à la fois accélératrices et extension mémoire (exemple : Hypercharger de P-Inginérie qui en option peut fournir 1 Mo de Ram). L'accélération procure un gain moyen de 2 à 4 (suivant les applications). Il y a depuis peu des cartes accélératrices à base de 68030 et qui, installées sur un Mac, lui donnent véritablement la puissance d'une station de travail.

> Attention ! Avant d'acheter une carte accélératrice, vérifiez vraiment qu'elle vous est réellement nécessaire. En général, on achète ces cartes soit pour faire du calcul, soit pour accélérer l'affichage écran. Dans la plupart des cas, ces cartes ne se justifient pas. De plus, elles peuvent parfois provoquer quelques problèmes : par exemple, certaines cartes nécessitent des versions spéciales de logiciels. Renseignez vous donc bien avant d'acheter de telles cartes.

Cartes vidéo

Ces cartes sont généralement associées à un écran (voir plus loin) et bien souvent sont à la fois cartes vidéo et cartes accélératrices. La carte la plus connue est bien sûr la carte vidéo Apple du Mac II.

D'autres cartes...

Il existe bien d'autres types de cartes. Les plus intéressantes étant les deux cartes Mac86 et Mac 386 qui transforment respectivement le Mac Se et le Mac II en compatibles PC (voir chapitre 13). Il existe également tout un ensemble de cartes dites "de communications". Parmi celles-là citons les cartes Modems et télécopie.

LES ECRANS

Qu'il soit géant ou d'une taille plus modeste, il est parfois bien agréable d'adjoindre un deuxième écran à son Mac (surtout quand il s'agit du Mac Plus ou du Mac SE). Ce qui va caractériser votre choix, c'est surtout la grandeur de l'écran. Les grandeurs d'écran se mesurent à la longueur de la diagonale. Les mesures sont faites en pouces (1 pouce = 27 mm environ). Les grandeurs les plus fréquentes sont 13 pouces (35 cm), 15 pouces (38 cm), 19 pouces (51 cm) ou le gigantesque 29 pouces (78 cm).

L'écran à 13 pouces, c'est la taille de l'écran standard du Mac II. C'est une taille tout à fait correcte pour travailler et dans la plupart des cas largement suffisante. (Le mac SE et le Mac Plus font 8 pouces). Sur un écran 13 pouces, une feuille de dimensions A4 tient dans sa largeur mais pas dans sa hauteur. Les moniteurs Apple de 13" sont reconnus pour être parmi les meilleurs du marché.

Les écrans à 15 ou 19 pouces permettent pour leur part l'affichage de 1 ou 2 pages A4 dans leur totalité. Ce sont donc des écrans à recommander pour les travaux de composition graphique, de PAO ou toute autre activité nécessitant une bonne vue d'ensemble de la réalisation. Pour l'édition, un écran affichant une feuille A4 est largement suffisant. Tous ces écrans sont généralement très encombrants à cause de leur énorme tube cathodique : n'espérez pas les mettre sur un coin de table. Par ailleurs, la couleur qui est également possible sur ce type d'écran n'est réellement intéressante que pour des travaux destinés à être tirés ou visualisés en couleur. Dans la plupart des cas, le monochrome suffit. On peut remarquer différentes caractéristiques liées à ce type d'écrans :

 Normalement toute application correctement écrite sait utiliser un écran géant. Cependant, certains logiciels anciens ne savent pas gérer les écrans géants. Dans ce cas, soit le logiciel ne fonctionne pas, soit il utilise uniquement une fraction de l'écran. Les logiciels les plus récents gèrent sans problèmes ces écrans ;

 Sur le Mac SE ou le Mac Plus, vous pouvez certes connecter un grand écran, mais le fin du fin est de pouvoir continuer à utiliser l'écran propre du Mac conjointement à l'écran supplémentaire. C'est très intéressant par exemple dans le cas d'un logiciel de dessin, vous pouvez fort bien avoir la palette des outils sur le petit écran pendant que vous dessinez sur le grand. (c'est le cas par exemple des écrans Dimension et Radius) ;

 Sur le Mac II, c'est encore mieux. Le Mac II possède 6 ports d'extension et vous pouvez donc connecter jusqu'a 6 écrans en même temps. Le plus surprenant est que le Mac II est capable de reconnaître qu'il possède plusieurs écrans. Il considère alors que ces écrans sont les différentes parties d'un grand écran : en d'autres termes, quand vous déplacez la souris, elle se déplace d'un écran à l'autre et vous pouvez travailler sur chaque écran avec das objets différents ! Le réglage de l'ordre de positionnement des écrans se fait sur l'option moniteur du tableau de bord ;

 Les grands écrans sont longs à afficher. C'est pour celà que les cartes vidéo sont aussi cartes accélératrices.

> Attention ! Les écrans géants ne permettent pas d'utiliser certaines fonctions de votre Mac : par exemple, la sauvegarde d'écran par Commande-Shift-3

Enfin, les grands écrans peuvent être de magnifiques écrans couleur. Ce que vous regarderez en priorité, (et cela est valable également pour le monochrome) c'est la résolution. Rappelons que la résolution représente tout simplement le nombre de points affichés. Il s'exprime en nombre de points par pouces en vertical et horizontal. Par exemple, l'écran Laserview de PC Technologies possède une résolution de 1164 x 1200 dpi.

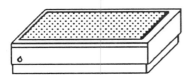

LES SCANNERS ET NUMERISEURS D'IMAGES

Les scanners

Les scanners vont vous permettre de rentrer des images numérisées dans vos documents. Ces appareils sont déjà très vieux dans les milieux de l'édition, mais leur apparition dans le grand public date de l'avènement de la PAO. Ils sont de plus en plus utilisés et commencent à apparaître des logiciels qui permettent de manipuler les images obtenues, de les retoucher, les insérer, etc. Les scanners transforment une image ou photo en une série de données numériques qui reflètent point par point le document original. Ces données forment un document dont le format est très particulier (voir chapitre 6).

On peut distinguer les scanners suivant cinq caractéristiques :

- Le mode d'alimentation : il existe deux modes d'alimentation en documents . En rouleau tout d'abord : le document est introduit dans un rouleau qui l'avale et le document ressort à l'autre bout de l'appareil. Le deuxième type de scanner est dénommé scanner "à plat" puisque le document est posé à plat sur une vitre comme pour une photocopieuse. Le scanner à rouleau tend actuellement à disparaître. Le scanner à plat est largement préférable puisque moins sujet à des distorsions. De plus, il permet de placer des documents qui peuvent parfois être volumineux (livres, revues) ;

- La résolution : elle fixe la sensibilité du scanner, c'est-à-dire le nombre de points qu'il obtiendra, après avoir "regardé" le document. La résolution la plus communément rencontrée est de 300 dpi (comme les imprimantes Laser). Néanmoins, certains modèles existent à 400 dpi voire 600 dpi ;

- Les niveaux de gris : les scanners noir et blanc, sont capables de "distinguer" un nombre de niveaux de gris plus ou moins grand. Les performances vont jusqu'a 64 niveaux de gris. Le scanner d'Apple possède pour sa part une résolution de 16 niveaux de gris, ce qui est déjà beaucoup et dans bien des cas largement suffisant ;

- Le format des données produites : les formats les plus communéments représentés sont PICT, MacPaint, TIFF, Postscript , EPSF ;

- Le logiciel qui accompagne le scanner : il peut être plus ou moins sophistiqué. Il faut au moins qu'il vous permette de choisir la partie du document qui vous intéresse, et de la retoucher à volonté. Vérifiez aussi le temps qu'il met à analyser votre document avec le scanner.

> Attention ! Les images scanners sont certes très intéressantes, mais leur beauté se paye cher : une image scanner à 64 niveaux de gris, enregistrée au format Postscript, a facilement un volume de 800 Ko. Cess images sont donc très volumineuses. Il faut en tenir compte dans l'analyse de vos besoins en taille mémoire et en taille disque.

Vous devrez donc prendre ces cinq paramètres en compte lors de l'achat d'un scanner. Le choix est fortement lié à son utilisation (et surtout à votre budget !). Pour de l'édition, on voudra une bonne résolution avec un grand nombre de niveaux de gris. Enfin, signalons les scanners couleurs qui, couplés aux écrans géants, donnent des images d'une qualité photographique. A noter les scanners monochromes à 600 points/pouce qui maintenant ne tarderont plus.

Les numériseurs d'images

Ces différents systèmes, généralement moins chers que les scanners -donc moins performants- utilisent des techniques ou des composants spécifiques pour numériser des images. La solution la plus répandue consiste à bénéficier de la puissance des caméras vidéos existantes. Dans ce cas, le principe est simple : une carte ou un boîtier réalise l'interface entre le Mac et la caméra. C'est le cas entre autres de MacVision et Magic. Vous obtenez des images comme sur un scanner et vous avez la possibilité de réaliser les mêmes opérations : manipulations d'images, recopie, etc.

Dans un autre registre, une société a eu l'idée d'utiliser l'imprimante ImageWriter comme support d'un numériseur. Dans ce cas, vous placez un boîtier à la place de votre ruban encreur. Le document est ensuite normalement inséré dans l'imprimante mais au lieu d'imprimer, le chariot "tire le portrait" du document qui défile comme lors d'une impression. Ce procédé appelé "Thunderscan" est parfois un peu lent, mais une récente nouvelle version en a fait un outil tout à fait intéressant.

LA MUSIQUE ET LES SONS

En avant la Musique...

Le Mac contient un petit synthétiseur 4 voies. C'est pour cela que de nombreux distributeurs proposent des logiciels ou des boîtiers destinés à interfacer Mac avec des composants professionnels comme des tables de mixage, des synthétiseurs, etc. Bien souvent, ces composants sont associés à des logiciels très performants permettant un contrôle total de l'environnement musical. De plus, il existe plusieurs cartes interfaces MIDI pour connecter le Mac sur un synthétiseur ou sur d'autres appareils. Mac peut donc communiquer avec le monde de la musique (en plus de ses grandes possibilités d'édition musicales).

Les principaux logiciels musicaux sont le célèbre MacNifty, Studio Session, Mac Audio Digit, etc...

Atitre d'exemple, voici les caractéristiques de l'interface Midi Apple (mais il y en a d'autres) utilisable sur tous les Mac :

 Connexion Midi IN et Midi Out sur cable DIN 5 broches (Mac Plus, SE et II) ou cable DB9 (Mac 128 et 512Ko);

 Liaison série Mini DIN 8 broches ;

 Permet une connexion à tout appareil de type Midi.

La voix de son maître...

Il est également possible de numériser les sons sur Mac. Le champ d'application n'est pas très grand, mais l'imagination des utilisateurs est sans limites. Les fichiers résultant de ces numérisations peuvent être manipulés par tout un ensemble de logiciels, aussi bien sur Mac Plus que Mac SE ou Mac II. Ces boîtiers et logiciels de numérisation travaillent généralement en fréquence d'échantillonnage de 22KHZ, 11KHZ, 7 KHZ voire 3 KHZ (Rappelons qu'un disque Laser Audio est à 44 KHZ). Les différentes fonctions disponibles sur ces systèmes sont les suivantes :

 Réglage de la fréquence d'échantillonnage ;

 Echos, inversion de tout ou partie de l'enregistrement ;

 Amplification, écrêtage ;

 Filtres, générateurs de bruits ;

 Copier, coller ;

 Mixage ; stéréo.

Les logiciels peuvent parfois permettre tous ces effets à la fois. Les sons obtenus peuvent , la plupart du temps, être stockés sous forme de documents propres à l'application ou sous forme (et c'est extrêmement interessant), de ressources sons Snd (voir chapitre 14, les ressources). Ces ressources peuvent être intégrées dans le fichier système ou encore aisément placées dans une pile Hypercard. Vous pouvez alors envisager tous les types de piles sonorisées possibles. A titre d'exemple, un amateur de musique classique à récemment sorti une pile digest (ou indigeste si on n'aime pas) des grands morceaux du classique. Cela se présente sous la forme d'un jeu de devinettes.

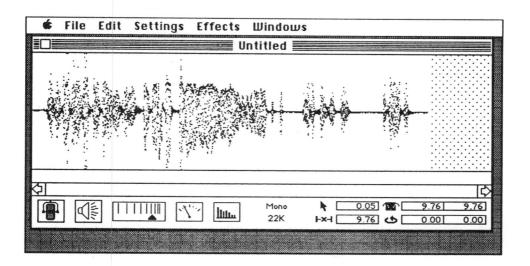

Ci-contre, un exemple du logiciel associé à *Mac Recorder*. L'emploi en est très aisé. On dispose entre-autres des modes enregistrement (micro), exécution (haut-parleur).

Attention ! Ce procédé "bénéficie" du même défaut que pour les images scannérisées : le volume important des documents créés. En effet, les sons numérisés pour être audibles, nécessitent une grande fréquence d'échantillonnage et donc prennent beaucoup de place. Par exemple, les dix premières secondes de la 5 ème symphonie de Bethoveen, à une fréquence d'échantillonnage de 22KHz ont un volume de 330 Ko. A bien prendre en compte avant d'acheter.

Les logiciels permettant de telles manipulations sont nombreux. Ils ont pour nom *SoundCap*, *SoundWave* etc. Les boîtiers, par contre, ne sont pas légion. Il existe bien sûr le boîter Souncap et l'excellent Mac Recorder. Ce dernier est un outil remarquable de numérisation et le logiciel d'exploitation est très performant. De plus, il est livré avec des piles HyperCard d'apprentissage et de manipulation des sons.

LES DIAPOSITIVES ET RETRO-PROJECTEURS

Le dernier pari d'Apple, le "Desktop Presentation", appelé parfois en France "l'animatique", développe tous les médias utilisés pour réaliser des présentations de documents, de démonstrations, etc. Parmi toute la panoplie qui commence à apparaître dans ce domaine, deux produits doivent retenir l'attention des entreprises ou de ceux que des présentations de qualité intéressent : les éditeurs de diapositives et les écrans pour rétro-projecteurs.

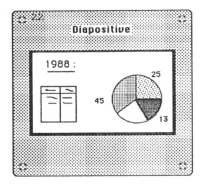

Les éditeurs de diapositives

Ce sont des appareils destinés à produire des diapositives directement en sortie du Mac, à l'aide d'un logiciel adapté. Les logiciels de réalisation de la diapositive peuvent être de toutes natures. Les plus intéressants sont bien évidement ceux qui produisent des documents en couleur et si possible des documents de présentation. Dans ce domaine, les meilleurs semblent être *Powerpoint* et *Cricket Presents*. *Pixel Paint* permet également de produire des images d'une rare qualité. Encore une fois le sélecteur est mis à contribution dans la production de la diapositive : au moment de sortir la ou les diapos, il suffit, comme pour une impression, de choisir le développeur de diapositives dans le sélecteur. Les diapositives sortent alors après quelques minutes.

Par ce système, on peut exploiter les images venant de la plupart des logiciels. De plus, il est même parfois possible de mettre en couleur des images qui avaient été créées en noir et blanc. Le procédé est très interessant puisqu'il n'est pas très oréreux pour un résultat d'une excellente qualité : on peut même avoir un nombre illimité de couleurs parmi une palette de 16 millions de nuances. C'est donc de la qualité professionnelle. A noter qu'il est possible de ressortir des images scannérisées : la boucle est bouclée.

Pilotage d'un retro-projecteur

Un autre système de la même veine que le précédent permet d'envoyer l'image ou la présentation (par exemple enchaînée par *VideoWorks*) sur un boîtier fixé sur un système de rétro-projection. L'ensemble suffit pour la majorité des présentations dans une entreprise et évite ainsi l'achat coûteux d'un canon à images. Inconvénient : le boîtier aurait tendance à chauffer et ne permettrait pas des présentations trop longues.

CD-ROM

Changez de disque

Le CD-ROM sorti par Apple permet d'envisager dans sa pleine mesure le concept d'outil multi-média. En effet, la connexion de ce type de lecteur sur votre Mac va mettre à votre disposition une quantité d'informations théoriquement illimitée. Rappelons que le lecteur CD-ROM est destiné à lire des disques vidéo de grande capacité (l'équivalent de plus de 600 disquettes). Le temps d'accès à ces disques est assez long et ils sont ineffaçables, fixés dans l'état où vous les achetez. L'intérêt principal est de pouvoir accéder à des grandes quantités d'informations sous un faible volume de stockage. Vous pouvez également utiliser ces informations dans vos applications, vos formations etc. HyperCard possède une relation très étroite avec le CD-ROM dont il peut très facilement exploiter les données.

Il existe tout un ensemble de disques sur le marché. Par exemple :

 L'apprentissage des langues ;

 Pour les pharmaciens, disques de répertoire de médicaments ;

 Banque de données sur les vins du monde entier ;

 Des compilations de parties d'échecs ;

 Des banques de sons réutilisables dans Hypercard ou des applications ;

 Des banques de données sur des informations touristiques en Europe, etc.

ENCORE ET ENCORE...

La liste des périphériques possibles pour le Mac est encore fort longue. Parmi les systèmes qui sont d'une certaine utilité, on peut encore citer :

- Les tablettes graphiques qui sont un autre moyen d'entrer l'information ;

- Les boîiters de pilotage de tables traçantes ;

- Les outils de mesure et en particulier le célèbre système (logiciel associé à six cartes) "Labview" qui transforme le Mac en instrument de mesure. (voltmètre, milliampèremètre, etc.)

- Des outils de reconnaissance de l'écriture.

La liste n'est pas close et l'imagination des développeurs, au moins égale à celle des utilisateurs, produira sans nul doute d'autres composants aussi remarquables.

Chapitre 13

Le Mac
et les autres mondes

DES LIAISONS AVEC LES GROS SYSTEMES

Il n'est pas dans notre propos de décrire les mille et une astuces des liaisons du Mac avec les gros systèmes : les liaisons avec les mainframe sont trop récentes pour le Mac pour être vraiment sujettes à des astuces ou des mises en garde réellement motivées. Le souci de ce chapitre est surtout de présenter les différentes liaisons possibles (elles sont très souvent méconnues), la manière dont elles sont réalisées et leurs possibilités. De plus, les éclaircissements concernant Mac Workstation, Mac APPC et Mac A/UX sont fondamentaux pour avoir une bonne vision de l'impact actuel du Mac au niveau des sites centraux.

ON A TOUJOURS BESOIN D'UN PLUS PETIT QUE SOI

Le Macintosh est depuis ses origines un ordinateur orienté vers les communications. Néanmoins, dans un premier temps, les logiciels n'ont pas toujours exploité les réelles possibilités de ses composants, d'où un certain isolement. A l'heure actuelle, les possibilités du Macintosh dans les communications sont tout à fait adaptées à ce que l'on peut désirer faire sur la plupart des connexions avec d'autres machines. Le réseau AppleTalk s'utilise sans difficultés sur un Mac isolé qui pilote une imprimante, ou d'autres périphériques.

Ce même réseau Appletalk est utilisé pour monter des réseaux locaux dont la puissance va croissant : de quelques Mac en réseau sur une Laser, à un ensemble de machines partageant des disques et des moyens d'impression. Par ailleurs, les cartes que l'on peut adjoindre au Mac SE et au MAC II peuvent les rendre équivalents (mais est-ce réellement intéressant ?) à un compatible PC.

Le Mac et ses émules

La puissance de la gamme Macintosh ne s'arrête pas là, puisqu'il existe tout un ensemble d'émulations et de cartes qui transforment à volonté un Macintosh en Minitel, en PC, en terminal VT100, en 3251. Bref, les possibilités sont déjà nombreuses et la connexion d'un Macintosh en lieu et place d'un terminal IBM, DEC ou HP est maintenant possible.

L'avantage est évident puisque vous bénéficiez d'un terminal non seulement doué de capacités de traitement étendues, mais qui en plus se trouve en environnement Mac (donc très convivial). Finie l'ère des gros terminaux rébarbatifs aux touches de fonctions multiples, terminé le doublet micro-ordinateur/Minitel qui encombre votre bureau. La solution Macintosh dans les environnements sites centraux est maintenant suffisamment crédible pour être envisagée.

La puissance du Macintosh II lui ouvre les portes de mondes réservés jusqu'à présent (si on veut le faire sérieusement) aux "minis" : le monde Unix et le dialogue "intelligent" d'une station de travail avec un site central.

- Le produit *Mac Workstation* permet même aux ingénieurs des sites centraux de concevoir des applications dialoguant avec le terminal Macintosh II. C'est Mac Workstation qui, dès le développement sur site central, "pense" Mac sans efforts supplémentaires conséquents sur les budgets ;

- Mac entre dans l'ère du multitâche et du multiposte puisque le produit A/UX permet d'installer Unix sur Macintosh II.

MAC ET MINITEL

Si vous avez sur votre bureau un Macintosh et un Minitel, vous pouvez considérer que l'un des deux doit disparaître ! (Et vraisemblablement, ce sera le Minitel qui s'en ira...). En effet, il est aisé de transformer un Mac en Minitel (beaucoup plus que l'inverse !) ; suivant vos moyens, ce sera un Minitel simple avec une connexion manuelle comme les vrais ou un outil entièrement automatique où la souris fera tout pour vous.

Pour transformer un Macintosh en Minitel, il vous faut simplement un logiciel, *un câble* et un modem. Si vous n'avez pas de modem, l'astuce est de se servir de celui qui se trouve dans un vrai Minitel. On entendra également par connexion Minitel les liaisons à tout serveur de type Vidéotex.

Le Logiciel

N'importe quel logiciel de communication capable de piloter le port série du Macintosh peut être l'outil convenable. Il suffit pour cela qu'il soit capable de remplir les conditions suivantes :

 Il doit pouvoir gérer la communication en émulation dite "Minitel" c'est-à-dire en caractères graphiques Vidéotex et fixer les paramètres suivants :
Vitesse de transmission : 1200/75 ;
Format des données :
7 bits ;
1 bit de stop ;
Parité paire ;
Pas de protocole Xon/Xoff (sauf si votre Mac utilise le modem d'un Minitel pour communiquer).

Il existe de nombreux logiciels permettant cette communication. Les plus connus sont *Pom'Tel*, *Mimitel*, *Microphone*, et l'incontournable *MacTell* (actuellement commercialisé dans sa version 3. 4). Vous trouverez ci-après, à titre d'exemple, l'écran Mac Tell avec toutes ses fonctions Minitel que vous obtiendrez à la souris ou au clavier. Les fonctions s'obtiennent en effet également au clavier : par exemple, la touche de **Tabulation** assure la fonction "suite". Remarquez particulièrement les deux touches :

 Enregistrement continu qui permet d'enregistrer en mémoire toute la conversation Minitel et de la rejouer après déconnexion , ce qui permet de gagner beaucoup de temps durant la communication et donc de l'argent...

 Enregistrer sert à sauvegarder en TEXT la page en cours (donc lisible par *Mac Write* ou tout autre traitement de texte).

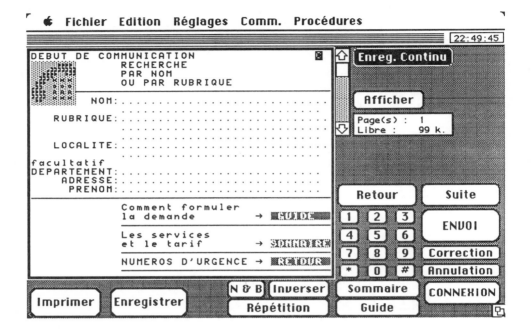

L'avantage de transformer son Macintosh en Minitel, outre le gain de place, est la possibilité de disposer de fonctions puissantes non disponibles sur un Minitel "normal" :

 La mémorisation des pages à volonté en format Vidéotex ou en format ASCII (texte) ;

 Bien sûr, la possibilté d'imprimer en direct ou en différé sur imprimante ImageWriter et même, comble du raffinement, sur imprimante Laser ;

 Dans certains logiciels (c'est le cas de *Microphone* et de *MacTell*) vous avez à disposition un petit langage qui permet d'écrire des procédures de connexion, d'aiguillage dans un service, etc. Ces petits langages procéduraux sont extrêmement utiles pour vous connecter sur votre service favori, aller prendre les dernières informations boursières situées à la page X derrière le menu Y de votre serveur boursier habituel, de manière totalement automatique. A titre d'exemple, voici une procèdure Mac Tell de connexion automatique sur le 3615 :

```
Sélectionner le terminal Vidéotex
Fixer la vitesse et le format en Vidéotex (1200,7,paire)
Composer le "36 15" (arrêter l'exécution si pas de connexion)
Fin de la Procédure
```

Le modem et les câbles

Le modem est l'élément clé de votre système de communication Minitel (et d'autres types de communications d'ailleurs). Suivant vos moyens financiers, vous pourrez pousser plus ou moins l'automatisation de votre Mac-Minitel. En effet, différents types de modems existent sur le marché, du plus simple au plus sophistiqué (…donc plus ou moins chers).

Pourquoi un modem ? Le modem est nécessaire au Macintosh qui veut soit communiquer en Minitel, soit accéder à des bases de données, soit parler avec un autre ordinateur (et pourquoi pas un autre Mac ?), soit enfin servir lui même de serveur Vidéotex par exemple.

Vous n'avez pas de modem

Vous n'avez pas de modem, devez vous dire adieu à la connexion Minitel ? Non, pas du tout ! Si vous possédez un vrai Minitel, vous pouvez encore trouver une parade. L'astuce consiste à utiliser le modem du Minitel. Bien sûr, on peut supposer que transformer le Mac en Minitel alors qu'on a un vrai Minitel sous la main, c'est un peu absurde. En fait, c'est très malin, à cause des fonctions de traitement de l'information (mémorisation et impression des pages, procédures évoquées plus haut) : vous aurez ainsi un super-Minitel…

Comment procéder ? Il suffit de vous procurer un simple câble (la plupart des revendeurs de matériel se feront un plaisir de vous en fournir un), constitué de la manière suivante : à une extrêmité, vous trouverez une Din 8 broches (pour le Mac Plus) ou une mini Din (pour le Mac SE et le Mac II) que vous connecterez sur le Mac ; de l'autre côté, vous trouverez une prise Din 9 broches que vous brancherez sur la prise Din du Minitel.

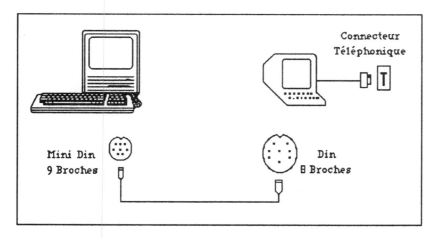

Il ne reste alors plus qu'à paramétrer (voir plus haut) votre logiciel de communication et de le lancer. Pour le reste, il suffit de procéder exactement comme pour une connexion Minitel normale.

Vous remarquerez que l'image Minitel apparaît à la fois sur l'écran du Minitel et sur l'écran du Macintosh. Vous pouvez frapper les touches des deux claviers indifféremment (mais n'oubliez pas que la plupart des services Minitel, dont l'annuaire, ne comprennent que les majuscules : prenez l'habitude d'enfoncer la touche **Verrouillage majuscule** au début de la communication).

> Attention ! L'utilisation du modem d'un minitel peut aller encore plus loin, allez voir la communication Mac à Mac dans le même chapitre.

Modem SECTRAD

Evidemment, un vrai modem n'est pas plus mal ! Si vous disposez de ressources financières suffisantes, vous pouvez acheter un petit modem de type "SECTRAD" (appelé parfois modem universel). Il se raccorde à votre micro-ordinateur par une liaison série simplifiée (RS232 Avis CCITT V 24), ce qui implicitement stipule (!) que ce n'est pas un modem entièrement automatique.

Avec ce type de modem, vous devrez donc effectuer vous-même la connexion comme pour un Minitel normal : composer le numéro de téléphone, attendre le signal de la porteuse (son aigu et prolongé) et appuyer sur un bouton pour déclencher la connexion. Ce modem comporte également la possibilité de réponse automatique (dans le cas où vous devriez utiliser votre Mac comme serveur Vidéotex).

Enfin, il intègre la fonction de "détection de l'absence de porteuse" : le modem "raccroche" tout seul au bout d'un certain temps s'il ne détecte pas de porteuse. Ce type de modem n'est pas excessivement cher et permet déjà pas mal de manipulations tant pour les connexions Minitel que sur Transpac, etc.

Modem Tristandard d'Apple

Si vous êtes déjà plus motivé par les connexions Minitel et tous les autres modes de communication vers des serveurs de bases de données, vous pouvez acquérir un modem plus sophistiqué comme le modem Tristandard d'Apple. Ses caractéristiques principales sont les suivantes :

- Vitesses de transmission : 300 Bauds full duplex (avis V21), 1200 Bauds full duplex (avis V22), 1200 Bauds émission / 75 Bauds réception (avis V23) ;

- Interface : Le modem possède une prise DB-25 conforme à l'avis V24 ;

- Modes d'utilisation : possède les modes de composition, d'appel et de réponses automatiques conformes aux avis V25 et V25 bis. Si le logiciel le permet, la sélection des vitesses peut, elle aussi, être automatique ;

- Autres caratéristiques : peut passer en mode manuel. Il se comporte alors comme un modem de type "SECTRAD" et peut-être entièrement paramétré.

L'avantage principal de ce type de modem, si vous disposez d'un logiciel suffisamment puissant, réside dans la composition automatique des numéros : elle peut être lancée d'un simple clic de souris. C'est le Mac qui, via le modem, composera pour vous le numéro voulu. Mieux même, si votre logiciel possède la possibilité d'écrire des procédures, la connexion entièrement automatisée à un service est tout à fait réalisable : le modem effectue pour vous toute la procédure de connexion, piloté par le logiciel. Vous ne touchez absolument à rien. Vous pouvez par exemple, sur un simple clic, lancer une procédure qui connectera le Macintosh sur tel serveur d'informations boursières, prendra tout seul les pages de cours que vous aurez programmés dans votre procédure, les enregistrera, puis se déconnectera du serveur.

☞ La méthode la plus fine pour gérer les communications consiste à utiliser Hypercard avec un logiciel de communication et un modem automatique. Vous créez alors une ou plusieurs cartes avec des icônes associées chacune à un serveur donné. Vous lancerez alors depuis Hypercard votre logiciel de communication et une procédure de connexion sur le serveur choisi. Un simple clic peut donc vous propulser directement dans n'importe quel menu de n'importe quel serveur. Hypercard continue par ailleurs de tourner en tâche de fond. On remarquera aussi que ce type de modem associé à Hypercard permet également, en association avec un carnet d'adresses, d'appeler de manière entièrement automatique un correspondant quelconque.

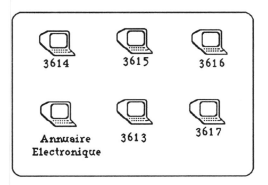

Modem de type Hayes

Dans les différents types de modems, vous entendrez souvent parler des modems Hayes. En réalité HAYES est un langage de commande des modems largement répandu dans les télécommunications. En particulier, le modem Tristandard est de type Hayes ainsi que le modem Diapason, tandis que le modem SECTRAD ne l'est pas.

MAC ET...MAC

Le BA BA de la communication pourrait-on dire, c'est de pouvoir dialoguer avec ses semblables. C'est donc naturellement que vous pouvez envisager la communication à distance de deux Mac. L'installation est simple : vous pouvez passer par le réseau téléphonique avec à chaque extrémité un Mac et un modem pour les communications. Il faut également un logiciel de communication (comme *MacTell 3*) capable d'envoyer des données ou de les recevoir. Mais vous ne devez pas oublier que dans cette communication, vous devez impérativement avoir un Mac qui émet, tandis que l'autre reçoit. Le mieux est donc de travailler comme si vous aviez un Mac serveur (émetteur) à la vitesse la plus grande possible, et un Mac qui reçoit les informations (récepteur). Dans ce cas, les paramètres de transmission sont les suivants :

> Vitesse de transmission : 1200/75
> Format des données : 7 bits, 1 bit de stop, parité paire, pas de protocole Xon/Xoff (sauf si votre Mac utilise le modem d'un Minitel pour communiquer).

Vous ne devez pas oublier que dans ce cas, l'un des Mac envoie des informations vers l'autre. Il faut donc inverser les vitesses du Mac receveur : en effet, si le Mac émetteur envoie à 1200 Bauds (vous n'allez tout de même pas envoyer à 75 Bauds...) le récepteur doit être configuré pour recevoir à 1200 Bauds. Faites donc attention si vous réalisez l'opération avec un modem manuel.

> ☛ C'est dans la communication Mac à Mac que vous pouvez aller plus loin dans l'utilisation du modem d'un minitel. Celui ci a la propriété d'être réversible, c'est à dire qu'il peut fonctionner à volonté dans les deux sens : en émission à 1200 Bauds et en réception à 75 Bauds mais aussi l'inverse (réception à 1200 Bauds, émission à 75 Bauds). L'opération qui consiste à rendre un modem émetteur à 75 Bauds et récepteur à 1200 Bauds s'appelle le retournement de modem. C'est le logiciel de communication qui effectue cette opération (le retournement de

modem est une opération logicielle). Vous pouvez retourner votre modem au clavier du minitel en lui envoyant une séquence de touches appropriée.

MAC ET MS-DOS

Longtemps frères ennemis, les mondes Macintosh et IBM PC se sont maintenant rapprochés. Il faut dire, pour être honnête, que c'est surtout Macintosh qui a fait les premiers pas, avec l'aide des éditeurs qui réalisent de plus en plus souvent leurs logiciels sous deux versions : une pour Mac et l'autre pour PC. C'est par exemple le cas de *Page Maker et de Word 3.0*

Suivant ce que vous désirez faire, la relation entre Macintosh et MS-DOS peut être envisagée de différentes manières :

 Vous disposez de documents au format PC que vous désirez purement et simplement transférer dans le monde Mac afin de les modifier ou les améliorer. Ce peut être parce que vous venez d'acquérir un Mac alors que vous possédiez déjà un ou plusieurs PC ; ou au contraire, vous voulez envoyer des documents Macintosh vers un IBM PC (est-ce bien raisonnable ?). Vous ne souhaitez pas acheter une "usine à gaz" pour effectuer le transfert, mais procéder de la manière la plus économique possible. C'est ce que l'on appelle l'accès aux données MS-DOS ;

 Vous voulez non seulement pouvoir utiliser vos documents PC, mais aussi utiliser les applications PC sur un Macintosh. Pour cela le Macintosh se met à la portée du PC par des moyens assez puissants. Ce type de transformation n'est pas très économique mais se révèle parfois nécessaire. Il revient à faire un PC avec le Mac. C'est ce que l'on peut appeler l'accès aux applications MS-DOS (ou l'accès aux données et aux applications MS-DOS) sur Mac, ou encore l'émulation PC ;

 Enfin, vous voulez partager des médias et périphériques à la fois par des Macintosh, mais aussi par des PC. Il faut donc trouver le moyen de connecter le PC au réseau comprenant un ou plusieurs composants Apple. C'est ce que l'on appelle l'accès d'un PC au réseau AppleTalk.

L'accès aux données MS-DOS

Vous voulez donc accéder aux données Macintosh à partir d'un PC, ou, à l'inverse, pouvoir reconnaître des données PC sur un Mac. Le moyen d'effectuer ces lectures dans les deux sens est simple et ne nécessite pas un investissement très lourd. C'est la solution à retenir si vous ne faites que du transfert de données entre les deux types de micro-ordinateurs, soit parce que vous ne voulez pas mélanger étroitement les deux environnements, soit tout simplement parce que vous avez abandonné l'un au profit de l'autre. Vous pouvez envisager deux types de lecture des données :

🍎 Une lecture sans conversion de fichier : il s'agit d'un simple transfert de données entre les deux appareils. Pour simplifier, on peut dire qu'il ne s'agit alors que d'un problème de télécommunications.

🍎 Une lecture des données avec conversion : non seulement le Macintosh lira les données PC (ou réciproquement) mais en plus, il sera capable de convertir les données lues dans le format d'une application connue (*MacWrite*, *Excel*, etc).

> Attention ! En particulier, vous pouvez désirer lire du format ASCII IBM, qui n'est pas le format ASCII classique (code ASCII IBM dit "étendu") et qui a la désagréable caractéristique de ne pas coder les caractères accentués comme les autres. Vous voudrez donc, lors d'un transcodage, que vos caractères portent les bons accents.

Lecture sans conversion des données

Pour cela, la solution est simple. Chaque appareil doit disposer d'une sortie série RS 232. La communication proprement dite peut se faire de différentes manières.

🍎 Par liaison directe câblée : vous devez par ailleurs vous procurer un câble PC- Macintosh, (appelé câble *NullModem*). Le connecteur est un câble 9 broches mini-din côté Macintosh (pour le Macintosh Plus, ce connecteur est un connecteur DIN-8) et du côté PC il vous faut un connecteur plat 9 broches. La liaison est alors directe. On doit disposer d'un logiciel de communication des deux côtés, et on s'envoie les fichiers directement.

🍎 Par modems : chaque micro est muni d'un modem et le transfert se fait de modem à modem. La liaison nécessite tout de même deux modems et le câble de liaison modem-modem (ou le réseau téléphonique).

En dehors de la liaison, vous devez disposer des logiciels permettant des deux côtés de recevoir et d'envoyer des fichiers. L'envoi des fichiers se fera en fixant sur chaque logiciel des paramètres de vitesse et de protocole de transmission. L'échange entre les deux machines est alors direct. Les outils de transfert utilisés sur les machines seront par exemple des logiciels comme *XTALK* sur PC, *MacTell 3*, *Mac Link Plus* ou *Kermit* sur Macintosh.

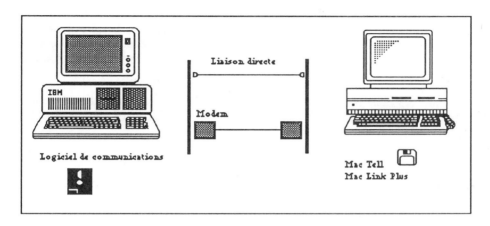

De manière générale, vous utiliserez des logiciels capables d'émuler un terminal TTY de chaque côté (le terminal TTY est un standard dont les paramètres sont notoirement connus. La plupart des logiciels affichent "TTY" sans autre précision). Le transfert du fichier se fait donc en binaire sans conversion si les émulateurs ont des protocoles adéquats (XMODEM, YMODEM, etc...).

Si vous transférez ainsi de PC à Macintosh, il y a des données qui pourront directement être exploitées par les logiciels Macintosh. Les tableaux suivants énumèrent quelques unes de ces conversions "directes" PC-Mac et Mac-PC.

Format MS / DOS	Outil de conversion	Format Macintosh
Think Tank PC	MORE	MORE
dBase III	dBase Mac	DBase Mac, Omnis III Plus
PageMaker	Pagemaker	Pagemaker
Lotus 123	Excel Mac	Excel Mac
Multiplan PC	Multiplan Mac	Multiplan Mac
Symphony	Jazz	Jazz
Excel PC	Excel Mac	Excel Mac
Word PC	Word Mac	Word Mac
SYLK	Omnis III Plus, 4D	Omnis III Plus, 4D

Format Macintosh	Outil de conversion	Format MS / DOS
Excel Mac	Excel PC	Lotus 123, Multiplan PC, Excel PC, DIF
Multiplan Mac	Multiplan PC	Multiplan PC
Word Mac	Word PC	Word PC
MORE Mac	MORE Mac	MORE PC
dBase Mac	dBase Mac	ASCII,

Lecture avec conversion des données

Bien sûr, le mieux est encore de transférer les données et de les convertir en même temps. Pour cela, le montage est exactement identique au précédent. La seule différence se situe dans le résultat de ce qui est transmis : le logiciel de communication effectue en même temps une conversion des données. Le plus connu d'entre eux est *MacLink Plus,* qui est utilisable sur toute la gamme Macintosh.

Ce produit, très bien conçu, est à la fois un logiciel de communication (il entre donc dans la rubrique des logiciels de transfert entre Mac et PC) et un outil de conversion très complet. Il réalise :

 La conversion des données de nombreux logiciels courants dans le monde PC en données exploitables par des applications Mac et cela dans les deux sens. Quand on fixe un format de données à convertir, il affiche automatiquement la liste des formats disponibles en réception en fonction du sens de conversion choisi.

 L'émulation d'un certain nombre de terminaux (types PC, Wang etc. .).

 Le paramétrage des vitesses, du protocole, etc. ; c'est donc un véritable logiciel de communications.

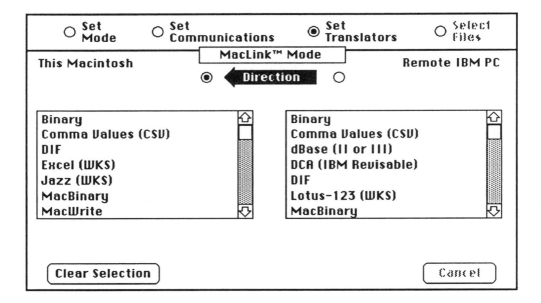

L'accès aux données et aux applications MS-DOS sur Mac

Bien sûr, il est parfois nécessaire de pouvoir faire tourner des applications du monde MS / DOS dans l'environnement Apple ou plus simplement de convertir des données MS /DOS, sans avoir de PC pour les lire.

Les raisons peuvent être multiples : par exemple, vous possédez un Macintosh mais pas de PC, et vous recevez une disquette DOS qu'il faut bien exploiter ou convertir. Dans ce cas, plusieurs solutions sont à votre disposition :

🍎 Vous désirer exploiter uniquement des données au format MS /DOS (sur disquettes 5"1/4 ou 3"1/2). Vous vous retrouvez dans le cas cité aux paragraphes précédents, sauf que vous ne possédez pas de PC. Il vous faut donc manipuler les données que vous recevez directement dans l'environnement Macintosh, et pour cela, un lecteur adéquat est nécessaire.

🍎 Vous désirez utiliser les applications du monde MS-DOS dans l'environnement Macintosh. Il vous faut à la fois un matériel de lecture et un logiciel d'émulation MS -DOS.

Lecture de données MS-DOS sur Mac

Pour lire des données du monde MS-DOS sur un Macintosh, il vous faut un lecteur de disquettes 5"1/4 qui puisse reconnaître des disquettes au format MS-DOS. Les solutions existantes ne fonctionnent que sur Mac SE et Mac II, dont une directement développée par Apple, et qui est constituée de trois éléments :

🍎 Un lecteur de disquettes Apple PC 5 25, capable de lire des disquettes au format MS-DOS (360 K).

🍎 Une carte lecteur PC capable de piloter le lecteur de disquette. Cette carte existe en version Macintosh SE et bien sûr en version Macintosh II.

🍎 Un logiciel de lecture et d'écriture des données sur la disquette DOS. Ce logiciel dénommé Apple File Exchange est également capable de lire des données MS-DOS et de les écrire sur un disque Macintosh au format d'une application Macintosh. Réciproquement, il peut lire des données Mac et les écrire sur la disquette DOS au format d'une application DOS.

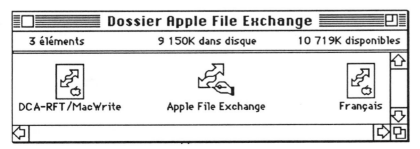

Ce logiciel est inclus sur les disquettes "Utilitaires" livrées avec le Macintosh et son fonctionnement est décrit intégralement dans le Guide des utilitaires Macintosh.

Apple File Exchange est très puissant. Il fonctionne théoriquement sur tous les types de formats, pour peu que le fichier qui permette la conversion existe : chaque type de conversion est stocké dans un fichier particulier. Par exemple, si vous désirez convertir du Multiplan PC en Excel Macintosh, il faut se procurer le fichier qui contient les paramètres de conversion (qu'on pourrait appeler "driver de conversion"). Apple livre en standard un fichier de conversion du format DCA en format Mac Write (le format DCA est exploité par de nombreux logiciels de traitement de texte PC). De plus, Apple File Exchange possède des fonctions assez sophistiquées :

🍎 Il reconnaît le lecteur Apple PC 5. 25 et est donc capable de lire et écrire sur les disquettes qu'il contient.

🍎 Il reconnaît automatiquement les types de documents sélectionnés sur une disquette DOS et assure la conversion de tous les fichiers identifiés ;

🍎 Il gère les conflits si les noms des fichiers convertis existent déjà sur le disque cible.

🍎 Dans le cas où il existe plus d'une possibilité de conversion à partir d'un fichier donné, le logiciel propose les choix adéquats.

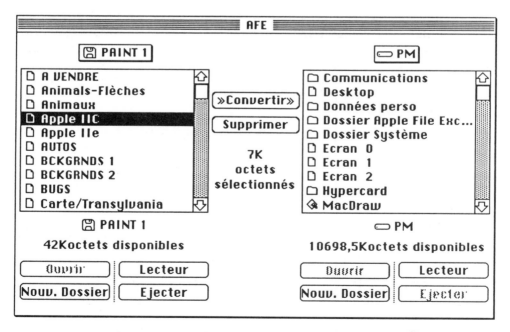

Attention ! Apple File Exchange est le seul à reconnaître le lecteur Apple PC 5. 25. Vérifiez bien que vous possédez ce logiciel pour travailler efficacement.

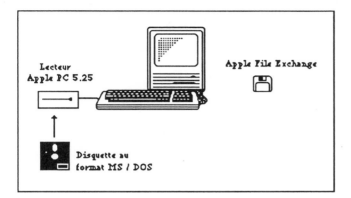

Il existe d'autres solutions pour traiter des données du monde MS-DOS sur Macintosh. Citons entre autres le lecteur *DaynaFile* (pour Mac Plus). Ce lecteur identifie et lit des disquettes MS-DOS aux formats 360, 720Ko et 1,2 Mo à partir du Macintosh sur le connecteur SCSI. Les disquettes MS-DOS lues apparaissent comme des icônes sur le bureau du Macintosh et sont reconnues comme de vrais volumes.

Utilisation d'applications MS-DOS sur Mac

Il est également possible d'utiliser des applications du Monde MS /DOS sur un Macintosh. Cela peut arriver dans certains cas. Par exemple, si le logiciel PC auquel vous tenez beaucoup n'existe pas sur Mac (vérifiez bien, c'est étonnant...). Vous devez donc réaliser une parfaite émulation de votre micro préféré en PC compatible. Ce n'est possible que sur Mac SE et Mac II. La solution est fournie par les cartes Mac86 (pour Mac SE) et Mac286 (pour Mac II) développées par AST.

🍎 La carte Mac86 transforme le Mac SE en PC-XT. MS /DOS se lance comme une application Macintosh et apparaît dans une fenêtre. Le Finder et les accessoires de bureau sont encore accessibles. La carte utilise une partie du disque dur du Mac SE et toute application MS-DOS (au moins version 3. 1) peut être chargée sur ce disque. Les documents sont transférables d'un système à l'autre.

> ☛ Il est fortement conseillé, voire impératif, d'utiliser conjointement à cette carte un lecteur Apple PC 5. 25.

> Attention ! La carte se réserve 640K de la mémoire du Macintosh, comme un vrai PC-AT, ce qui limite considérablement vos possibilités pour d'autres applications, à moins d'avoir une extension mémoire.

Le PC ainsi créé exploite tout à fait valablement l'imprimante LaserWriter. Sur le réseau Appletalk, elle est vue comme une Epson FX-80.

🍎 La carte Mac286 transforme le Mac II en PC-AT de la même manière que le Macintosh SE, avec bien sûr des performances nettement meilleures.

> Attention ! L'association Mac II - carte Mac 286 est beaucoup plus performante que celle constituée par un Mac SE et la carte Mac86.

L'accès d'un PC au réseau AppleTalk

L'accès aux médias, c'est tout simplement la possibilité donnée à un PC de pouvoir lire des données Macintosh en s'intégrant dans un réseau existant. Là encore, suivant qu'il s'agisse d'un serveur distribué ou d'un serveur dédié, les possibilités de branchement d'un PC sur le réseau sont nombreuses.

Connexion d'un PC sur un réseau à serveur distribué

Vous désirez connecter un PC sur un réseau AppleTalk à serveur distribué (voir chapitre 8) ; il s'agira probablement de *TOPS* ou de *Mac Serve*. La solution de connexion existe dans les deux cas.

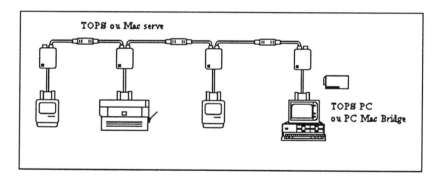

🍎 Pour TOPS, la solution s'appelle *TOPS PC*, constitué d'une carte et d'un logiciel. Une fois le logiciel et la carte TOPS installés sur le PC, celui ci peut être connecté sur le réseau par l'intermédiaire d'un câble Appletalk. Les volumes du disque MS-DOS qui seront montés sur un Macintosh seront effectivement partagés.

> Attention ! TOPS transporte l'information contenue sur les volumes PC mais ne les convertit pas. Il faut pour cela utiliser *MacLink Plus* ou *TOPS Translator*.

🍎 Pour *Mac Serve*, la solution s'appelle PC Mac Bridge. Le principe est identique à celui de TOPS. Il s'agit d'un logiciel et d'une carte. Les volumes DOS montés sur le réseau sont partagés sur le réseau. La remarque concernant TOPS est également valable.

Connexion d'un PC sur un réseau à serveur dédié

Si vous désirez connecter un PC sur un réseau AppleTalk à serveur dédié (voir chapitre 9), il s'agira probablement d'AppleShare. L'unique solution s'appelle AppleTalk PC. Elle permet de connecter un PC sur AppleTalk. Le volume Appleshare monté est reconnu par le Macintosh serveur : le serveur étant un Mac, le PC est capable de reconnaître le serveur et de monter le volume.

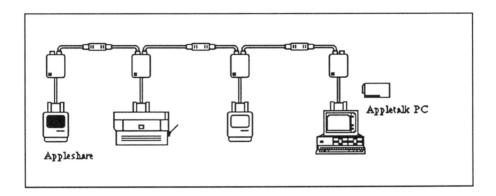

LES CONNEXIONS AVEC LE MONDE IBM

Le monde IBM est l'un des plus riches et parvenir à connecter un Mac sur un site central est maintenant le souhait de nombreux utilisateurs. La connexion - on devrait plutôt dire les connexions- ne sont pas faciles à envisager tant la gamme IBM est vaste. Par ailleurs, elles ne concernent pour la plupart que les possesseurs de Macintosh SE et Macintosh II, mais toutes les solutions logicielles citées sont accessibles aux Mac Plus. Les principaux ordinateurs existants sont les suivants (en allant des plus petits aux plus grands) :

 Les PC IBM dont les modes de connexion ont déjà été vus ;

 Les minis-ordinateurs dont les plus connus sont le SERIE 1 (utilisé surtout dans les milieux industriels), et les systèmes 34, 36, 38 ;

 L'IBM 370 dont la puissance va de 0, 5 à 2 Mips ;

 L'IBM 9370 ;

 La série 43XX, qui constitue une série d'ordinateurs de gestion de taille moyenne. La puissance varie de 1 à 8 Mips ;

 La série des 30XX, ordinateurs de grande puissance dont le très célèbre 3090 (de 30 à 55 Mips).

Bien sûr, les sytèmes d'exploitation sont différents ainsi que les systèmes de communication, les bases de données, les protocoles de transmission, etc... La connexion de Macintosh peut se faire sur un grand site de deux manières différentes :

 Le Macintosh émule un des terminaux IBM supportés par la machine avec laquelle on veut dialoguer.

 Le (ou les Mac montés en réseau) doit(vent) utiliser une passerelle pour dialoguer avec le monde IBM.

Les connexions 43XX et 30XX

Les connexions avec les 43XX et 30XX sont, à l'heure actuelle, tout à fait réalisables. Les solutions les plus intéressantes à ce jour sont *NETWAY 1000A, AVACOM, l'association Télémac/ Artémis*, et *Mac Irma*.

NETWAY 1000A

NETWAY 1000A est un boîtier que l'on place au sein d'un réseau Appletalk. Il constitue la passerelle vers le monde IBM par une liaison asynchrone du boîtier NETWAY sur un contrôleur de communications de la série 3705-3725. Les principales caractéristiques de ce type de connexion sont les suivantes :

 Le boîtier joue le rôle d'un contrôleur de grappe de terminaux 3274 ;

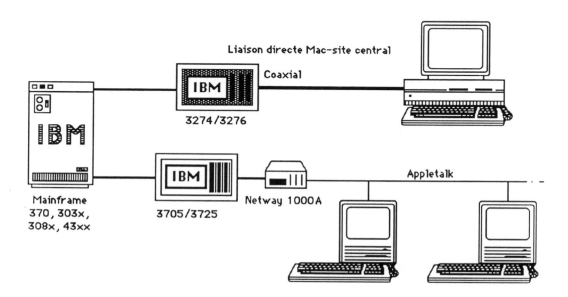

Liaison directe Mac-site central

Coaxial

3274/3276

Appletalk

Netway 1000A

Mainframe
370, 303x,
308x, 43xx

3705/3725

 On peut connecter jusqu'à 31 postes sur ce boîtier, dont 16 simultanément en émulation de terminal 3278-2. La vitesse de transmission peut être de 2400, 4800 ou 9600 Bits/sec.

 La liaison boîtier-contrôleur de communication peut être directe (locale) ou distante par l'intermédiaire de modems (remote).

 Au niveau Macintosh, le logiciel est constitué d'une émulation de terminal 3278-2. Au niveau site central, il existe un logiciel pour activer les transferts de fichiers.

Ce type d'émulation permet d'excellents transferts entre site central et Mac. On pourrait l'utiliser en infocentre puisque le Mac reçoit des informations du site central qu'il peut ensuite manipuler en local.

Cette solution est recommandée pour constituer une passerelle entre un réseau AppleTalk et un site IBM.

AVACOM

Cette solution ressemble beaucoup à la précédente, mais concerne un seul Macintosh pour chaque boîtier. Il existe deux possibilités que vous choisirez suivant les matériels disponibles :

 AVACOM PA1000T : Il s'agit d'un boîtier. Le Mac se comporte comme un 3278-2 et se connecte via un modem sur un contrôleur de communication de la série 3705-3725. Vu du site central, le Mac se comporte absolument comme n'importe quel terminal 3278-2 d'IBM. La descente de fichiers du site central s'effectue avec le même logiciel que *NETWAY*.

 AVACOM SE : C'est une solution particulière, réservée au Macintosh SE. C'est une carte qui se place dans le Slot du SE. Elle se connecte directement sur un contrôleur de grappe de terminaux 3274. A part cette différence, la solution fonctionne exactement comme l'*AVACOM PA 1000T*.

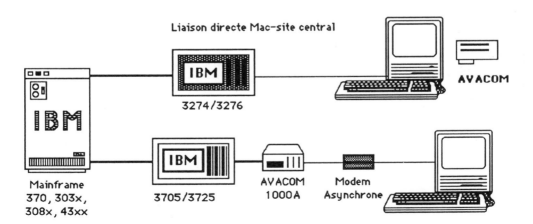

TELEMAC / ARTEMIS

Il s'agit de l'association des logiciels *Télémac* (logiciel d'émulation 3278 sur Macintosh) et *Artémis* qui est le programme sur le site IBM. La liaison peut être locale (câblage direct entre le Mac et un contrôleur de télécommunications 3705-3725) ou distante par le biais de modems et le réseau téléphonique(RTC). L'avantage est de ne nécessiter aucun investissement matériel mais uniquement un ajout de logiciel. De plus, c'est l'outil idéal pour l'ingénieur système qui, las de se déplacer le samedi pour vérifier que tout s'est bien passé, peut de chez lui établir une liaison et vérifier rapidement (du moins on le lui souhaite) ses contrôles.

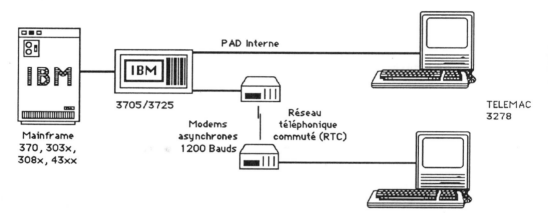

MAC IRMA

Enfin, la dernière possibilité est constituée par l'association de Mac IRMA et du Macintosh. *Mac Irma,* c'est une carte et un logiciel. Mac Irma émule un terminal 3278 et se connecte via un câble coaxial sur un contrôleur de terminal 3274 ou 3276. Cette solution ne fonctionne que sur Mac SE ou Mac II.

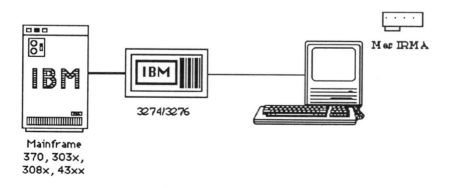

Les connexions 34, 36, 38 et AS/400

Les solutions pour connecter un ou des Macintosh sur des IBM 34, 36,38 font appel à la fois à un boîtier et à divers logiciels exploitant ce boîtier.

Le boîtier KMW

Il permet de connecter plusieurs Macintosh et fonctionne suivant deux modes :

 En liaison synchrone : émule un contrôleur de terminaux 5291. Cette liaison peut fonctionner sur des IBM 36 et 38. La connexion du boîtier sur l'IBM se fait alors via un câble Twinax en local ou en sortie d'un contrôleur de grappe.

 En liaison asynchrone : supporte jusqu'à sept Macintosh. La transmission peut être activée à des vitesses allant jusqu'a 19200 Bits/sec.

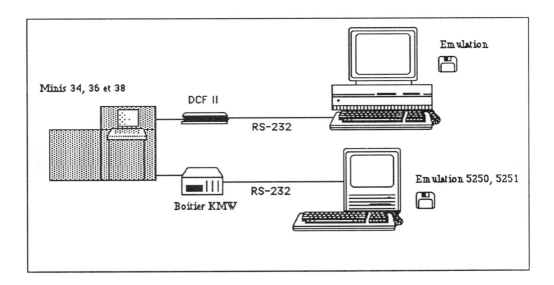

Les logiciels

Les logiciels qui permettent une bonne relation entre le ou les Macintosh et l'IBM doivent à la fois assurer une émulation du Macintosh en un terminal reconnu par IBM et accepter le dialogue avec le logiciel qui se trouvera sur l'IBM pour le transfert de fichiers. Il existe deux logiciels d'émulation de terminaux pour le boîtier KMW :

 Un logiciel livré avec le boîtier KMW, qui émule un terminal 5250.

 Un programme d'INFO 3D, qui émule un terminal 5251 et qui reconstitue les touches de commandes utilisées sur un IBM 38 ou 36. Ce logiciel peut également être utilisé pour une connexion Mac -AS/400.

A ces deux logiciels est associé un logiciel pour le site central du 36 ou du 38 pour permettre la descente des fichiers vers le Macintosh. La solution est élégante et permet des transferts de fichiers dans divers formats (*Excel, MacWrite* , etc.) qui rendent ces données directement exploitables.

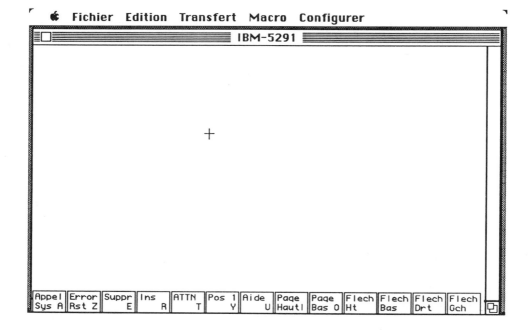

 Il existe sur Hypercard une pile qui permet de transformer des données Excel en cartes Hypercard. Elle réalise une association des colonnes du document Excel avec le champ d'une carte type. Il est ainsi possible de récupérer un fichier issu d'un 36/38 sous le format Excel et de le transformer et l'envoyer sur un carnet d'adresses Hypercard.

 Hypercard, par la puissance de ses communications, peut être valablement utilisé pour tous les types de connexions automatiques sur sites centraux (dans certains cas, il faut posséder un Modem à composition automatique). L'effet est impressionnant puisque c'est Hypercard qui lance le logiciel d'émulation tout en restant actif "en fond". Sur un simple clic, vous êtes sur le site central de votre entreprise.

LES CONNEXIONS DEC

Les connexions DEC sont probablement les plus avancées à cause des liens privilégiés entretenus par les deux constructeurs. Les passerelles vers le monde DEC existent dès que la connexion sur un réseau Ethernet est possible (voir Chapitre 9). Les principaux moyens ont pour nom EtherPort SE, Ether SC. L'interconnexion de deux réseaux Appletalk et Ethernet est également possible : La solution s'appelle FastPath.

L'émulation

Par ailleurs, il existe des possibilités d'émulation de Macintosh en terminaux DEC. Les logiciels que vous pouvez utiliser sont nombreux :

- Mac 240 : émulations VT52, VT100, VT220 (texte) ou VT125, VT240 (graphique). Le transfert de fichiers est possible avec les protocoles Kermit et Xmodem. Compatible Switcher et possibilités de numérotation automatique.

- *Versaterm Pro* : émulations VT100, Tektronix 4014 et 4105. Protocoles de transfert Xmodem et Kermit.

- *MacTell 3* : émulation VT100. Sauvegarde des pages. Possibilité d'écrire des procédures.

- *Reggie* (produit VAX) : conversion de documents graphiques VAX en format Macintosh.

- *Mac Terminal* : émulations VT100, VT52. Protocole de transfert de fichiers Xmodem. Vitesse d'échange de 50 à 19200 Bits/sec.

- *Red Ryder* : émulations VT100, VT52. Protocoles de transfert Xmodem et Kermit.

Certains, comme Reggie, intègrent la fonction de transfert de fichiers ou la possibilité de convertir des fichiers *MacDraw* ou *MacPaint* en format ReGis de DEC. Pour relier votre Macintosh au Vax, vous pouvez passer par un câble directement branché sur la sortie RS-232 ou par Modems.

L'entente

L'entente pour les deux constructeurs a conduit à aller plus loin encore dans l'interpénétration des mondes. Il existe maintenant toute une gamme de produits qui ont chacun leur spécificité et qui réalisent tout ce que vous pouvez souhaiter. L'accord entre les deux machines n'est alors plus une simple émulation ou encore une carte de conversion / passerelle, mais une véritable entente logicielle. Ces produits sont les suivants :

- *Appletalk pour VMS* : C'est un logiciel qui s'installe sur VAX/VMS et qui lui donne la possibilité de reconnaître Appletalk. Le dialogue entre le VAX et le réseau Appletalk éventuellement connecté est possible. La connexion physique du VAX et du Macintosh est alors soit directe, soit par réseau Ethernet. Cela fonctionne sur VAX 11/7xx ou 8xx ou microVAX II ou 2000. VMS 4. 5 ou plus et *DECnet*.

- *AlisaTerminal* : Permet la connexion d'un Macintosh sur un VAX en utilisant les possibilités de *DECnet* pour les connexions de terminal à distance. Un Macintosh peut donc établir des sessions avec le VAX auquel il est relié. L'accès au réseau est complètement transparent pour un Macintosh du réseau AppleTalk. En particulier, l'accès à n'importe quelle machine DEC est possible à travers *DECnet*. A noter que *AlisaTerminal* est compatible avec certains logiciels déjà cités comme *Mac240* ou *Versaterm Pro*.

- *AlisaPrint* : Grace à ce logiciel, les Macintosh et les VAX d'un réseau AppleTalk peuvent imprimer en Postscript sur des imprimantes connectées sur le réseau. Il permet en particulier aux VAX d'utiliser toute la puissance de leurs spoolers.

- Réciproquement, AlisaPrint ADP permet aux Macintosh d'imprimer des documents sur les imprimantes DEC comme la *LN03-R Scriptwrieter* ou *LPS-40 PrintServer*. Les Macintosh voient les imprimantes DEC comme des LaserWriter. . .

- *AlisaShare* : quand les serveurs se mettent dans la danse. Ce logiciel installé sur le VAX, est un serveur de fichiers accessible aux utilisateurs de Macintosh ou de PC sur un réseau Appletalk. On peut ainsi voir coexister sur le même serveur des fichiers VMS, PC et Macintosh.

- *Sequelink* : est un produit aux potentialités séduisantes. Il s'installe sur un VAX et autorise aux Macintosh la manipulation des bases de données sur VAX, grâce au langage d'interrogation SQL (Structured Query Langage) qui fait tant parler de lui dans l'environnement grands systèmes. En particulier, des applications ont déjà été développées : sur Macintosh, les logiciels *4ème Dimension* ou *Hypercard* peuvent accéder aux bases de données *Oracle* sur microVAX 2000.

Il existe d'autres produits spécialisés de relations entre le Macintosh et le monde DEC. Citons entre autres *Helix VMX* (générateur d'applications), *CommUnity-Mac*, et enfin *MacNow* (produit de connexion du Mac sur la bureautique *ALL-IN-1* de DEC).

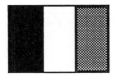

LES CONNEXIONS BULL

Les connexions du Macintosh avec le monde Bull sont, hélas pour notre constructeur national, moins riches que entre Macintsoh et DEC (politique d'entente) ou IBM (politique commerciale). Néanmoins il est toujours possible (avec peine) de réaliser le transfert de données des matériels Bull vers un Macintosh.

Telemac DKU7102 pour DPS6

Logiciel d'émulation des terminaux Bull DPS6. La connexion physique s'effectue par liaison asynchrone directe ou via un modem. Le logiciel possède une certaine ergonomie (touches de fonction activables par souris). Les informations en provenance du DPS6 peuvent être enregistrées et imprimées. On dispose en outre de procédures permettant l'automatisation de commandes. Les transferts de fichiers sont possibles à condition que le site central possède un logiciel ad hoc.

Telemac DKU107 pour DPS7 et DPS8

Il est possible d'émuler un DPS7 ou DPS8. Les terminaux émulés sont le DKU7007 ou le DKU7107. La connexion se fait comme pour le précédent en mode asynchrone ou en X25 au datanet. Le logiciel possède les mêmes caractéristiques que son petit frère.

Avec ces deux produits on couvre les besoins principaux sans vraiment établir de communication "intelligente" entre les deux mondes.

LES CONNEXIONS HP

La remarque faite pour Bull est également valable pour le monde HP. La relation Mac-HP n'est pas vraiment une symbiose. Néanmoins, il est possible d'envisager sérieusement des échanges d'informations.

HPTERM

Permet d'émuler les terminaux HP2622, HP2623, HP2624, HP2392 et HP2393. Les vitesses de transmission vont de 300 à 57600 Bits/sec. Il est possible de récupérer des fichiers ASCII et graphiques. Les touches de fonction sont représentées à l'écran et donc utilisables à la souris

MAC2392

Rend possible la connexion de Macintosh aux sites HP1000 et HP3000. La connexion se fait soit en asynchrone soit par modems. Ce logiciel est très puissant puisqu'il permet (ce qui est rare) le transfert des fichiers dans les deux sens. Les touches de commande sont accessibles uniquement par des séquences **Commande-Option**.

VERSATERM

Une simple émulation de terminal HP2621.

MAC 3000

Une simple émulation du terminal 2624A.

CONNEXION WANG

Il existe une possibilité de connecter un Mac au monde Wang, marque fortement implantée dans la bureautique. Le logiciel *MacLink Plus / Wang VS* émule un terminal Wang 2110. Il permet non seulement d'accéder aux données, mais aussi au traitement de texte, à la messagerie et à l'environnement bureautique. Pour pouvoir communiquer avec le Macintosh, au niveau du Wang il faut :

- Le logiciel *AllégroServer*. La connexion Wang-Mac s'effectue via un port série. Cette solution ne permet que le transfert de fichiers.

- Pour une émulation parfaite supportant toutes les fonctionnalités Wang, il faut une carte comportant un port EADC ou WACS.

D'AUTRES MONDES

Il existe d'autres possibilités de connexion, à la fois avec les gros systèmes déjà cités, mais aussi avec d'autres marques (et non des moindres). Par exemple, il existe une solution de connexion avec *Tandem* (logiciel *Mac Memlo*). Toutes les possibilités existantes ne peuvent, hélas, pas être mentionnées ici, faute de place et de disponibilité des logiciels.

MAC WORKSTATION

Situation de Mac Workstation

Qu'est-ce que *Mac Workstation* ? Ce logiciel qui fait tant de bruit dans le monde Apple est-il une potion magique pour l'accès aux sites centraux ?

On peut considérer que c'est un peu vrai. De manière classique, un micro-ordinateur, pour se connecter sur un site central, doit s'arranger pour apparaître comme un terminal normal de ce site central afin de parvenir à dialoguer (on dit réaliser une émulation de terminal). Quand on réalise une émulation, on se met en quelque sorte à la portée du site central. L'inconvénient dans cette mise à niveau, c'est que le micro perd un peu de son âme, puisqu'il abandonne ses caractéristiques propres. Dans le cas du Macintosh, c'est un inconvénient majeur puisqu'il perd ses capacités graphiques et sa convivialité qui constituent son essence même (menus, fenêtres, etc.) : posséder la plus belle interface graphique du moment et dessiner des lettres et des gros "pâtés" comme sur les terminaux, c'est un peu du gâchis. Pour cela, l'application *MacWorkstation* va permettre de se mettre non seulement en communication avec les sites centraux, mais en plus va conserver la spécificité du Mac et sa convivialité.

Le principe

Pour dialoguer avec le Mac, le site central, contrairement à un terminal classique, envoie des messages qui sont interprétés de manière intelligente par le coeur du Mac (pour les amateurs de technique, il s'agit de la Toolbox). La réception des messages permet au Mac de réagir : dessin de nouvelles fenêtres, boîtes de dialogues, alertes, etc. Réciproquement, le Mac envoie des messages vers le site central quand il se passe quelque chose à son niveau (clic de souris, fermeture de fenêtre, validation, etc...). Le Mac apparaît alors du site central comme une machine réagissant à des événements bien précis qui sont traduits par un message particulier. Le site central est capable d'interpréter ces messages et de réagir, de répondre. Il est donc possible du site central de tout faire sur le Mac (lancer une application, lancer une impression) et réciproquement, du Mac on peut effectuer toutes les manipulations possibles : l'ingénieur système peut donc intégrer le Mac et Mac WorkStation (dit "MWS") comme terminal utilisateur convivial.

Développements

MacWorksation doit pouvoir communiquer avec n'importe quel site central. Pour chaque type de matériel, il existe un Driver particulier qui rend possible le fonctionnement de MacWorkstation (certains drivers sont encore en cours de développement, renseignez vous si vous désirez utiliser ce logiciel). Il transforme le Macintosh en terminal universel de dialogue avec les sites centraux. On parle de plate-forme de communication, puisque tous les matériels sont touchés. Ce logiciel s'adresse donc aux entreprises concernées par les développements sur de gros systèmes. Les développements sur MacWorkstation sont doubles :

 L'écriture de Drivers pour tous les types de matériel possibles.

 L'écriture d'applications entre ces matériels et Macintosh.

Côté site central, il suffit d'intégrer les paramètres de réponse à Mac Workstation dans la partie gestion du terminal, afin de piloter à distance l'interface utilisateur Macintosh.

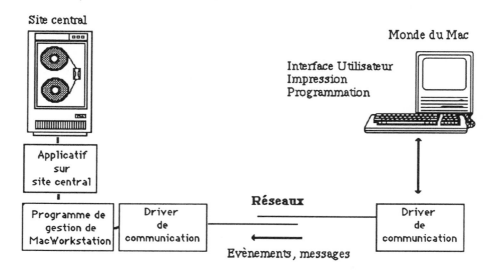

MAC APPC

MAC APPC est un produit qui vise à intégrer le Macintosh dans l'architecture réseau IBM. Il fournit aux développeurs des outils nécessaires au support des services de communication entre Mac et le monde *SNA* (System Network Architecture).

A/UX

Unix existe maintenant sur Mac II avec le produit A/UX. Il s'agit d'un système d'exploitation qui est une implémentation complète de la version UNIX V.2 d'ATT qui intègre des extensions venant des versions 4.2 et 4.3 BSD de l'université de Berkeley. C'est un système multi-tâches, multi-postes et disposant d'une bonne portabilité. L'avantage de A/UX, c'est que la machine tourne non seulement avec Unix mais en plus avec le Finder et le Système si bien connus. Les applications Mac sont donc tout à fait utilisables. De plus, et c'est là l'une de ses grandes forces, il est possible de développer des applications Unix ayant le "look" Macintosh également bien connu : vous disposez donc de deux systèmes d'une puissance inégalée en un seul micro-ordinateur. En outre:

 A/UX a accès au coeur du Macintosh (Toolbox) ;

 L'administration du système Unix est énormément simplifiée (administrateur système extrêmement réduit) ;

 A/UX reconnaît le réseau Appletalk ;

 X Windows est supporté par A/UX.

 De nombreuses applications existent dans le monde Unix, utilisables dans cet environnement ;

 En revanche, la configuration pour utiliser A/UX est extrêmement lourde et est inaccessible à l'amateur. Qu'on en juge plutôt :

   - Un Macintosh II avec co-processeur 68851,

   - 2 Mo de mémoire au minimum,

   - Un moniteur couleur et une carte vidéo étendue,

   - Un clavier étendu,

   - Un disque dur de 80 Mo minimum.

Ce produit s'adresse donc en priorité aux utilisations pour des stations de travail ou d'informatique de gestion. On remarque qu'il constitue une évolution logique dans la gamme des produits disponibles sur Macintosh. Il est la continuité des réseaux abordés au chapitre 8 : A/UX est multi-utilisateurs, c'est-à-dire qu'il autorise une utilisation réelle et simultanée des données par plusieurs utilisateurs.

Chapitre 14

Le coin des curieux

POUR EN SAVOIR PLUS

Non, nous n'allons pas vous donner ici un cours complet de programmation Mac. Mais si vous voulez modifier certains comportements de la machine, traduire une application, ou simplement comprendre un peu comment ça marche, ce chapitre est pour vous.

> Attention ! ce que vous allez lire paraîtra sans doute incomplet, simpliste, voire inexact, aux développeurs professionnels. Ne croyez pas apprendre ici comment programmer une application; il s'agit simplement de faire comprendre à tous ce qui se cache "dans la boîte". Si vous désirez réellement programmer, vous devez vous procurer la "bible", c'est-à-dire Inside Macintosh (Editions Addison Wesley), en cinq volumes de 300 pages chacun environ...

Le fonctionnement du Mac repose sur trois concepts fondamentaux :

- La *Toolbox*

- Les *ressources*

- La notion d'*événement*

Commençons par le plus simple, les événements. Dans un ordinateur "normal", c'est le programme en cours qui a les commandes de la machine. Le logiciel autorise telle ou telle action un instant donné ; les situations possibles ont été prévues au moment de l'écriture du programme. Si d'aventure une situation imprévue survient, c'est la catastrophe (le plantage). De tels programmes nécessitent un long apprentissage pour être maîtrisés, car une seule action est possible à la fois.

LES EVENEMENTS : TOUT UN PROGRAMME !

Dans le Mac, tout se passe à l'envers : c'est l'utilisateur qui tient les rênes. On lui permet tout à tout instant : cliquer, double-cliquer, frapper des caractères, insérer un disque, etc. Au pire, son action n'aura pas de conséquence, si elle ne correspond à rien à cet instant précis.

La plupart du temps, le Mac ne fait rien. Il attend qu'il "se passe" quelque chose. Et ce qui arrive, ce sont des événements. Les principaux événements sont :

- appui du bouton de la souris
- relâchement du bouton de la souris
- appui d'une touche clavier
- relâchement d'une touche clavier
- maintien d'une touche clavier (répétition de la touche)
- insertion d'un disque
- activation d'une fenêtre
- nécessité de mettre à jour une partie de l'écran
- intervention sur réseau (Appletalk)

Plus quelques autres, qui peuvent être définis par l'application suivant ses propres besoins. L'application passe donc la majorité de son temps à attendre l'un de ces événements. Bien sûr, elle ne sera pas forcément "à l'écoute" de tous les types d'événements. Par exemple, le relâchement d'une touche n'a le plus souvent d'intérêt que combiné avec le maintien d'une touche. Nombre de logiciels ignorent ces événements.

Notez qu'il n'existe pas d'événement "double-clic"... pour détecter un double-clic, l'application doit mesurer le temps entre le relâchement (fin du premier clic) et l'appui (début du second) du bouton de la souris, tout en vérifiant si celle-ci n'a pas bougé de plus de quelques pixels entre les deux, et comparer ce temps à celui enregistré dans le tableau de bord. Tout ça pour un malheureux clic... La facilité de l'utilisateur (quoi de plus simple que de pointer et cliquer) entraîne toujours la complexité pour le programmeur.

Le squelette d'un programme Mac est donc toujours constitué d'une grande boucle qui attend les événements. Lorsque l'un d'entre eux se produit, il est traité par l'application. Prenons un exemple : on détecte l'appui du bouton de la souris. Le Système, qui garde trace à tout instant de la position de celle-ci, indique à l'application où la souris se trouvait au moment de l'appui : dans la barre des menus, et si oui, sur quel menu, dans une fenêtre (et dans quelle partie de cette fenêtre), sur le bureau, etc. L'application peut alors entreprendre l'action adéquate.

Que se passe-t-il si un autre événement survient alors que le premier n'a pas fini d'être traité ? Il est mis dans une file d'attente, tout simplement. La file d'attente peut comprendre plusieurs événements. Lorsqu'elle est pleine, l'événement le plus ancien est chassé pour faire place au plus récent.

Vous pouvez faire vous-même l'expérience de cette file d'attente. Dans n'importe quelle application, demandez **Enregistrer Sous...** et, sans attendre l'apparition de la boîte de dialogue, tapez à toute vitesse un nom. Vous verrez que le Mac n'a pas oublié votre frappe : lorsque la boîte s'affiche, le nom s'insère tout seul.

> ☛ Il y a même des cas où cela peut faire gagner du temps : si, juste après avoir demandé une impression, vous frappez la touche Retour ou Entrée, la zone de dialogue d'impression ne s'affiche même pas ; seul son contour est dessiné pour s'effacer aussitôt. Les options par défaut sont adoptées (une copie de toutes les pages). Qui n'a pas joué à anticiper ainsi les réactions du Mac ?

LA TOOLBOX

L'un des points forts du Mac, qui fait sa facilité d'apprentissage, est l'uniformisation de "l'interface utilisateur", c'est-à-dire la manière qu'il a de se présenter à vous. Manière tellement standardisée que nous lui avons consacré un chapitre entier ("La philosophie Macintosh"). Toutes les appplications ont un "air de famille", reconnaissable immédiatement. Comment Apple a-t-il fait pour obtenir cela de développeurs différents et indépendants ?

La réponse tient en un seul mot : la Toolbox, littéralement "Boîte à outils".

Dans la boîte, il y a donc des outils. A un moment ou à un autre, tous les programmes doivent faire la même chose : offrir des commandes, afficher des données, avertir ou alerter l'utilisateur, enregistrer des documents, etc. Plutôt que de laisser chaque programmeur présenter cela à sa manière, on a mis tous les éléments nécessaires dans la Toolbox.

Du coup, plus besoin de réinventer la roue à chaque nouvelle application. Il suffira de puiser la routine convenable dans la Toolbox, et tout se passera toujours de la même manière.

Inutile de dire que l'usage de la Toolbox s'accompagne de règles très strictes édictées par Apple, en particulier dans *Inside Macintosh*, véritable bible du programmeur Mac, pour dire comment les choses doivent être faites. Suivre ces règles, c'est à la fois adhérer à l'esprit Mac, et s'assurer la compatibilité avec les matériels futurs. Le revers de la médaille, c'est l'apprentissage par le programmeur de centaines de pages ardues, et la prise d'habitudes nouvelles. Ce qui explique que certaines applications ne suivent pas exactement ces règles, et refusent par exemple de tourner sur Mac II.

Certains éléments de la Toolbox sont dans le Système, et sont chargés en RAM au démarrage, mais la plus grande partie est en ROM. Elle se décompose en grands blocs, nommés "Managers". Chaque Manager est chargé de gérer une partie bien définie du fonctionnement général. Les principaux Managers sont :

 QuickDraw, dont nous avons déjà parlé au chapitre 6, et qui gère tout l'affichage;

 le Memory Manager (mémoire) ;

 l'Event Manager qui gère les événements ;

 le Window Manager (fenêtres) ;

 le Menu Manager (comme son nom l'indique…) ;

 le Control Manager qui gère tous les contrôles (boutons, défilement…) ;

 le Dialog Manager (dialogue et alertes) ;

 Text Edit (entrée de texte) ;

 le File Manager (qui gère les fichiers sur disque) :

 le Ressource Manager qui est l'un des plus importants, car il gère les ressources, notre troisième concept fondamental, et sur lesquelles nous allons revenir ci-dessous.

Il existe encore d'autres managers, qui ont des fonctions plus ou moins importantes, comme le Driver Manager qui gère, entre autres, les accessoires de bureau, et le Font Manager pour les polices de caractères. Qu'on nous pardonne ces "oublis", dans un but de clarté.

LES RESSOURCES

Le cœur d'un ordinateur est son micro-processeur. Sans entrer trop dans la technique, vous savez sûrement que ce dernier ne comprend que le binaire, suite de 0 et de 1 électroniques. Comme le binaire est particulièrement illisible aux pauvres humains que nous sommes, on se sert le plus souvent pour programmer d'un langage dit "évolué" comme le Pascal, ou le C. Ces langages sont proches de la langue naturelle (le plus souvent l'Anglais). Mais l'ordinateur ne pouvant pas le comprendre, il faut traduire ce langage évolué en langage machine binaire (ou code *exécutable*). Les programmeurs parlent de *programme source* pour désigner ce qu'ils écrivent en langage évolué, et de *programme objet* pour le code exécutable obtenu après traduction.

La traduction se fait à l'aide d'un programme spécialisé, nommé *Compilateur*. Il existe des compilateurs Pascal, Basic, C, Fortran, etc.

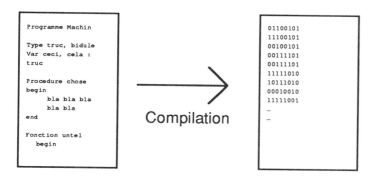

Programme et données

Le code objet est composé d'instructions compréhensibles par le micro-processeur, donc de séquences binaires regroupées par huit (huit bits forment un octet). Mais ces instructions ont aussi besoin de données sur lesquelles elles doivent travailler. Pas de données, pas de travail effectué !

Bien sûr, les données doivent aussi être codées en binaire, pour qu'elles puissent être comprises. D'où, par exemple, le code ASCII pour le texte (voir Chapitre 6).

Dans les ordinateurs classiques, les programmeurs mélangent instructions et données dans leur programme source. Par exemple, pour afficher "Hello" à l'écran, on écrira quelque chose comme :

```
affiche "hello"
```

Après la compilation, les données se trouvent donc intimement mêlées aux instructions machine, au sein du code objet. Certes, la programmation est plus facile, mais il est ensuite difficile de modifier ces données : si on veut afficher "Bonjour" au lieu de "Hello" , il faudra ré-écrire le programme source, et tout re-compiler. Cette opération est donc réservée au programmeur de l'application, car le code source n'est jamais publié par les éditeurs (copyright oblige).

Dans le Mac, encore une fois, tout est différent. Programme et données sont nettement séparés. On dira cette fois dans le programme source :

```
affiche la chaîne de caractères n° 1
```

Et on créera un fichier spécial, dans lequel on stockera toutes les chaînes de caractères que le programme est susceptible d'afficher, sous forme ASCII. La chaîne n°1 contiendra "Hello". On voit tout de suite l'avantage : ou pourra modifier à loisir la chaîne n° 1 (ou la 2 ou toute autre), sans toucher au code objet, donc sans recompilation.

On dit que les chaînes de caractères sont stockées dans une *ressource*.

Ce principe est entièrement généralisé dans le Mac. Presque tout se présente sous la forme de ressources. Il existe donc de très nombreux types de ressources. Chaque type est identifié par quatre lettres ou signes. Chaque ressource, au sein de son type, est repérée par son *ID* (pour identification), qui est un numéro (les ressources peuvent aussi avoir un nom; c'est par exemple le cas des polices de caractères, qui sont bien sûr aussi des ressources). Nous reverrons tout cela un peu plus bas, lors de l'utilisation de ResEdit, l'éditeur de ressources que tout le monde devrait posséder.

Les Managers de la Toolbox font des appels constants aux ressources. Prenons encore un exemple, pour fixer les idées :

A chaque fois qu'une application aura besoin de créer une fenêtre, elle fera appel au Window Manager. L'une des routines de celui-ci permet bien sûr de créer une fenêtre. Mais dès ce niveau, il faut distinguer entre la manière de fabriquer la fenêtre, qui est du code machine exécutable définissant son aspect avec ses parties, et les paramètres de cette fenêtre : sa position, sa taille, son titre, si elle a ou non une case de fermeture ou de zoom, etc.

Ces paramètres vont donc être stockés en ressource : il y a pour cela un type spécial de ressource, nommé WIND. L'ordre de création de la fenêtre se résumera donc à une phrase du type :

"va chercher la ressource n° tant, dans les ressources de type WIND"

Et c'est tout ! Le Window Manager fait le reste. Enfin, c'est presque tout… car la manière de dessiner la fenêtre, nous l'avons dit, est du code machine (en fait une suite d'ordres Quickdraw qui donneront son aspect à la fenêtre). Est-ce à dire que la forme des fenêtre est immuable, dès lors qu'on fait appel au Window Manager ? Non ! Car la définition de la fenêtre, bien que code, est elle aussi stockée en ressource ! Si on ne lui dit rien de spécial, le Window Manager se servira de la définition standard, placée dans la ressource WDEF (window definition). Mais rien n'empêche d'écrire soi-même une WDEF, pour personnaliser l'aspect des fenêtres. Il suffira de dire au Window Manager d'utiliser cette ressource WDEF pour créer la fenêtre…

Et tout ça sans toucher au code de l'application, donc sans recompilation, simplement en plaçant la WDEF dans l'application.

On pourrait multiplier les exemples à l'infini. Mais la puissance des ressources ne s'arrête pas là. En effet, tout fichier Mac peut contenir des ressources : document, application, et évidemment le Système. On dit que chaque fichier est divisé en deux "*forks*", mot intraduisible reflétant une dualité. Il y a une Data fork, contenant des données, et une ressource Fork", contenant des ressources. Suivant le type du fichier, l'une ou l'autre de ces parties peut être vide : dans le cas général, la *data fork* d'une application est vide, tandis que pour un document, c'est la *ressource fork* qui l'est ; mais cela n'est pas toujours vrai.

Lorsqu'on demande à lire une ressource de type et de numéro déterminés, tout un mécanisme se déclenche : la ressource est d'abord cherchée dans le document ouvert, puis dans l'application, puis dans le Système, et enfin en ROM.

Revenons à la création de notre fenêtre. La plupart des applications font des fenêtres standard : rectangulaires, avec barre de titre et case de fermeture. Elles se servent donc de la définition (WDEF) standard. Pour cela, il suffit qu'elles ne comportent pas de ressource WDEF. Lorsque le Window Manager demandera la WDEF pour dessiner la fenêtre, ce sera celle du Système qui sera employée. En remplaçant la WDEF du Système par une autre, on modifiera du même coup toutes les fenêtres créées par toutes les applications utilisant des fenêtres standard... cette fois sans toucher un seul octet de l'application !

Il existe d'ailleurs dans le domaine public une WDEF à installer dans le système, qui fabrique des fenêtres en forme de pomme...

Ce principe est donc largement généralisé ; les menus fonctionnent exactement de la même manière : une ressource de type MENU contient le texte, le style et les équivalents-clavier des titres et options, tandis qu'une ressource MDEF (menu définition) sert à dire comment ces menus sont dessinés. Les applications qui dessinent des menus spéciaux, comme par exemple les palettes motifs dans MacDraw, HyperCard, Ready Set Go, et d'autres, comprennent une ressource MDEF pour les créer.

En dehors de WIND et WDEF, de MENU et MDEF, voici quelques uns des principaux types de ressources :

PICT :	image Quickdraw ;
PAT :	motif (pattern = trame)
PAT# :	liste de plusieurs motifs
STR :	chaîne de caractères (attention, il y a un espace après le R car il faut quatre caractères) ;
STR# :	liste de chaînes de caractères. Plusieurs chaînes sont placées les unes à la suite des autres ;
ICN :	icône (toujours avec un espace au bout) ;
ICN# :	liste d'icônes. Comprennent l'icône et son "masque", utilisé par le Finder pour afficher l'icône sélectionnée ou grisée ;
CURS :	curseur de la souris; également défini avec un masque pour le passage sur les zones noires ;
ALRT :	alerte (paramètres de la fenêtre d'alerte) ;
DLOG :	dialogue (paramètres de la fenêtre) ;
DITL :	liste des éléments d'une alerte ou d'un dialogue (textes statiques, icônes, boutons) ;
FONT :	police de caractères ;
CODE :	oui, le code objet de l'application est lui-même stocké en ressources (qui peuvent être plusieurs, car on coupe souvent les logiciels en "*segments*", pour ne pas trop utiliser de mémoire à la fois.

Arrêtons là la liste, elle pourrait encore être longue !

Pour l'utilisateur moyen (mais néanmoins entreprenant), les ressources les plus intéressantes sont les STR, STR#, ICN, ICN#, DITL et MENU, car ce sont elles qui donnent leur aspect aux applications. En les modifiant, vous pourrez personnaliser ou simplement traduire un logiciel dans une autre langue. Et pour cela, nous allons nous servir de *ResEdit*.

RESEDIT

ResEdit est l'outil de base de tout "bidouilleur" Mac, pour la bonne raison que c'est un éditeur de ressources, et que dans le Mac, tout est ressource.

Pour illustrer quelques unes de ses possibilités, qui sont en réalité très nombreuses, nous allons vous montrer comment modifier les menus d'une application, en particulier pour les traduire ou leur ajouter un raccourci clavier. En fait, un autre utilitaire, *REdit*, serait plus simple d'emploi pour une telle traduction, mais ResEdit autorise de très nombreuses autres manipulations, et cette manipulation sera une bonne introduction. Son exploration permet de comprendre pas mal de choses sur la manière donc le Mac fonctionne. Mais il convient avant tout d'être prudent, et de n'agir qu'avec circonspection.

Dans ResEdit, il n'y a pas de commande *Enregistrer*. C'est au moment où vous fermerez la fenêtre de l'application ou du fichier édité qu'il vous demandera si vous voulez conserver les modifications faites. Si vous cliquez Yes, vous n'aurez plus de moyen de revenir à l'original, sauf en défaisant manuellement tout ce que vous aurez fait (si vous vous en souvenez). A l'inverse, si vous cliquez No, le fichier ne sera pas modifié et vous aurez travaillé pour rien (ou pour l'amour de l'art…).

> Attention ! La première chose à faire est UNE COPIE de l'application. ResEdit va travailler au cœur même de l'application ; si une bombe survenait (et avec ResEdit, elles ne sont pas rares…), votre application serait irrémédiablement perdue. Nous vous déconseillons donc de travailler avec ResEdit (comme d'ailleurs avec tout autre éditeur de ressources) sur les programmes protégés que vous avez pu acheter.

Vous allez donc travailler sur une copie du logiciel à modifier. Placez de préférence ResEdit, le Système et l'application à traiter sur un même disque. Pour notre part, nous allons modifier le Finder lui-même. Commencez par le dupliquer, ce qui vous donnera une "Copie de Finder", que vous pourrez toujours renommer "Finder" si quelque chose tourne mal sur l'original en cours de manœuvre.

Lancez ResEdit par un double-clic sur son icône. Ici, un petit mot : à notre connaissance, ResEdit n'existe qu'en Anglais. Mais, même si vous ne pratiquez pas
très bien (voire pas du tout) la langue de Shakespeare, vous pourrez vous
débrouiller pour les opérations de base. Un lexique Anglais-Français se trouve
d'ailleurs en fin d'ouvrage; il vous donnera les mots essentiels. De toutes façons,
ResEdit est l'outil parfait pour se traduire lui-même ; cela permettra de vous
faire la main...

Une fenêtre liste tous les éléments (applications, documents, dossiers) contenus
dans le disque. Si plusieurs disques sont présents, une fenêtre s'ouvre pour chacun. Si vous fermez une fenêtre, cela éjecte le disque correspondant. Ouvrez
l'application voulue par un double-clic sur son nom.

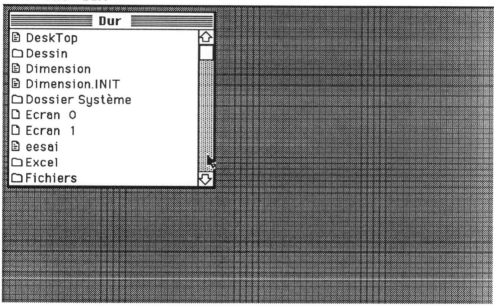

Une nouvelle fenêtre apparaît, qui affiche une liste de mots bizarres, de quatre
lettres ou signes : ce sont les différents types de ressources contenues dans votre
application. Passez-les en revue : vous retrouvez certaines des ressources citées
plus haut, ainsi que d'autres.

ResEdit fonctionne par niveaux : au premier, on sélectionne le fichier à éditer;
au second, le type de ressource voulu; au troisième, nous y venons, la ressource
elle-même. A chaque fois, une liste est présentée, dans laquelle on peut choisir,
soit par double-clic, soit en demandant **Open** dans le menu **File**.

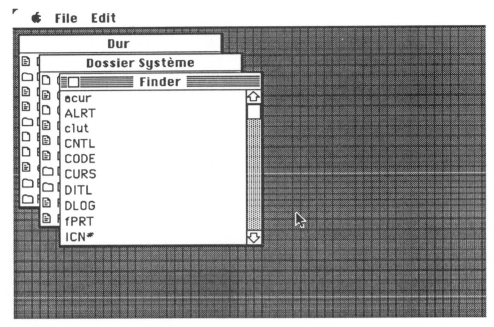

Double-cliquez sur le type MENU. Une nouvelle fenêtre, intitulée **MENUs from Finder** montre toutes les ressources de ce type contenues dans le Finder.

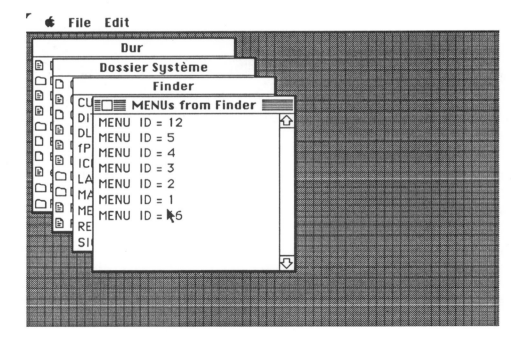

Hélas, les titres des menus ne sont pas encore visibles ; seul leur ID (numéro) les différencie. Nouveau double-clic sur l'une des ressources, par exemple sur MENU ID=2.

Ici, il faut être patient, ResEdit ne manipule pas très vite les menus, et il ne faut pas s'énerver lorsqu'il affiche la montre. Enfin, le menu s'ouvre, sous la forme d'une nouvelle fenêtre.

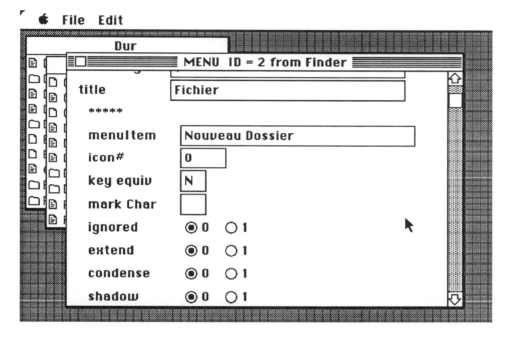

Vous pouvez voir qu'il s'agit du menu **Fichier**. En faisant défiler vers le bas (ce qui est fort lent), on découvre successivement tous les articles du menu.

Il ne faut pas toucher aux **enable flags**, qui sont gérés par le programme. Mais par contre, vous pouvez modifier à loisir l'intitulé du menu ou des articles. Après le nom de chaque option, il y a une case marquée **Key equiv**. Il suffit d'y taper une lettre ou un signe pour définir un équivalent clavier à cette commande, équivalent qui sera pris en compte automatiquement par le Menu Manager. C'est ainsi que vous personnaliserez ou traduirez les menus d'une aaplication.

A chaque article de menu est aussi associée une série de boutons-radio, marqués **Bold, Italic, Shadow**, etc. Si vous les cliquez, vous donnerez le style correspondant à l'article (gras, italique, ombré...).

Vous trouverez par-ci, par là, un article dont le nom est un simple tiret. Cela correspond à une ligne de séparation entre les options du menu.

Sélecteurs et éditeurs

ResEdit, comme nous l'avons dit, est extrêmement puissant. Lorsque vous ouvrez un type de ressource la liste de ces ressources apparaît dans une nouvelle fenêtre. Mais cette liste peut être personnalisée, pour certains types : les PICT, les CURS, les ICN et ICN#, les PAT et PAT# sont montrés sous forme graphique. Cela permet de les sélectionner plus facilement.

Cette fenêtre est donc appelée *sélecteur*. Les sélecteurs sont eux mêmes des ressources de ResEdit ; il est donc possible d'en ajouter au fur et à mesure des nouvelles versions. Voici par exemple le sélecteur d'icônes du Finder :

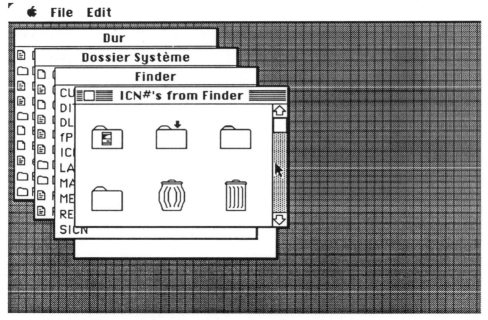

De même, la manière d'éditer les ressources elles-mêmes varie en fonction du type de la ressource : il y a aussi divers types d'*éditeurs*, également en ressources dans ResEdit.

Nous avons vu comment les menus sont présentés. Par contre, les WIND n'ont pas d'éditeur spécial, et sont affichées sous forme de texte, ce qui ne facilite pas leur édition. Les PICT ne sont pas éditables sous ResEdit, mais rien n'empêche de copier l'image, puis d'aller la modifier dans un logiciel graphique, avant de revenir la coller à sa place. Les ICN (icônes) sont présentées de manière graphique, avec possibilité de mofidication :

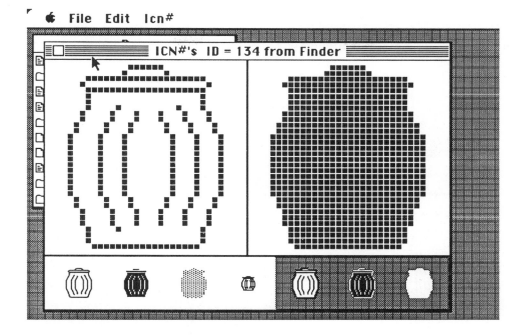

Les ressources "intéressantes"

Si vous voulez traduire une application, quelles sont les ressources à chercher ?

 MENU : d'abord, les menus. Ils constituent la facette la plus visible de l'application.

 STR et STR# : ces ressources contiennent certaines des phrases affichées dans les dialogues ou les alertes.

> Attention : les textes français sont toujours plus longs que les textes anglais. Si vous n'avez pas assez de place, éditez la fenêtre et les emplacements à l'aide des ressources ALRT et DLOG.

D'autre part, il est bon de connaître un minimum l'application à traduire, car certaines STR sont de simples mots, et le logiciel en combine plusieurs pour former des phrases. Or la syntaxe française est plus compliquée que l'anglaise, et on arrive facilement à produire du "petit nègre" !

 DITL : les éléments qui apparaissent dans les dialogues et alertes. Un double-clic sur chaque élément ouvre celui-ci en édition. C'est ainsi que vous pourrez modifier les boutons, les textes statiques et autres textes divers.

> Atttention ! Dans certains DITL, on trouve le signe ^1 ou ^2. Il ne faut surtout pas les enlever, car au moment de l'affichage, ils sont remplacés par une autre chaîne. Par exemple, "Le ^0 "^1 n'a pas pu être ^2 et a été ignoré (^3)" sera affiché : "Le fichier "Mon document" n'a pas pu être lu et a été ignoré (erreur du disque)".

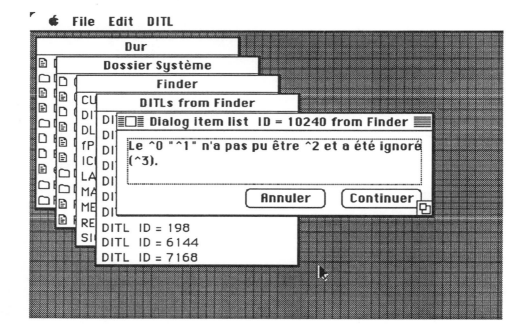

Le Presse-papiers de ResEdit

Ce qui nous amène à dire un mot du Presse-papiers dans ResEdit. Non seulement il est actif tout le temps, mais encore son action dépend du niveau auquel on se trouve.

Lorsque vous affichez la liste de toutes les ressouces, si vous en sélectionnez une et demandez **Copier**, toutes les ressources de ce type seront copiées ensemble ; vous pouvez fermer l'application, et aller les coller dans une autre, après avoir sélectionné le même type si vous voulez les remplacer. Bien sûr, il faut savoir ce que vous faites : si vous collez les menus du Finder dans MacPaint, ce dernier risque fort de ne pas aimer les intrus. Mais cela peut servir lorsqu'on a traduit une application, pour importer les menus ou autres ressources traduites dans une nouvelle version, pour ne pas tout avoir à refaire (à condition que ces ressources soient identiques dans les deux versions).

Lorsque vous êtes dans la liste d'un type particulier, vous pouvez aussi copier une (ou plusieurs, par majuscule-clic ou Commande-clic) ressource(s).

Il y aurait encore beaucoup à dire sur ResEdit. Les menus, bien que réduits, offrent une puissance énorme. A chaque niveau, on peut créer un élément nouveau : fichier, type de ressource, ressource elle-même, par la commande **New**. **Get Info** donne aussi des informations intéressantes, qui différent suivant le niveau et la sélection.

Enfin, certains éditeurs possèdent leur propre menu, qui s'ajoute à droite des autres. Leur emploi est en général assez clair.

Index

Glossaire
Anglais-Français

All	Tout
Already	Déjà
As...	Sous...
Available	Disponible
Background	Fond
Backspace	Arrière
Bold	Gras
Button	Bouton
Bytes	Octets
Cancel	Annuler
Can't	Impossible de
Card	Carte
Channel	Canal
Clear	Effacer
Clipboard	Presse-papiers
Close	Fermer
Condense	Condensé
Connection	Connexion
Copy	Copier
Cut	Couper
Data link	Liaison
Delete	Effacer
Desk Accessory	Accessoire de bureau
Dimmed	Estompé (grisé)
Disk	Disquette
Drag	Déplacer, faire glisser
Drive	Lecteur de disquette
Duplicate	Dupliquer
Edit	Edition
Eject	Ejecter
Empty	Vide
Enough	Assez
Erase	Effacer

Extend	Etendu
Field	Champ
File	Fichier
Font	Police de caractères
Full	Plein
Folder	Dossier
Key	Touche (du clavier)
Keyboard	Clavier
Item	Elément, option (de menu)
Locked	Vérouillé
Local network	Réseau local (LAN)
Mouse	Souris
Name	Nom
Network	Réseau
New	Nouveau
Note pad	Calepin
Open	Ouvrir
Outline	Relief
Paste	Coller
Plain	Standard (pour le style du texte)
Print	Imprimer
Protocol	Protocole
Quit	Quitter
Remove	Enlever
Replace	Remplacer
Revert	Revenir (à l'enregistrement)
Save	Enregistrer
Save as	Enregistrer sous
Scrapbook	Album
Scroll	Défiler
Set	Définir, installer
Show	Montrer, afficher
Snapshot	Copie d'écran en fichier **Mac Paint**
Shadow	Ombré
Shift	Majuscule
Simulation	Emulation
Size	Taille
Slot	Emplacement
Startup	Démarrage
Stack	Pile
Title	Titre
Trash	Poubelle
Underlined	Souligné
Undo	Annuler (littéralement défaire)
(in) use	en cours d'utilisation
Window	Fenêtre

Lexique

Alerte
Fenêtre spéciale présentée par le Mac pour donner un message.

Application
Abréviation de "Programme d'application". Synomyme de logiciel. Exemple : MacPaint, MacWrite, Font/DA Mover, Multiplan, Finder, etc…

Balayer
Déplacer le pointeur en maintenant le bouton de la souris appuyé.

Bureau
Synomyme de Finder.

Curseur
Voir point d'insertion.

Dialogue
Fenêtre spéciale présentée par le Mac pour échanger des informations avec l'utilisateur.

Déplacer
Cliquer un objet, et l'amener, sans relâcher le bouton de la souris, à l'endroit désiré.

Document
Tout travail crée par une application. On dit aussi fichier.

Driver
Fichier système permettant le fonctionnement des périphériques comme des imprimantes.

Fichier
Tout ensemble d'informations enregistré sur disque : document, application, driver…

Finder
Application créant l'environnement graphique apparaissant normalement au démarrage du Mac. Le Finder a le même rang qu'une application vis-à-vis du système.

Fonte
Jeu de caractères.

Périphérique
Appareil extérieur au Macintosh. Exemple : Imprimante, disque dur.

Pointeur
Index qui se déplace à l'écran en suivant les mouvements de la souris.

Point d'insertion
Endroit où la prochaine frappe au clavier apparaît à l'écran.

Rectangle de sélection
Dans le Finder, rectangle qui apparaît lors d'un balayage.

Touches spéciales
Ce sont les touches Majuscules, Commande, Option... voir dessin du clavier.

Utilitaire
Application pratique simplifant la conduite du Mac.

Pourquoi la bombe ?

01   Erreur sur le Bus
02   Erreur d'adresse
03   Instruction illégale
04   Division par zéro
05   Erreur de vérification
06   Nombre trop grand
07   Violation de privilège
08   Erreur sur le mode trace
09   Trappe à la ligne 1110

10   Trappe à la ligne 1111 (point d'arrêt)
11   Erreur générée par le HardWare
12   Appel à une routine non implémentée
13   Interruption non installée
14   Erreur d'entrée / sortie (E/S)
15   Erreur sur le gestionnaire de chargement des segments
16   Erreur sur le module virgule flottante
17   Package 0 absent
18   Package 1 absent
19   Package 2 absent

20   Package 3 absent
21   Package 4 absent
22   Package 5 absent
23   Package 6 absent
24   Package 7 absent
25   Erreur mémoire : dépassement
26   Ne peut pas démarrer l'application
27   La fichier de la table système a été détruit
28   Ecriture dans la pile
29   Rien

30   Erreur d'insertion de disque
31   Ce n'est pas le disque demandé
33   Valeur de ZcbFree négative
34   Un menu a été vidé